Ósca... ...
Enrique Sacristán Díaz

Libro de ejercicios

Diccionario
práctico de gramática
Uso correcto del español

Con + de 800 ejercicios

edelsa
RUPO DIDASCALIA, S.A.

Primera edición: 2005
Primera reimpresión: 2007
Segunda reimpresión: 2008
Tercera reimpresión: 2009
Cuarta reimpresión: 2010
Quinta reimpresión: 2011

© Edelsa Grupo Didascalia, S.A. Madrid, 2005.

Autores: Óscar Cerrolaza Gili.
          Enrique Sacristán Díaz.

Dirección y coordinación editorial: Departamento de Edición de Edelsa.
Diseño de cubierta: Departamento de Imagen de Edelsa.

Diseño y maquetación de interior: Begoña González Cambrón.

Imprenta: LAVEL.

ISBN: 978-84-7711-605-9
Depósito legal: M-1373-2011

Impreso en España / *Printed in Spain*

Índice

ÍNDICE GRAMATICAL

1. ARTÍCULOS DETERMINADOS
FORMA Y USOS

1. Complete el cuadro.

Artículos determinados		Singular	Plural
	Masculino	El	
	Femenino		

2. Escriba el artículo determinado correspondiente.

1. La crisis
2. ____ estación
3. ____ amor
4. ____ flores
5. ____ mapa
6. ____ mano
7. ____ salarios
8. ____ problema
9. ____ universidad
10. ____ mesa
11. ____ restaurante
12. ____ moto
13. ____ mares
14. ____ pisos

15. ____ coches
16. ____ mujer
17. ____ calefacción
18. ____ tema
19. ____ mitad
20. ____ abogado
21. ____ papel
22. ____ ventilador
23. ____ herramientas
24. ____ domingo
25. ____ lápices
26. ____ foto
27. ____ bares
28. ____ pensiones

29. ____ ventajas
30. ____ análisis
31. ____ camión
32. ____ hotel
33. ____ libros
34. ____ ciudad
35. ____ limón
36. ____ rebajas
37. ____ día
38. ____ bicicletas
39. ____ redacción
40. ____ lecciones
41. ____ llaves
42. ____ sillón

3. Complete los siguientes diálogos con el artículo determinado adecuado en caso necesario.

1. - Buenos días, Ø señor Rodríguez. ¿Cómo está usted?
   • Muy bien. Gracias.

2. - ____ Señor Montero, le presento a ____ señora Díaz.
   • Mucho gusto.
   - Encantada.

3. - Mira, éstos son ____ Pérez.
   • Preséntamelos.

4. - ____ Señor director, le espera ____ señorita García, del Departamento de Ventas.
   • Mucho gusto y bienvenida a la empresa

5. - Quiero hablar con ____ señora Vázquez, ____ directora de este banco.
   • Sí, un momento, por favor. Perdón, ____ señora Vázquez, ____ señor Jiménez quiere hablar con usted.

4. Marque la opción correcta.

1. Nos reuniremos Ø /(el)/ la martes, a Ø / los / las siete, en Ø / el / la despacho del director.
2. Ø / Los / Las domingos las tiendas están cerradas.
3. Valencia, Ø / el / la jueves, Ø / el / la 26 de junio de Ø / el / la 2005.
4. Ahora ya tiene Ø / el / la 18 años.
5. Estamos a Ø / el / la jueves.
6. Hace un mes cumplió Ø / los / las 26 años.
7. Se casó a Ø / los / las 20 años.
8. Hoy es Ø / el / la sábado, ¿no?

5. Complete las frases con el artículo determinado adecuado en caso necesario.

1. a. Pero ¡_Ø_¡ hombre, no seas así. Préstame ¡____¡ coche esta noche.
   b. ¡____¡ hombre es ¡____¡ único animal que tropieza dos veces con ¡____¡ misma piedra.
2. a. ¡____¡ chino es difícil de aprender para ¡____¡ españoles.
   b. Estoy estudiando ¡____¡ español por ¡____¡ tardes.
3. a. ¡____¡ pobre chico no sabe lo que le espera.
   b. Sí, ¡____¡ pobre chico!
4. a. En esta ciudad hay ¡____¡ calles muy estrechas.
   b. ¡____¡ calles más antiguas están en este barrio.
5. a. Yo soy ¡____¡ profesor de lengua. ¿Y tú?
   b. Buenos días, yo soy ¡____¡ profesor de este curso. Me llamo Enrique.
6. a. ¡____¡ río Manzanares pasa por Madrid.
   b. ¡____¡ río Manzanares no es muy caudaloso.
7. a. En ¡____¡ primavera voy a ir al valle del Jerte, es muy bonito.
   b. ¡____¡ próxima primavera iré a verte.
8. a. Perdón, ¡____¡ doctor Martínez, ¿a qué hora empieza su consulta?
   b. ¡____¡ doctor Martínez es ¡____¡ médico ¡____¡ más joven del hospital.

6. Complete los diálogos con *del, de la, al* o *a la*.

1. - ¿Vienes con nosotros ¡_al_¡ cine?
   • No, voy ¡____¡ discoteca con mis amigos.
2. - ¿De dónde vienes?
   • ¡____¡ teatro, he visto una obra muy buena.
   - Pues yo vengo ¡____¡ peluquería. Me he cortado el pelo.

3. - ¿Has visto ¡____¡ perro? Creo que se ha escapado otra vez.
   • No, no, está en su casita.
4. - Este libro es ¡____¡ padre de Javier.
   • Se lo devuelvo mañana.
5. - Han llamado ¡____¡ agencia de viajes. Puedes pasar a recoger el billete.
   • Ahora mismo voy.

1. Complete el cuadro.

		Singular	Plural
Artículos indeterminados	**Masculino**	Un	
	Femenino		

2. Clasifique las palabras.

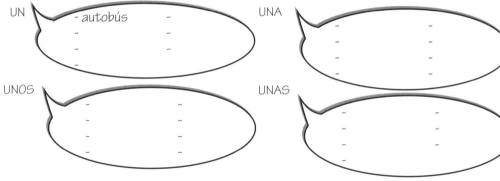

autobús - balones - cantidad - bolígrafos - manos - días - comisaría - conversaciones - despertadores - escalera - foto - llaves - luces - menú - meses - ordenador - quiosco - palomas - razón - pijama - puente - relojes - sistemas - esquemas - vendedoras - reservas - rosa - violín - oportunidad - moto

UN
- autobús

UNA

UNOS

UNAS

3. Marque la respuesta correcta.

1. **Un** / Una pincho de tortilla, por favor.
2. Hay que tomar **un** / **una** decisión urgentemente.
3. ¿Te echo **un** / **una** mano?
4. ¿Tienes **un** / **una** foto de tu marido?
5. Zaragoza es **un** / **una** ciudad muy interesante.
6. El presidente tiene **un** / **una** papel difícil.
7. Nos veremos **un** / **una** día de estos.
8. Me han regalado **un** / **una** reloj precioso.
9. La transferencia es **un** / **una** operación bancaria.
10. El gobierno tiene **un** / **una** enorme dilema con la nueva ley.

4. Haga las frases utilizando un elemento de la columna central.

1. Soy	Ø	estudiante de economía.
2. Tenemos	UN	cometas de colores.
3. ¿Quieres ser	UNA	rica y famosa?
4. Ha venido a trabajar sin	UNOS	corbata.
5. Llevas	UNAS	falda preciosa.
6. Voy a comprar		botellas de agua para el viaje.
7. Necesito		euros. ¿Me los prestas?
8. La abuela ha hecho la tarta con		cariño especial.
9. ¡Nunca había escuchado		tontería igual!
10. María tiene		talento excepcional para la pintura.

5. Complete las frases con *unos* o *unas* en caso necesario.

1. Aquí lo pone, este jersey cuesta ...Ø... 30 euros.
2. No sé cuánto cuesta, pero imagino que ...... 30 euros.
3. Llegaremos en ...... tres horas, más o menos.
4. El tren sale a las diez y llega a la una, o sea, que tarda ...... tres horas.
5. Es bastante joven, ¿no? Yo creo que tiene ...... treinta años.
6. Él tiene ...... treinta años. Lo sé porque fuimos compañeros de clase.
7. Hay un estanco a ...... tres cuadras de aquí.
8. Más o menos a ...... tres cuadras de aquí encontrará un estanco.

6. Marque la opción adecuada.

1. - Tengo (un) / el coche nuevo.
   • Sí, es un / el coche verde de ahí, ¿no?
2. - ¿Hay una / la farmacia por aquí?
   • Sí, está una / la farmacia "El sol", en la otra manzana.
3. - ¿Hay un / el museo importante en tu ciudad?
   • Sí, está un / el Museo de Pintura.
4. - En mi ciudad hay un / el parque muy grande. Es un / el Parque del Retiro.
   • Sí, es muy bonito.
5. - Una / La mujer quiere hablar contigo. Es una / la mujer de Paco.
   • Dile que pase.
6. - Quería unos / los zapatos y unos / los calcetines.
   • Unos / Los zapatos, ¿cómo los quiere?
7. - Hay un / el perro en nuestro jardín.
   • Sí, es un / el perro del vecino.
8. - ¿Quieres un / el café y unas galletas?
   • Sí, por favor.
   - ¿Cómo quieres un / el café, solo o con leche?

3. LO
USOS

1. Relacione.

1. Lo absurdo
2. Lo importante
3. Lo urgente
4. Lo raro
5. Lo difícil
6. Lo imposible
7. Lo lógico
8. Lo peor
9. Lo mejor
10. Lo triste

ES

a. lo que no es frecuente.
b. lo que no se entiende.
c. lo que no se puede hacer.
d. lo que nadie quiere.
e. lo que no tiene lógica.
f. lo primordial.
g. lo que merece la pena.
h. lo que no puede esperar.
i. lo racional.
j. lo que causa pena.

2. Transforme las frases como en el ejemplo.

1. Es una ciudad muy bonita.　　　　No te puedes imaginar *lo bonita que es la ciudad.*
2. Es muy inteligente.　　　　No sabes _____
3. Es un cuadro muy pequeño.　　　　No veas _____
4. Es muy difícil hablar bien una lengua　　No te puedes imaginar _____
   extranjera.　　　　_____
5. Canta muy bien.　　　　No te puedes imaginar _____
6. Es una película muy interesante.　　No veas _____
7. Es fascinante aprender lenguas.　　No sabes _____
8. Son muy pobres.　　　　No te puedes imaginar _____
9. Son muy amigas, se llevan muy bien.　No veas _____
10. Cuesta mucho dinero.　　　　No te puedes imaginar _____

3. Lea el texto y conteste a las preguntas.

Ahora tengo un nuevo trabajo y estoy muy contento porque es muy interesante y creativo, aunque no gano mucho dinero, pero no me importa porque estoy aprendiendo mucho. La empresa es española. Sin embargo, hablamos francés todo el tiempo, ya que la mayoría de nuestros clientes son africanos. Es muy divertido comunicarme con personas de otras culturas.

1. ¿Qué es lo mejor del trabajo? *Lo interesante y creativo que es*_____
2. ¿Qué es lo peor? _____
3. ¿Qué es lo que importa? _____
4. ¿Qué es lo curioso del trabajo? _____
5. ¿Qué es lo más divertido? _____

4. **Complete las frases con una de las siguientes expresiones.**

> lo más barato - lo inexplicable - lo carísimo - lo malo - lo más práctico -
> lo más interesante - lo mucho - lo mejor - lo poco - lo buenos

1. Si te duele la cabeza, ⌐___*lo mejor*___¬ es que tomes un analgésico.
2. En las películas de Almodóvar ⌐_____¬ son los diálogos.
3. La excursión fue divertida, pero ⌐_____¬ fue que llovió todo el día.
4. Le esperamos hasta las diez y no vino. Pero ⌐_____¬ es que no llamó.
5. El hotel que hemos reservado es ⌐_____¬ que hemos encontrado.
6. Es increíble ⌐_____¬ que está todo.
7. Me encanta ⌐_____¬ amigos que sois.
8. Si vas a hacer el Camino de Santiago, ⌐_____¬ es llevarse una mochila.
9. Es indiscutible ⌐_____¬ que ha mejorado la ciudad.
10. Está claro ⌐_____¬ que te interesa este asunto.

5. **Complete las frases según el modelo.**

1. Me molesta trabajar los sábados.
   ⌐*Lo de trabajar los sábados me molesta.*_____¬
   ⌐*Lo que me molesta es trabajar los sábados.*_____¬
2. Me da igual que trabajes los sábados.
   Lo de que ⌐_____¬
   Lo que ⌐_____¬
3. Es imprescindible equilibrar nuestra dieta alimenticia.
   Lo de ⌐_____¬
   Lo que ⌐_____¬
4. Me preocupa que mis hijos vean tanto la tele.
   Lo de que ⌐_____¬
   Lo que ⌐_____¬

6. **Elija la opción correcta.**

1. ¿Sabes que lo /(lo de)/ lo de que / lo que su enfermedad era mentira?
2. No me creo lo / lo de / lo de que / lo que me ha contado Martín de vosotros.
3. Lo / Lo de / Lo de que / Lo que es increíble es que no sepas todavía la verdad.
4. Me alegra lo / lo de / lo de que / lo que Ana, por fin ha encontrado un buen trabajo.
5. Lo / Lo de / Lo de que / Lo que te quería decir es que no vuelvas tarde.
6. Lo / Lo de / Lo de que / Lo que lógico es practicar todos los días, ¿no te parece?

4. DEMOSTRATIVOS
FORMA Y USOS

1. Complete el siguiente cuadro.

Demostrativos		Singular			Plural		
	Masculino	*Este*					
	Femenino						
	Neutro						

2. Observe y escriba el demostrativo.

Cerca de...   Lejos de...

a. ⌊____*Este*____⌋   b. ⌊_____⌋   c. ⌊_____⌋

3. Relacione.

1. Estos   a. Camisas   1. De aquí / acá
2. Esas   b. Reloj   2. De ahí
3. Aquel   c. Calcetines   3. De allí / allá

4. Marque la opción correcta.

1. Mmmm, esta / esa / aquella tarta está muy buena. ¿Cómo la haces?
2. Mira esta / esa / aquella tarta de fresa del escaparate.
3. ¿Ves esta / esa / aquella tarta de ahí? Es de chocolate. ¿Entramos y la compramos?
4. A mí no me gustan estos / esos / aquellos hombres de ahí, vamos por otra calle.
5. Mira, estos / esos / aquellos hombres de allá son mis compañeros. Vamos a saludarlos.
6. Irene, te presento a estos / esos / aquellos hombres. Son dos viejos amigos: José y Carlos.
7. En este / ese / aquel restaurante te recomiendo el cocido. Yo lo voy a pedir.
8. Me recomendaron pedir paella en este / ese / aquel restaurante y estaba malísima.
9. ¿Vamos a "Casa Paco"? Dicen que en este / ese / aquel restaurante hay unos callos riquísimos.
10. Por favor, ¿puedo ver estas / esas / aquellas camisas de ahí que están de oferta?
11. Mira estas / esas / aquellas camisas que he comprado. Estaban de oferta. ¿Te gustan?
12. No me gustan nada estas / esas / aquellas camisas que se compró Carmen.

5.

Complete los diálogos con el demostrativo adecuado.

1. - ¿Quién es __ese__ hombre?
   • ¿Cuál, _____ de la derecha?
   - No, no _____ de allí.
   • Ah, _____ es Carlos, mi sobrino.

2. - Quería un kilo de manzanas.
   • ¿De cuáles, de _____?
   - No, no, de _____ de ahí.

3. - Mira, _____ es mi coche nuevo.
   • ¡Qué bonito!

4. - ¿Ves a _____ mujer de allí, la que está al fondo?
   • ¿_____ del vestido verde?
   - Sí, sí. Es mi novia.

5. - ¿De quién es _____ lápiz?
   • Es mío.

6. - Toma, tu abrigo.
   • _____ no es mi abrigo, mi abrigo es _____ de ahí.

7. - ¿Cuánto cuestan _____ zapatos?
   • _____ están rebajados, sólo cuestan 30 euros.
   - Pues me los llevo.

8. - Me gusta mucho _____ camisa. Es muy suave.
   • A mí no me gusta tanto. Prefiero _____ de allí.

9. - ¿Quieres cenar en _____ restaurante del otro día?
   • ¿En cuál? ¿En _____ mexicano?

10.- _____ casas de allá son muy bonitas.
   • Sí, pero están muy lejos de la carretera.

6.

Complete las frases con *esto*, *eso* o *aquello*. Después relacione las preguntas con las respuestas.

1. Puaj, ¿qué es __esto__?
2. ¿Qué es _____ que estás comiendo?
3. ¿Ves _____ que se ve a lo lejos? Es un ovni, ¿no?
4. ¿De quién es _____ que llevas puesto?
5. Mira, _____ me lo ha regalado Teresa. ¿Te gusta?
6. Tenemos que comprarles algo a Jorge y Carmen por su boda. ¿Y si les compramos _____ que vimos en *Comprabien*?
7. No me gustó nada _____ que dijo Nicolás en la reunión del otro día. ¿Y a ti?
8. ¿Tú crees que _____ que estás haciendo está bien?
9. _____ es inadmisible, mira lo que dice este correo electrónico.
10. ¿_____ que dices es verdad?

a. Claro, yo no miento nunca.
b. Creo que has pisado una porquería.
c. ¿Esto? Es una chaqueta que me ha dejado mi primo.
d. Era un poco caro, ¿no?
e. Sí, lo he recibido esta mañana.
f. Es un plato típico de Asturias, "fabada". ¿Quieres probarlo?
g. Lo siento, ya no lo haré más.
h. No me sorprendió, sé bien cómo piensa.
i. No, hombre, es un avión.
j. Pues no mucho, la verdad.

5. POSESIVOS
FORMA Y USOS

1. Complete los cuadros.

Adjetivos posesivos		Masculino	Mi				Vuestro	
	Singular	Femenino				Nuestra		
	Plural	Masculino		Tus	Nuestros			
		Femenino					Vuestras	

Pronombres posesivos		Masculino	Mío		Nuestro			
	Singular	Femenino		Tuya		Vuestra		
	Plural	Masculino			Suyos		Suyos	
		Femenino				Vuestras		

2. Marque la respuesta correcta.

1. Mi / Mis mejor amigo se llama Rafa.
2. Nuestro / Nuestros profesor está enfermo.
3. Tu / Tus papeles están en el suelo.
4. Mi / Mis primas ya no viven aquí.
5. Vuestro / Vuestra casa es más pequeña que la mía.
6. Señor Ramírez, su / sus maletas están ya en la habitación.
7. ¡Qué raro! En vuestra / vuestras casa hay luz.
8. Ignacio y María escriben a su / sus hijo, que está en Cádiz.
9. ¿Son vuestro / vuestros estos libros?
10. Estos no son mi / mis zapatos. ¿De quién son?

3. Forme frases.

1. Yo / Mujer / Morena — *Mi mujer es morena.*
2. Ellos / Hijos / Altos
3. Nosotros / Piso / Grande
4. Tú / Jersey / Pequeño
5. Yo / Hermanas / Gemelas
6. Vosotros / Libro / Éste
7. Ella / Pantalones / Cortos
8. Usted / Habitación / Cómoda
9. Tú / Gafas / De sol
10. Nosotras / Clases / Divertidas
11. Vosotras / Camisetas / Azules
12. Él / Coche / Rápido

4. Siga el modelo.

1. Mi ordenador — El mío
2. Mis padres —
3. Tu casa —
4. Tus libros —
5. Su oficina —
6. Sus papeles —
7. Mis zapatos —
8. Tu esposa —
9. Su dinero —
10. Sus periódicos —

11. Nuestro trabajo —
12. Nuestras chaquetas —
13. Nuestra salud —
14. Vuestra vida —
15. Su casa —
16. Vuestros países —
17. Sus intereses —
18. Vuestras amigas —
19. Su apartamento —
20. Nuestro negocio —

5. Complete con el posesivo adecuado.

1. Todos mis hermanos están casados. ¿Y los tuyos?
2. Éstas son tus llaves. Las ___ las he olvidado en la cocina.
3. Mi coche es más viejo que el ___, sin embargo, el ___ consume más que el ___.
4. Mi ordenador es más potente que el ___.
5. Tu país es más caluroso que el ___.
6. Yo tengo aquí mis notas. ¿Tienes tú las ___?
7. Éstas son mis razones. ¿Cuáles son las ___?
8. Mis hijos estudian con los ___.
9. En mi país está regulado el divorcio. ¿Y en el ___?
10. Aquí están tus zapatos. ¿Has visto los ___?
11. Mi casa es más pequeña que la ___.

6. Transforme las frase como en el modelo.

1. Mi coche es rojo. — El coche rojo es mío. — El mío es rojo.
2. Tu país es muy pequeño —
3. Nuestra casa es ésa. —
4. Su libro es muy interesante. —
5. Vuestro reloj es suizo. —
6. Tus padres son chilenos. —
7. Sus hijas son bilingües. —
8. Mis camisas son cubanas. —
9. Vuestros exámenes son esos. —
10. Nuestros abuelos son peruanos. —

6. INDEFINIDOS (1)
FORMA Y USOS

1. Relacione.

1. Algo	a. Ninguna
2. Alguien	b. Nada
3. Alguno	c. Ninguno
4. Algún	d. Nadie
5. Alguna	e. Ningún

2. Relacione las preguntas con las respuestas.

1. ¿Qué película prefieres?
2. ¿Hay algún restaurante bueno por aquí?
3. ¿Conoces a alguien que hable ruso?
4. ¿Le has comprado algo a Ana por su cumpleaños?
5. ¿Quedan limonadas?
6. ¿Quién ha llamado por teléfono?
7. Niño, ¿qué tienes en la boca?
8. ¿Cuál prefieres?
9. ¿Quieres tomar algo?
10. ¿Has comido algo?

a. Sí, hay algunos que no están mal.
b. No, no le he comprado nada.
c. Sí, creo que hay algunas en la nevera.
d. Sí, conocí a algunos chicos en Moscú.
e. No me gusta ninguna.
f. Sí, algunos pinchos.
g. No, muchas gracias. No quiero nada.
h. La verdad, ninguno de los dos.
i. No tengo nada, mamá.
j. Nadie. Se habían confundido.

3. Complete las frases con uno de los siguientes indefinidos.

algo - alguien - algún - alguna - alguno - algunos - nada - nadie - ninguno - ninguna

1. - ¿Tienes !___algún___! amigo aquí?
   • Sí, no muchos, pero tengo !_____! .
2. - ¿Tiene usted !_____! experiencia con los ordenadores?
   • A decir verdad, no tengo !_____! .
3. No me gusta !_____! de estos discos.
4. ¿Has comprado !_____! para comer?
5. No conozco a !_____! en esta ciudad.
   • Pues si quieres yo te puedo presentar a !_____! amigos.
6. ¿Me ha llamado !_____!?
7. No hay !_____! en la tele hoy.

4. Complete la siguiente entrevista de trabajo con el indefinido adecuado.

Director: ¿Quién le ha recomendado para este puesto?

Candidato: No me ha recomendado (1)⌞___*nadie*___⌟.

Director: ¿Tiene (2)⌞_____⌟ experiencia como diseñador gráfico?

Candidato: Sí, he trabajado diez años en una empresa de diseño.

Director: ¿Ha realizado (3)⌞_____⌟ proyecto reconocido?

Candidato: Sí, he tenido la oportunidad de presentarme a (4)⌞_____⌟ concursos de mucho prestigio.

Director: ¿Ha ganado (5)⌞_____⌟ de esos concursos?

Candidato: No, todavía no he ganado (6)⌞_____⌟, aunque he recibido críticas excelentes.

Director: ¿Ha trabajado antes en (7)⌞_____⌟ empresa de juguetes?

Candidato: No, en (8)⌞_____⌟.

Director: Muchas gracias por su interés en nuestra empresa. Nos pondremos en contacto con usted dentro de (9)⌞_____⌟ días. Por favor, déjenos (10)⌞_____⌟ teléfono de contacto y su dirección.

Candidato: Muchas gracias. Adiós.

5. Marque la opción adecuada.

1. ¿Tienes (algún) / alguno libro bueno de gramática?
2. Ningún / Ninguno de mis amigos quiere venir conmigo.
3. Ningún / Ninguno estudiante se presentó al examen.
4. ¿Hay algún / alguno actor famoso en esa película?

6. Complete las frases con *bastante/es, mucho/a/os/as* o *poco/a/os/as*.

1. - ¿Hubo ⌞___*mucha*___⌟ gente en el concierto?
   • Pues sí, ⌞_____⌟ más de la que pensábamos.
2. - Me parece que hay ⌞_____⌟ comida, ¿no? Voy a preparar algo más.
   • No, hay ⌞_____⌟, no hagas nada más.
3. - Pon un ⌞_____⌟ más de sal a la sopa, que está muy sosa.
   • ¿Cuánto, ⌞_____⌟?
   - No, sólo un ⌞_____⌟.
4. ⌞_____⌟ ciudades tienen problemas de contaminación.
5. Tengo ⌞_____⌟ sed. Dame un vaso de agua.
6. ⌞_____⌟ personas saben que Madrid es la capital europea con más árboles por habitante.

1. Clasifique los siguientes indefinidos según su significado.

> tal - varios - otros - semejantes - mismo - diversos - diferentes - cualquier -
> cada uno de - cada cual - demás - igual - quienquiera

Personas o cosas diferentes	Personas o cosas parecidas	Distribución o indiferencia
- otros - - - -	- - -	- - - -

2. Complete las frases con uno de los siguientes indefinidos.

> tales - muchos - tal - varias - otro - todos - misma - semejante

1. No hay !___muchos___! estudiantes en esta clase.
2. Dame !_____! libro, por favor.
3. He traído la !_____! película que tú, pero en versión original.
4. Te ha llamado un !_____! Fermín.
5. !_____! personas han preguntado por ti.
6. !_____! los invitados han dicho que la cena estaba riquísima.
7. !_____! personaje no debería estar aquí. Échalo.
8. Con !_____! amigos no es necesario tener enemigos.

3. Sustituya el indefinido señalado por otro similar.

1. Yo me llevé un paquete. Los **demás** se los llevó Sergio.   !_____Otros_____!
2. **Distintos** medios de comunicación han dado la noticia.   !_____!
3. **El mismo** problema que tú tuvo Genaro.   !_____!
4. **Semejantes** discusiones no llevan a nada. Vamos a dejarlo.   !_____!
5. Ha ganado **diversos** campeonatos deportivos.   !_____!
6. ¡Cómo te pareces a tu padre: **iguales** gestos, **iguales** manías...!   !_____!
7. Vosotros venís conmigo, los **otros** con Asunción.   !_____!
8. Ante **tal** situación no hubo más remedio que salir corriendo.   !_____!
9. Unas publicaciones son serias, las **demás** son sensacionalistas.   !_____!
10. Necesito un documento **distinto**.   !_____!

4. Complete las frases con uno de los siguientes indefinidos.

cada - cada uno - cada cual - cualquier - cualquiera - quienquiera

1. Yo creo que ⌐__*cada uno*__⌐ de nosotros es libre de hacer lo que quiera.
2. No abras la puerta ⌐_____⌐ que llame.
3. ⌐_____⌐ es dueño de hacer con su vida lo que quiera.
4. Al salir de la conferencia ⌐_____⌐ participante se llevó una fotocopia.
5. ⌐_____⌐ problema que tenga durante su estancia en el hotel, no dude en preguntarnos.
6. A mí me parece evidente, ⌐_____⌐ puede verlo.

5. Marque la opción adecuada.

1. Este reloj me gusta (mucho) / muy.
2. Es una cámara de fotos **mucho** / **muy** sofisticada. Cuídala.
3. En España hay **mucha** / **muy** gente que come después de las tres de la tarde.
4. Los argentinos almuerzan **mucho** / **muy** pronto.
5. Es **mucho** / **muy** mejor hacer los ejercicios antes del examen.
6. Esta película está **mucho** / **muy** bien, tienes que verla.
7. Has hecho **mucho** / **muy** mal en no decirme la verdad.
8. Me ha costado **mucho** / **muy** dinero.
9. Es pronto para saberlo, pero creo que es **mucho** / **muy** peor no hacer nada.

6. Reflexione y relacione.

1. *Mucho* se utiliza con...

2. *Muy* se utiliza con...

a. sustantivos
b. adjetivos
c. adverbios
d. *mejor* y *peor*

7. Ordene estas frases de mayor a menor.

1.
☐ José Ángel es algo inteligente.
☐ José Ángel es bastante inteligente.
☐ José Ángel es inteligente.
☐ José Ángel no es nada inteligente.
1 José Ángel es muy inteligente.

2.
☐ A mí me gusta poco el deporte.
☐ A mí me gusta mucho el deporte.
☐ A mí no me gusta nada el deporte.
☐ A mí me gusta bastante el deporte.
☐ A mí me gusta algo el deporte.

8. NUMERALES (1): NÚMEROS CARDINALES
FORMA Y USOS

1. Escriba estos números con letras.

1. 5 ⌊_____Cinco_____⌋
2. 7 ⌊_____⌋
3. 2 ⌊_____⌋
4. 9 ⌊_____⌋
5. 4 ⌊_____⌋

6. 12 ⌊_____⌋
7. 16 ⌊_____⌋
8. 13 ⌊_____⌋
9. 15 ⌊_____⌋
10. 19 ⌊_____⌋

2. Complete la secuencia.

1. dos • cuatro • seis • ⌊____ocho____⌋ • diez • doce • catorce...
2. tres • seis • nueve • doce • ⌊_____⌋ • dieciocho • veintiuno...
3. uno • tres • ⌊_____⌋ • siete • nueve • ⌊_____⌋ • trece...
4. seis • doce • ⌊_____⌋ • veinticuatro • treinta...
5. tres • dos • cinco • cuatro • siete • ⌊_____⌋ • nueve • ocho • ⌊_____⌋ • diez...

3. Complete las frases con un o uno.

1. - ¿Quieres ⌊__un__⌋ bocadillo?
   • Sí, dame ⌊_____⌋.
2. - ¿Hay ⌊_____⌋ estanco por aquí?
   • Sí, hay ⌊_____⌋ en esta calle.
3. - ¿Tienes hermanos?
   • Sí, ⌊_____⌋.
4. - Tengo ⌊_____⌋ coche pequeño.
   • Yo ⌊_____⌋ grande.
5. - Yo quiero ⌊_____⌋ café solo.
   • Y yo ⌊_____⌋ con leche.
6. - José es ⌊_____⌋ socio de mi padre.
   • No lo sabía.
7. - Mira, te presento a ⌊_____⌋ de mis colaboradores.

8. - Alberto es ⌊_____⌋ director muy serio.
   • Sí, sí, es verdad.
9. - Es ⌊_____⌋ de los jefes de la compañía.
   • Sí, es ⌊_____⌋ directivo importante.
10. Vicente es ⌊_____⌋ amigo mío muy simpático. Es ⌊_____⌋ de mis mejores amigos.
11. Cincuenta y ⌊_____⌋ deportistas participaron en la carrera.
12. La casa ha costado ciento ⌊_____⌋ mil euros.

4. Escriba estos números en cifras.

1. Doscientos veinticinco. ⌊__225__⌋
2. Setecientos treinta y nueve. ⌊_____⌋
3. Cuatrocientos noventa y siete. ⌊_____⌋
4. Quinientos ochenta y cinco. ⌊_____⌋

5. Noventa y nueve. ⌊_____⌋
6. Ciento catorce. ⌊_____⌋
7. Seiscientos veintiocho. ⌊_____⌋
8. Trescientos uno. ⌊_____⌋

5. Complete con *y* en caso necesario.

1. Seiscientos !__Ø__! cincuenta !__y__! uno.
2. Mil !____! doscientos !____! sesenta !____! tres.
3. Nueve !____! mil !____! quinientos !____! trece.
4. Sesenta !____! dos !____! mil !____! cien.
5. Trescientos !____! cuatro !____! mil !____! novecientos !____! noventa !____! nueve.

6. En estas series hay un número erróneo. Localícelo.

1. uno, (doze) tres, cuatro, cinco, seis...
2. cuatro, catorce, cuarenta, cuatrocientos...
3. cinco, quince, quincuenta, quinientos...
4. seis, dieciséis, sesenta, sescientos...
5. siete, diecisiete, sietenta, setecientos...

7. Escriba estos números en letras.

1. 5.872 ! *Cinco mil ochocientos setenta y dos.*
2. 7.798 !
3. 2.014 !
4. 9.553 !
5. 4.676 !
6. 12.021 !
7. 16.973 !
8. 13.245 !
9. 15.788 !
10. 19.505 !

8. Marque la opción correcta.

1. Déjame (cien) / ciento euros, por favor.
2. A mi boda vinieron cien / ciento invitados.
3. Cien / Ciento mil personas se manifestaron.
4. El cien / ciento por cien / ciento de los entrevistados respondió a las preguntas.
5. Sólo un veinte por cien / ciento lo hizo correctamente.
6. Este abrigo cuesta cien / ciento catorce euros. Es muy caro.
7. Se vendió el edificio en ruinas por cien / ciento cincuenta mil euros.
8. El cincuenta por cien / ciento de los estudiantes habla dos o tres lenguas extranjeras.

9. NUMERALES (2): NÚMEROS ORDINALES
FORMA Y USOS

1. Escriba estos ordinales.

1. 1º ⌐ _Primero_ ⌐
2. 5º ⌐_____⌐
3. 7º ⌐_____⌐
4. 4º ⌐_____⌐
5. 9º ⌐_____⌐

6. 6º ⌐_____⌐
7. 10º ⌐_____⌐
8. 12º ⌐_____⌐
9. 2º ⌐_____⌐
10. 15º ⌐_____⌐

2. Observe este directorio de unos grandes almacenes y responda a las preguntas.

10ª	Planta:	**Oportunidades y cafetería**
9ª	Planta:	**Joven y música**
8ª	Planta:	**Caballeros y agencia de viajes**
7ª	Planta:	**Señoras y zapatería**
6ª	Planta:	**Niños y juguetería**
5ª	Planta:	**Hogar**
4ª	Planta:	**Electrónica e informática**
3ª	Planta:	**Librería y papelería**
2ª	Planta:	**Supermercado**
Iª	Planta:	**Complementos, joyería y perfumería**

1. ¿Dónde puedo comprar unos zapatos?
   ⌐ _En la séptima planta._ ⌐
2. ¿En qué planta están los muebles?
   ⌐_____⌐
3. ¿Hay alguna sección de discos y CDs?
   ⌐_____⌐
4. ¿Dónde están las oportunidades?
   ⌐_____⌐
5. ¿El supermercado está en la primera planta?
   ⌐_____⌐

6. ¿Adónde hay que ir para contratar un viaje? ⌐_____⌐
7. ¿Dónde está la perfumería? ⌐_____⌐
8. ¿Dónde se puede comprar un ordenador? ⌐_____⌐
9. ¿Dónde puedo comprar un libro? ⌐_____⌐
10. ¿Dónde están los juguetes? ⌐_____⌐

3. Marque la opción correcta.

1. - En el (primer) / primero piso vive una familia muy simpática.
   • ¿Y quién vive en el tercer / tercero?
   - Mis padres viven en el tercer / tercero piso, en la tercera puerta.
2. - ¿Sabes ya los resultados de la carrera?
   • Sí, hombre. Tu equipo ha sido el primer / primero.
   - ¿Y el vuestro?
   • El tercer / tercero.
3. El primer / primero rey Austria de España fue Carlos primer / primero.
   - ¿Y el último?
4. Somos cuatro, y yo soy el tercer / tercero hermano.

4. Escriba estos ordinales en cifras.

1. Vigésimo cuarto. ⌐24º¬
2. Centésimo primero. ⌐___¬
3. Sexagésimo noveno. ⌐___¬
4. Quincuagésimo segundo. ⌐___¬
5. Decimoctavo. ⌐___¬

6. Nonagésimo tercero. ⌐___¬
7. Trigésimo quinto. ⌐___¬
8. Octogésimo sexto. ⌐___¬
9. Cuadragésimo séptimo. ⌐___¬
10. Septuagésimo quinto. ⌐___¬

5. Escriba ahora estos ordinales en letras.

1. 104º ⌐ *Centésimo cuarto.* _____¬
2. 99º ⌐_____¬
3. 54º ⌐_____¬
4. 63º ⌐_____¬
5. 25º ⌐_____¬
6. 87º ⌐_____¬
7. 33º ⌐_____¬
8. 21º ⌐_____¬
9. 15º ⌐_____¬
10. 43º ⌐_____¬

6. Conteste a las preguntas.

1. ¿Cuántos años tiene una quinceañera? ⌐ *Quince.* _____¬
2. ¿Qué significa "cuarentón"? ⌐_____¬
3. Un árbol centenario es ⌐_____¬
4. ¿Quién tiene más años, un cincuentón o un cuarentón? ⌐_____¬

7. Lea esta lista de la compra y escriba lo que va a comprar. Preste atención a los partitivos.

1. $\frac{1}{2}$ kg. queso   3. $\frac{1}{4}$ kg. tomates
2. $\frac{3}{4}$ kg. pescado 4. $\frac{1}{3}$ kg. carne picada

1. ⌐_____ *Medio kilo de queso.* _____¬
2. ⌐_____¬
3. ⌐_____¬
4. ⌐_____¬

8. Escriba estos partitivos.

1. 8/9 ⌐_____ *Ocho novenos.* _____¬
2. 3/5 ⌐_____¬

3. 2/3 ⌐_____¬
4. 6/8 ⌐_____¬

10. NOMBRES O SUSTANTIVOS
GÉNERO Y NÚMERO

1. Clasifique estas palabras según el género.

hombre - primo - suegro - nuera - hermano - cuñado - abuelo - nieto - hermana - marido - tía - prima - suegra - cuñada - yerno - mujer - padre - hijo - nieta - hija - tío - madre - abuela

Masculino ♂

- hombre
-
-
-
-
-

-
-
-
-
-
-

Femenino ♀

-
-
-
-
-

-
-
-
-
-

2. Forme el femenino.

1. Escritor   _Escritora_
2. Ministro
3. Profesor
4. Tenista
5. Cantante

6. Taxista
7. Pintor
8. Camarero
9. Doctor
10. Vendedor

3. Relacione.

1. El caballo
2. El perro
3. El gallo
4. El gato
5. El toro
6. El pato
7. El elefante
8. El carnero
9. El zorro
10. El burro

a. La pata
b. La oveja
c. La vaca
d. La gallina
e. La yegua
f. La gata
g. La burra
h. La perra
i. La zorra
j. La elefanta

4. Clasifique estas palabras según el género.

jueves - muchedumbre - estrechez - domingo - abril - Nilo - cuatro - eñe -
foto - flor - color - garaje - mayo - brebaje - libertad - habilidad - acción -
sociedad - bombero - corazón - juventud - pez - ocasión - trece

Masculino · · · · · · · · · Femenino

- *jueves*
-
-
-
-

5. Forme el plural.

1. Jueves — *Jueves*
2. Hija
3. Trabajo
4. Coche
5. Personaje
6. Documento
7. Naranja
8. Casa
9. Martes
10. Salida
11. Árbol
12. Ascensor
13. Lápiz
14. Pez
15. Camión
16. Transistor
17. Rey
18. Acción
19. Libertad
20. Rubí

6. Complete las respuestas.

1. ¿Quién es David Beckham? Un *futbolista* famoso.
2. ¿Qué es Mercedes Benz? Una fábrica de _____.
3. ¿Qué es *El Quijote*? Un _____ de Cervantes.
4. ¿Cuál es el femenino de *toro*? _____.
5. ¿Quién es Shakira? Una _____ colombiana.
6. ¿Qué hay en el Museo del Prado? Muchos _____.
7. ¿Quién es Juan Carlos I? El _____ de España.
8. ¿Cuál es la capital de España? _____.

11. ADJETIVOS
GÉNERO Y NÚMERO

1. Clasifique los siguientes adjetivos.

> alegre - peligroso - amable - simpática - enérgico - sólida -
> absurda - solidario - interesante - natural - guapa - atractivo

Masculino	Femenino	Masculino y femenino
		alegre

2. Complete la terminación del adjetivo, en caso necesario.

1. Mi hermano es muy simpátic_o_.
2. Su hermana es muy inteligent__.
3. Es una película interesant__.
4. Tu profesor es muy amabl__.
5. Es una ciudad muy peligros__.
6. Es una persona muy solidari__.
7. Este yogur es natural__.
8. Tienes un abrigo muy car__.
9. Me gusta la gente alegr__.
10. La amiga de César es muy atractiv__.

3. Transforme las siguientes frases en singular o en plural.

1. Ya están limpias las mesas. _Ya está limpia la mesa._
2. El amigo alegre es el mejor. __
3. La planta es bonita y muy decorativa. __
4. Este ordenador es muy caro, pero es muy eficaz. __
5. ¡Qué persona tan amable! __
6. Estos papeles están rotos. __
7. ¿Dónde está el rotulador nuevo? __
8. El suelo está seco. __
9. La catedral es antigua y hermosa. __
10. ¿Me pasas el nuevo contrato? __

4. Complete el cuadro según el modelo. Ojo, no todos los adjetivos tienen las cuatro variantes.

Masculino		Femenino	
Singular	Plural	Singular	Plural
1. Simpático	*Simpáticos*	*Simpática*	*Simpáticas*
2. Cortés			
3. Joven			
4. Viejo			
5. Interesante			
6. Vulgar			
7. Normal			
8. Nuevo			
9. Azul			
10. Naranja			

5. Complete los adjetivos del texto con la terminación adecuada en caso necesario.

"Esta es una foto de mis compañeros de trabajo. El jefe es el gord!o! del centro. Es muy simpátic!_! y alegr!_!, la persona más responsabl!_! que conozco. Justo a la derecha está Manoli, una chica un poco rar!_!, pero muy divertid!_!. El chico alt!_! y guap!_! se llama Paco y es muy dinámic!_!. Y a la derecha está Marina, que siempre está feliz!_! y content!_!. El chico rubi!_! del fondo es mi mejor!_! amigo, pero en la foto está enfadad!_! y trist!_! porque no había tenido un buen día."

6. Relacione.

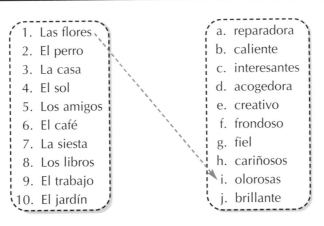

1. Las flores   a. reparadora
2. El perro   b. caliente
3. La casa   c. interesantes
4. El sol   d. acogedora
5. Los amigos   e. creativo
6. El café   f. frondoso
7. La siesta   g. fiel
8. Los libros   h. cariñosos
9. El trabajo   i. olorosas
10. El jardín   j. brillante

12. COMPARATIVOS Y SUPERLATIVOS (1)
FORMA Y USOS

1. Complete las frases haciendo oraciones comparativas. Utilice los siguientes adjetivos.

> bajo - pequeña - rápido - menor - alto - grande - mayor - lento - interesante - difícil - gordo - recientes - guapa - delgado - habitado

1. Juan: 1,70 metros. Pedro: 1,80 metros.
   a. Pedro es ⌐___*más alto que*___¬ Juan.
   b. Juan es ⌐___*más bajo que*___¬ Pedro.

2. Madrid: 5 millones de habitantes. Buenos Aires: 12 millones.
   a. Buenos Aires está ⌐_____¬ Madrid.
   b. Madrid está ⌐_____¬ Buenos Aires.

3. Mi ADSL: 1 Mb. El tuyo: 0,5 Mb.
   a. Mi ADSL es ⌐_____¬ el tuyo.
   b. Tu ADSL es ⌐_____¬ el mío.

4. Yo: 35 años. Mi hermano: 23 años.
   a. Mi hermano es ⌐_____¬ yo.
   b. Yo soy ⌐_____¬ mi hermano.

5. La casa de mis padres: 80 metros cuadrados. Mi casa: 30 metros cuadrados.
   a. La casa de mis padres es ⌐_____¬ mi casa.
   b. Mi casa es ⌐_____¬ la de mis padres.

6. El perro del vecino: 60 kilos. Nuestro perro: 45 kilos.
   a. El perro del vecino es ⌐_____¬ nuestro perro.
   b. Nuestro perro es ⌐_____¬ el perro del vecino.

7. La película *Mar adentro*, muy interesante. Otras películas del director, muy interesantes.
   a. La película *Mar adentro* es ⌐_____¬ el resto de sus películas.

8. Canal público de televisión: películas recientes. Canal privado: películas no recientes.
   a. El canal público de televisión tiene películas ⌐_____¬ el canal privado.
   b. El canal privado de televisión tiene películas ⌐_____¬ el canal público.

9. Arantxa es guapa. Su madre es muy guapa.
   a. La madre de Arantxa es ⌐_____¬ ella.
   b. Arantxa es ⌐_____¬ su madre.

10. El chino es una lengua difícil. El japonés también.
    a. El chino es ⌐_____¬ el japonés.
    b. El japonés es ⌐_____¬ el chino.

2. Complete con *que* o *de*.

1. Hace más ⌊__de__⌋ media hora que estoy sentado aquí. No tengo nada ⌊_____⌋ hacer.
2. El queso es más barato ⌊_____⌋ el jamón y además cuesta menos ⌊_____⌋ 5 euros el kilo.
3. Más ⌊_____⌋ quinientas mil personas asistieron a la manifestación.
4. - Hizo menos frío en Navidad ⌊_____⌋ ahora.
   • Sí, es verdad, pero el año pasado nevó más ⌊_____⌋ éste.
5. - Este libro es muy interesante. Ya he leído más ⌊_____⌋ la mitad.
   • En cambio a mí me resulta aburrido. No he leído más ⌊_____⌋ dos capítulos.
6. Mi hijo tiene ya más discos ⌊_____⌋ yo. Tiene más ⌊_____⌋ doscientos.
7. Más ⌊_____⌋ la mitad de la gente de este pueblo no es de aquí.
8. Hubo más ⌊_____⌋ diez mil heridos en el terremoto.

3. Complete utilizando *tan, tanto/a/os/as*.

1. Era ⌊__tan__⌋ vago y tenía ⌊_____⌋ sueño por las mañanas que nunca se levantaba a su hora.
2. Tenía ⌊_____⌋ dinero que no sabía en qué gastarlo. Por eso, se compró un coche.
3. Trabajaba ⌊_____⌋ bien que su jefe le dio ⌊_____⌋ días de vacaciones como quiso.
4. Al final, tenía que hacer ⌊_____⌋ viajes que el interés ⌊_____⌋ grande por viajar fue desapareciendo.
5. Ante ⌊_____⌋ desidia, no nos queda sino reaccionar con energía, como ⌊_____⌋ veces hemos hecho.
6. Hubo ⌊_____⌋ gente en la fiesta que los últimos invitados no pudieron entrar.

4. Complete con *tan, tanto, tanto/a/os/as*.

1. Verbo + ⌊_____*tanto*_____⌋. 2. ⌊_____⌋ + adjetivo.
3. ⌊_____⌋ + sustantivo.

5. Elija el comparativo adecuado.

1. Mi coche es más /(mejor) que el tuyo.
2. Carlos es más / menor que Sonia.
3. Este ordenador tiene una capacidad más grande / más mejor que aquél.
4. Sus aptitudes son las más mejores / las mejores para este trabajo.
5. Tiene las más peores / las peores notas.
6. En este ascensor el más grande / el máximo número de personas es cuatro.
7. Se trata de hacer el más pequeño / el menor esfuerzo.
8. Un jefe siempre tiene más grandes / más responsabilidades que un empleado.

▶ **Para saber más, vaya a las fichas 76, pág. 156 y ㉛, pág. 254.**

1. **Complete la conversación siguiendo el modelo.**

- El trayecto Barcelona-Cádiz se hizo un poco largo.
- Largo no, (1) *larguísimo*.
- Menos mal que íbamos escuchando buena música.
- Buena no, la música era (2)_____.
- Cádiz estaba lleno de gente.
- Lleno no, estaba (3)_____.
- Y los gaditanos son muy simpáticos.
- ¿Simpáticos? Son (4)_____.
- Comimos platos muy ricos.
- Ay, sí, (5)_____.
- Nos ha salido un poco caro, pero ha merecido la pena.
- Caro no, (6)_____.

2. **Relacione.**

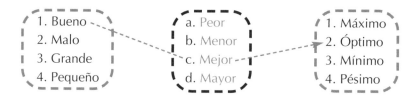

1. Bueno	a. Peor	1. Máximo
2. Malo	b. Menor	2. Óptimo
3. Grande	c. Mejor	3. Mínimo
4. Pequeño	d. Mayor	4. Pésimo

3. **Localice en la sopa de letras los superlativos irregulares de los siguientes adjetivos.**

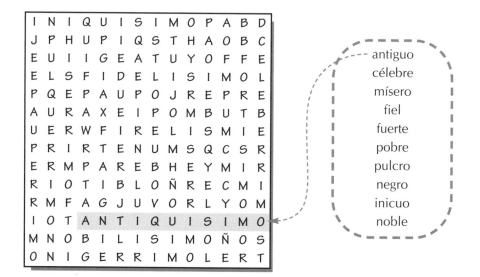

```
I  N  I  Q  U  I  S  I  M  O  P  A  B  D
J  P  H  U  P  I  Q  S  T  H  A  O  B  C
E  U  I  I  G  E  A  T  U  Y  O  F  F  E
E  L  S  F  I  D  E  L  I  S  I  M  O  L
P  Q  E  P  A  U  P  O  J  R  E  P  R  E
A  U  R  A  X  E  I  P  O  M  B  U  T  B
U  E  R  W  F  I  R  E  L  I  S  M  I  E
P  R  I  R  T  E  N  U  M  S  Q  C  S  R
E  R  M  P  A  R  E  B  H  E  Y  M  I  R
R  I  O  T  I  B  L  O  Ñ  R  E  C  M  I
R  M  F  A  G  J  U  V  O  R  L  Y  O  M
I  O  T  A  N  T  I  Q  U  I  S  I  M  O
M  N  O  B  I  L  I  S  I  M  O  Ñ  O  S
O  N  I  G  E  R  R  I  M  O  L  E  R  T
```

antiguo
célebre
mísero
fiel
fuerte
pobre
pulcro
negro
inicuo
noble

4. Relacione las columnas y haga frases como en el modelo.

Ahora...	Antes...
1. Trabajo cuarenta horas a la semana.	a. Leía el periódico los domingos.
2. Como pescado todos los días.	b. Tenía el pelo muy largo.
3. Tengo dos ordenadores.	c. Me acostaba a las tantas.
4. No veo la tele.	d. Iba al cine dos veces por semana.
5. Me acuesto siempre a las doce.	e. Veía la tele todas las noches.
6. Leo el periódico todos los días.	f. Tenía un ordenador.
7. Tengo el pelo corto.	g. Comía pescado a veces.
8. Voy al cine raramente.	h. Trabajaba treinta horas a la semana.

1. *Ahora trabaja más que antes.*
2.
3.
4.
5.
6.
7.
8.

5. Complete con el comparativo adecuado.

1. Este edificio es horroroso. Cuanto *más* lo miro, *menos* me gusta.
2. Son muy caros. Cuantos _____ compres, _____.
3. El ascensor me da miedo. Cuanto _____ lo utilice, _____.
4. Mi hijo es muy testarudo, cuanto _____ se le dicen las cosas, _____.
5. Ya no sé qué hacer, cuanto _____ gano, _____ me cunde el dinero.
6. ¡Qué raro!, cuanto _____ lo pienso, _____ lo entiendo.
7. Es inútil, cuanto _____ lo limpio, _____ sucio parece.

6. Complete con *más* o *mejor/es.*

1. Guardo de ti los *mejores* recuerdos.
2. *El Quijote* es la _____ bella historia sobre la amistad.
3. Lo _____ que podías hacer es llamarle.
4. Yo creo que los _____ días han pasado ya.
5. Mi abuelo era actor y alcanzó las _____ altas cimas de la interpretación.
6. Mis _____ deseos para el año que comienza.

▸ **Para saber más, vaya a las fichas 76, pág. 156 y ㉛, pág. 254.**

14. PRONOMBRES DE COMPLEMENTO DIRECTO
FORMA Y USOS

1. Relacione.

1. Él, ella, usted	a. Los, las
2. Yo	b. Te
3. Tú	c. Nos
4. Nosotros, nosotras	d. Me
5. Ellos, ellas, ustedes	e. Os
6. Vosotros, vosotras	f. Lo, la

2. Subraye los pronombres en la columna de la izquierda y relaciónelos con algún elemento de la columna de la derecha, como en el ejemplo.

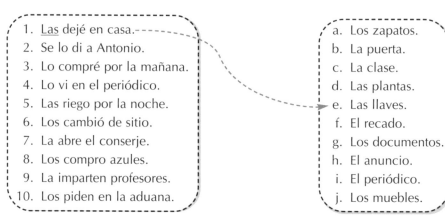

1. Las dejé en casa.	a. Los zapatos.
2. Se lo di a Antonio.	b. La puerta.
3. Lo compré por la mañana.	c. La clase.
4. Lo vi en el periódico.	d. Las plantas.
5. Las riego por la noche.	e. Las llaves.
6. Los cambió de sitio.	f. El recado.
7. La abre el conserje.	g. Los documentos.
8. Los compro azules.	h. El anuncio.
9. La imparten profesores.	i. El periódico.
10. Los piden en la aduana.	j. Los muebles.

3. Sustituya el elemento subrayado por el pronombre adecuado.

1. Envíe la carta.   *Envíela.*
2. Ponga un sello.
3. Deme su teléfono.
4. Cambie las ruedas.
5. Busque el premio.
6. Invierta sus ahorros.
7. Tenga las llaves.
8. Llame al ascensor.
9. Riegue las plantas.
10. Envuelva el regalo.
11. Compre el periódico.
12. Venda el coche.

4. Sustituya el elemento que se repite por un pronombre.

1. He escrito una reclamación y voy a enviar la reclamación al encargado.
   He escrito una reclamación y voy a enviarla al encargado.

2. Recoja los platos y lleve los platos a la cocina.

3. Voy a comprar un sofá y voy a poner el sofá en el comedor.

4. Suba al coche y ponga el coche en marcha.

5. He comprado unos caramelos y he regalado los caramelos a mis sobrinos.

6. Ha recogido su equipaje y ha metido su equipaje en un taxi.

5. Tache los elementos incorrectos.

1. ¿Podrías me acercarme el periódico?
2. ¿Me lo puedomelo comprar?
3. Te lo he dadote para que me lo guardeslome.
4. ¿Te puedote preguntar algo?
5. ¿Te la sostengotela?
6. Se los entregaronselos a todos los empleados.
7. Me gustaría mucho me comprarme un coche.
8. Estoy se la pagándosela poco a poco.

6. Ordene los pasos para hacer un gazpacho y escriba la receta utilizando los pronombres.

RECETA TRADICIONAL

GAZPACHO

○ Buen provecho.
○ Parta el pepino.
① Pele los tomates.
○ Ponga los tomates en el vaso de la batidora.
○ Pase por el pasapurés el jugo de las hortalizas y la masa del mortero.
○ Pele la cebolla.
○ Trocee la cebolla.
○ Ponga la cebolla en el vaso de la batidora junto a los tomates.
○ Trocee los tomates.

○ Pele el pepino.
○ Bata las hortalizas.
○ Añada el pimiento verde a las otras hortalizas.
○ Lave el pimiento verde.
○ Después de batir las hortalizas, pele dos ajos.
○ Ponga los ajos en un mortero.
○ Eche también pan y aceite de oliva en el mortero.
○ Machaque todo lo que tiene en el mortero.
○ Ponga el pepino con la cebolla y los tomates.
○ Añada sal y vinagre en el último momento.

Pele los tomates.

15. PRONOMBRES DE COMPLEMENTO INDIRECTO
FORMA Y USOS

1. Relacione.

1. Nosotros, nosotras	a. Les
2. Vosotros, vosotras	b. Nos
3. Yo	c. Os
4. Él, ella, usted	d. Te
5. Tú	e. Me
6. Ellos, ellas, ustedes	f. Le

2. Complete con el pronombre adecuado.

1. A mí ¡___me___! gusta mucho la playa. ¿Y a ti?
2. A Montse y a mí no ¡_____! gusta viajar en agosto.
3. A mis hermanos ¡_____! gusta mucho la música clásica.
4. Y a ti, ¿por qué no ¡_____! gusta este libro? Es muy bueno.
5. Es una habitación muy luminosa. Ya verán cómo ¡_____! va a gustar.
6. A Celia y a ti no ¡_____! gusta esta ciudad, ¿verdad?
7. A mis padres ¡_____! gusta mucho hacer piragua.
8. ¿A usted ¡_____! gusta la paella? En "Casa Madrid" la hacen muy buena.
9. A mí ¡_____! encanta el fútbol.
10. A nosotros ¡_____! preocupa mucho la situación política actual.

3. Sustituya por un pronombre los elementos que se repiten.

1. He visto a Vicente esta mañana y he dicho a Vicente que Inmaculada había enviado un paquete para Vicente.
   ¡*He visto a Vicente esta mañana y le he dicho que Inmaculada le había enviado un paquete.*___!
2. He comprado un libro muy interesante para ti y quiero darlo a ti el día de tu cumpleaños.
   ¡_____!
3. En el trabajo han dado un aumento de sueldo a Guillermo y han prometido a Guillermo subir el sueldo a Guillermo otra vez en enero.
   ¡_____!
4. Ayer vi a Alicia y dije a Alicia que querías dar a Alicia una cosa. Imagino que se pondrá en contacto contigo hoy.
   ¡_____!
5. Prometí a María mandar a María una postal desde Cancún, pero se me olvidó. Por eso pedí a María perdón.
   ¡_____!

4. Elija la opción correcta.

1. (Le)/ La he contado toda la verdad a mi esposa.
2. Ya te / os he dicho que no sé de qué me estás hablando.
3. A mi hermana le / se gusta mucho el teatro.
4. Ayer vi a Pilar y le / la conté todo lo que había pasado.
5. La soldado fue condecorada. El general le / la puso la medalla.
6. A los españoles les / se encanta la playa.
7. Le / La dio a María la mitad del pastel.
8. El alcalde les / se hace saber las nuevas normas de estacionamiento a través de un folleto.
9. Le / Se entregué la carta en mano a la recepcionista.
10. Os / Les ruego que no insistan.

5. En las siguientes frases piense si el elemento subrayado es un Complemento Directo o Indirecto y sustitúyalo por un pronombre, como en el ejemplo.

1. Voy a llamar <u>a mi secretario</u> ahora mismo. *Voy a llamarlo ahora mismo.*
2. Voy a llamar <u>a mi secretaria</u> ahora mismo.
3. He dejado un recado <u>a tu compañera</u>.
4. He dejado un recado <u>a tu compañero</u>.
5. Di <u>a las chicas</u> que no se preocupen.
6. Di <u>a los chicos</u> que no se preocupen.
7. Deja <u>a tu esposa</u> tranquila.
8. Deja <u>a tu esposo</u> tranquilo.
9. Salude <u>a su hermana</u> de mi parte.
10. Salude <u>a su hermano</u> de mi parte.

6. Marque la opción correcta.

1. (Le)/ La dije a mi jefa todo lo que pensaba de la situación.
2. A Pedro le / lo encontré un poco cansado.
3. Les / Le dije a ustedes que estuvieran atentos.
4. Le / La conseguí la foto que me pidió, Sra. Pérez.
5. Le / Lo advierto que no estoy de broma.
6. La / Le conocí en el parque cuando estaba paseando al perro.
7. Le / Lo llamaré por su nombre, Pedro.
8. ¿Le / La ayudo, señora?
9. La noticia le / la leí en el periódico.
10. Lo / La leí en el periódico, Basilio, un buen artículo.

16. USO DE LOS DOS PRONOMBRES

1. Complete el cuadro.

Singular			Plural		
Sujeto	Complemento Directo	Complemento Indirecto	Sujeto	Complemento Directo	Complemento Indirecto
Yo	Me	Me	Nosotros / Nosotras	Nos	Nos
Tú			Vosotros / Vosotras		

2. Sustituya con un pronombre los elementos que se repitan.

1. Gané un dinero en la lotería y le di el dinero a mi abogado para invertir en bolsa.
   Gané un dinero en la lotería y se lo di a mi abogado para invertir en bolsa.

2. Ustedes me preguntaron por la verdad y yo les dije la verdad.

3. Como ella quiere saber la dirección del hotel, voy a indicarle la dirección.

4. Nadie le tiene respeto, sólo usted le tiene respeto.

3. Transforme las frases sustituyendo los complementos por pronombres, según el modelo.

1. Le he llevado un ramo de flores a María. *Se lo he llevado.*
2. ¿Me regalas estas caracolas?
3. El encargado dio las nuevas instrucciones a todos los operarios.
4. ¿Has preguntado a tu hermana lo del domingo?
5. El juez dio la salida a los corredores.
6. Los incas ofrecían sacrificios a sus dioses.

4. Responda a las preguntas afirmativamente según el modelo.

1. ¿Se lo envuelvo para regalo? *Sí, envuélvamelo.*
2. ¿Te las devuelvo mañana?
3. ¿Nos dijeron la verdad?
4. ¿Te has cortado el pelo?
5. ¿Le habéis dicho a mamá que vais a venir?
6. ¿Le has devuelto los libros a la profesora?
7. ¿Alicia te ha dejado este disco?
8. ¿Le han comunicado al director la noticia?

5. Responda ahora a las mismas preguntas del ejercicio anterior en forma negativa, según el modelo.

1. *No, no me lo envuelva.*
2.
3.
4.
5.
6.
7.
8.

6. Transforme las frases sustituyendo los complementos por pronombres, según el modelo.

1. La veterinaria está examinando la herida al perro. *Ella está examinándosela.*
2. Estuve fregando la cocina a mi madre.
3. La secretaria está enviando las facturas a los clientes.
4. La niña estuvo peinando el pelo a la muñeca.
5. He estado echando abono a los rosales.
6. El mecánico está sustituyendo las piezas rotas al coche.
7. El fontanero está revisando las tuberías.
8. La asistenta ha estado limpiando la casa.

7. Reemplace por un pronombre los elementos que se repiten.

1. El profesor repartió unos libros a los alumnos y los alumnos devolvieron los libros al profesor después de leerlos.
   El profesor repartió unos libros a los alumnos y ellos se los devolvieron después de leerlos.
2. Como era el aniversario de boda de mis padres, Sofía y yo fuimos a comprar a mis padres un regalo, envolvimos a mis padres el regalo con un papel y les dimos a mis padres el regalo el día de la celebración.

3. No conocía la ciudad y tenía que ir a una dirección. Pregunté a un señor por la dirección y el señor me indicó la dirección, así pude llegar a tu casa fácilmente.

4. Mis hermanos siempre se peleaban por las cintas de vídeo. Un día vi unas cintas muy baratas y decidí comprar las cintas de vídeo a mis hermanos.

5. Este invierno está haciendo mucho frío. Necesito una manta. Trae a mí una manta, por favor.

17. PRONOMBRES CON PREPOSICIÓN
FORMA Y USOS

1. Clasifique las preposiciones con los pronombres a los que acompañan.

> a - ante - bajo - contra - de - desde - en - entre - excepto - hacia - hasta - incluso - menos - salvo - para - por - según - sin - sobre - tras

yo	tú	él
-	-	
-	-	
-	-	
-		

mí	ti	sí
- a	-	-	-
-	-	-	
-	-	-	
-	-	-	

2. Complete con la preposición apropiada.

1. - ¡_____A_____! mí me encanta París, ¿y ¡_____! vosotros?
   • Pues ¡_____! nosotros no.
2. - Toma, este regalo es ¡_____! ti.
   • ¿¡_____! mí? Muchísimas gracias.
3. ¡_____! ti mi vida no tendría sentido.
4. Hemos depositado ¡_____! ti toda nuestra confianza.
5. Esto es un secreto ¡_____! nosotros.
6. ¡_____! mí, que esto tiene truco.
7. Os voy a explicar el asunto e ¡_____! vosotros me daréis la razón.
8. ¡_____! nosotros nunca ha habido problemas.
9. Jesús, con esa actitud lo único que consigue es hacerse daño ¡_____! sí mismo.
10. - Mis hijas son lo más importante del mundo. ¡_____! ellas soy capaz de hacer cualquier cosa.
    • ¡_____! vosotros, los padres, es siempre igual.

3. Elija la opción correcta.

1. Según tú / ti esta película es muy buena, pero yo me dormí.
2. Todo esto es para tú / ti, excepto aquello, que es para yo / mí.
3. Entre tú / ti y ella hay muchos problemas.
4. Todos pensamos lo mismo, incluso yo / mí.
5. Excepto tú / ti, todos queremos ir el domingo a la playa.
6. Nicolás se dijo para él / sí que hasta él / sí mismo veía la gravedad del asunto.
7. Salvo los técnicos y tú / ti, los demás pudimos salir antes del trabajo.
8. Yo creo que menos tú / ti, todos estamos contentos con el resultado final.

4. Complete con las preposiciones *por* o *para*, según convenga.

1. !___Por___! mí como si te caes por un barranco. Estoy harta.
2. !_____! mí que el ladrón ha sido Felipe, pero no tengo pruebas.
3. Esto lo he hecho !_____! mí, no !_____! ti.
4. Han traído esta carta !_____! ti.
5. Hablar español es más fácil !_____! mí que !_____! ti.
6. !_____! mí no hubiéramos venido, pero como insististe...
7. ¿Preguntan !_____! mí o !_____! ti?
8. !_____! esto no merecía la pena esperar.

5. Complete los diálogos con *conmigo, contigo, consigo, con él, con nosotros, con vosotros, con ellos.*

1. - Nati, voy a la ciudad con Ana, ¿vienes !_*con nosotros*_!?
   • No, me quedo un rato más.
2. ¿Te apetece venir !_____! a remar al Retiro?
   • Sí. Nos vemos en tu casa, a las cinco.
3. Le hice esa pregunta y se quedó pensando !_____! mismo unos minutos antes de contestar.
4. Tenemos dos coches. Pero id !_____!, que su coche es más grande, y nosotros vamos solos.
5. Yo creo que es mejor no hablar hoy !_____!, está de mal humor.
6. No seas tan condescendiente !_____!, educar a los hijos es algo más que darles todos los caprichos.
7. Te quiero mucho. !_____! me siento muy bien.

6. Complete las frases con la preposición adecuada y un pronombre.

1. Todos vamos a ir en el autobús de la empresa, !_*excepto usted*_!, señor Martínez, que va en el coche del presidente.
2. Esto lo he hecho sólo !_____!, porque te lo mereces.
3. Mira, Elvira, !_____! y yo ya no hay nada.
4. Necesito que alguien me acompañe a elegir un vestido de fiesta. ¿Vienes !_____!?
5. Cuando subí al campanario, me quedé impresionado: !_____! se veía un hermoso paisaje castellano.
6. Yo creo que Blas está !_____!. Siempre opina lo contrario que yo.
7. Perdóname por mis errores y vuelve a casa. No puedo vivir !_____!.
8. El psicólogo le pidió que pensara más !_____! y que se olvidara un poco de los demás.

18. PRONOMBRES Y VERBOS REFLEXIVOS
FORMA Y USOS

1. Lea estos diálogos y subraye los pronombres y la terminación de los verbos en negrita.

1. Me voy a dormir. Mañana **me** **levanto** muy temprano.

¡Hasta mañana!

2. ¿A qué hora **te** **acuestas** tú?

Pues normalmente a eso de las 12:00 o 12:30, pero los fines de semana **me acuesto** más tarde.

3. ¿Lo estáis pasando bien en la fiesta, **os divertís**?

Sí, mucho.

4. Tiene muy mal gusto, **se viste** fatal.

La verdad es que sí.

2. Complete la conjugación de estos dos verbos reflexivos.

	Acostarse	Divertirse
Yo	_me_ acuest___	___ diviert___
Tú	___ acuest___	___ diviert___
Él, ella, usted	___ acuest___	___ diviert___
Nosotros, nosotras	___ acost___	___ divert___
Vosotros, vosotras	___ acost___	___ divert___
Ellos, ellas, ustedes	___ acuest___	___ diviert___

3. Complete las frases con el verbo en la forma adecuada y el pronombre correspondiente.

1. - Y vosotros, ¿a qué hora ___os acostáis___ (acostarse) normalmente?
   • Pues Asunción _____ (acostarse) a las once, y yo _____ (acostarse) a eso de las doce.
2. - Oye, Iñaqui, ¿tú _____ (afeitarse) con maquinilla eléctrica o con cuchilla?
   • No, no, _____ (afeitarse) con cuchilla, me gusta más.
3. Según esta estadística los holandeses _____ (ducharse) dos veces al día y en cambio un alemán, normalmente, no _____ (ducharse) todos los días.
4. - A Alicia y a mí nos gustan mucho las fiestas campestres. _____ (divertirse) preparando la comida y jugando con los niños.
   • ¿Sí? Pues yo _____ (aburrirse) mucho. Prefiero invitar a los chicos a una hamburguesería o algo así.

4. Lea las frases, reflexione y complete el cuadro.

Voy a acostar al niño, ya es muy tarde para él.
Voy a acostarme, que estoy muy cansado.

Péinate, hombre, que vamos de boda.
Peina a la niña, que tenemos que salir ya y no he terminado de vestirme.

Mi secretaria siempre se pinta y va muy bien vestida.
Este pintor no ha pintado muy bien la habitación de invitados.

En los verbos reflexivos la acción la realiza y la recibe ⌞_____⌟.
En ellos el sujeto y el pronombre reflexivo ⌞_____⌟.

5. Elija la opción correcta.

1. ¿Te vistes / Vistes tú a los niños? Yo ahora no puedo. Ponles los pantalones cortos.
2. Siempre **te peinas** / **peinas** de una forma muy rara. ¿Por qué no te cortas el pelo?
3. Yo soy Roberto. Y usted, ¿cómo **se llama** / **llama**?
4. Son las siete. Voy a **llamarme** / **llamar** a Javier, que tiene una entrevista de trabajo hoy.
5. ¡Qué tarde es! **Me doy** / **Doy** una ducha y nos vamos.
6. Mañana tengo que **despertarme** / **despertar** a las seis, voy a poner el reloj en hora.
7. Tú siempre **te vistes** / **vistes** muy bien, tienes muy buen gusto.
8. Rosa, por favor, **se llama** / **llama** a María Ángeles y dile que venga.

6. Escriba una frase con las siguientes palabras con reflexivos o con artículos.

1. Guillermo / lavar / pelo / mañanas / por
   ⌞*Guillermo se lava el pelo por las mañanas.*_____⌟

2. Maruja / no / pintar / uñas
   ⌞_____⌟

3. Hoy / yo / bañar / perro
   ⌞_____⌟

4. Ana / poner / abrigo
   ⌞_____⌟

5. César / siempre / llevar / trajes / tintorería / a
   ⌞_____⌟

6. Nosotros / lavar / coche / sábados
   ⌞_____⌟

19. VERBOS PRONOMINALES
FORMA Y USOS

1. IR / IRSE

a. Lea las frases y relaciónelas con el significado del verbo *ir*. Fíjese después si tienen un pronombre o no.

1. Me voy de aquí, estoy harto de vosotros.
2. Miguel está ahora en Cuzco y mañana va a Lima.
3. ¿Dónde vas a ir de vacaciones este verano?
4. Me voy ahora mismo, es tardísimo.

a. Hacer un movimiento.
b. Salir de un sitio, normalmente del lugar donde se está hablando.

b. Complete con el verbo en la forma correcta y con el pronombre, en caso necesario.

1. ¿A qué hora ¡_____*se va*_____¡ el portero por la noche?
2. Y tú, ¿¡_____¡ a trabajar en metro o en autobús?
3. Algún día ¡_____¡ de esta empresa, y no volveré.
4. ¡_____¡ a mi casa. Adiós.
5. Si ¡_____¡ a la panadería, cómprame un bollo de chocolate.

2. ACORDAR / ACORDARSE

a. Lea las frases y relaciónelas con el significado del verbo *acordar*. Fíjese después si tienen un pronombre o no.

1. Me acuerdo de que, cuando era pequeño, iba a este colegio.
2. Hemos acordado ir juntos a ese espectáculo.

a. Llegar a un acuerdo.
b. Recordar algo.

b. Complete con el verbo en la forma correcta y con el pronombre, en caso necesario.

1. Las tropas rebeldes ¡___*han acordado*___¡ una tregua.
2. Está amnésico. No ¡_____¡ de nada.
3. Estuve en Lisboa y ¡_____¡ de ti.
4. No ¡_____¡ de tu número de teléfono.
5. Como la reunión duraba mucho, ¡_____¡ continuar mañana.

3. LLEVAR / LLEVARSE

a. Lea las frases y relaciónelas con el significado del verbo *llevar*. Fíjese después si tienen un pronombre o no.

1. No te lleves el periódico, que lo quiero leer.
2. La modelo lleva un vestido blanco y azul de Pedro del Hierro.
3. Voy a llevar este cesto a casa de mi abuela.

a. Mover algo de un sitio a otro.
b. Vestirse con una ropa.
c. Sacar un objeto de un sitio.

b. Complete con el verbo en la forma correcta y con el pronombre, en caso necesario.

1. Las azafatas !_____*llevan*_____! un uniforme muy elegante.
2. Las azafatas !_____! las bandejas a los pasajeros.
3. Las azafatas !_____! las bandejas con los restos y las guardan en un carrito.
4. ¿!_____! tu documentación?
5. El ladrón abrió el cajón y !_____! la documentación.

4. PONER / PONERSE

a. Lea las frases y relaciónelas con el significado del verbo *poner*. Fíjese después si tienen un pronombre o no.

1. Pon la radio, vamos a oír las noticias.
2. Te pones colorado cuando te hablo.
3. Por favor, pon los libros en la estantería.
4. Te has puesto el jersey al revés.

a. Colocar algo en un sitio.
b. Vestirse con una ropa.
c. Reaccionar de una manera.
d. Conectar una máquina.

b. Complete con el verbo en la forma correcta y con el pronombre, en caso necesario.

1. Amelia !_____*se puso*_____! sus mejores galas para aquella fiesta tan importante.
2. !_____! aquí su firma, por favor.
3. Mi hija !_____! colorada cuando habla de sus padres.
4. Estoy tan nerviosa que no sé qué vestido !_____!.
5. Andrés !_____! enfermo el primer día de vacaciones.
6. ¿Puedes !_____! la mesa, por favor?
7. No !_____! la música tan alta, que estoy estudiando.

20. INTERROGATIVOS Y EXCLAMATIVOS
FORMA Y USOS

1. Complete con el interrogativo adecuado.

1. - ¿___Cómo___! se llama? • Carmelo Sánchez.
2. - ¿_____! vives? • En Madrid.
3. - ¿De _____! eres? • De Sevilla.
4. - ¿_____! años tienes? • Treinta.
5. - ¿_____! es tu dirección? • Calle Acuerdo, 29.
6. - ¿_____! es tu número de teléfono? • 95 223 34 35
7. - ¿_____! hijos tienes? • Dos, un niño y una niña.
8. - ¿_____! trabajas? • En una imprenta.
9. - ¿_____! haces? • Soy administrativo.
10. - ¿_____! es tu DNI? • 50.307.915 D

2. Relacione los elementos de las dos columnas y escriba todas las frases posibles.

¿Cuánto
¿Dónde
¿Cuántos
¿Qué
¿Cuál
¿Cuántas

teléfonos tienes?
vas?
habitaciones tienes?
está el servicio?
cuesta?
tomas?
es tu coche?
es tu comida preferida?
tal estás?
dinero necesitas?

1. ¿Cuánto cuesta?
2.
3.
4.
5.
6.
7.
8.
9.
10.

3. Formule preguntas con *cuánto/a/os/as* y el verbo *tener* en tercera persona.

1. Hermanas   ¿Cuántas hermanas tiene?
2. Habitantes
3. Habitaciones
4. Hijos
5. Trabajo
6. Dinero
7. Clases
8. Años
9. Azúcar
10. Leche

4. Complete con el pronombre exclamativo adecuado.

En el Museo del Prado.

1. ¡___*Qué*___! grandes son las salas!
2. ¡_____! cuadros!
3. ¡_____! bonito es todo!
4. ¡_____! me gusta Goya!
5. ¡_____! genio reunido!
6. ¡_____! colorido!
7. ¡_____! belleza!
8. ¡_____! información!
9. ¡_____! interesante!
10. ¡_____! visitantes!

5. Complete las frases siguiendo el modelo.

1. Hace mucho calor.
   ¡__*¡Qué calor hace!*_____!
2. Pierre habla muy bien español.
   ¡_____!
3. Tu hermano es muy agradable.
   ¡_____!
4. La fruta está muy verde.
   ¡_____!
5. Estoy muy cansado.
   ¡_____!
6. Es muy tarde.
   ¡_____!

6. Marque la opción correcta.

1. ¿**Qué**/ Cuál color te gusta más?
2. Siempre me pregunta **qué** / **cuál** fruta quiero de postre.
3. - ¿**Qué** / **Cuál** quieres?
   • Un libro.
   - ¿**Qué** / **Cuál** quieres?
   • El de animales.
4. Hay tortilla de patata y de jamón. ¿**Qué** / **Cuál** prefiere?
5. - ¿Me pasas el cuaderno, por favor?
   • ¿**Qué** / **Cuál**, el rojo o el blanco?
6. ¿**Qué** / **Cuál** prefieres, ir al cine o ver una película en casa?
7. ¿**Qué** / **Cuál** es tu opinión?
8. ¿**Qué** / **Cuál** es el significado de "salpimentar"?
9. Tengo dos opciones, pero no sé **qué** / **cuál** elegir.

7. Complete con un interrogativo.

1. Le pregunté a Laura ¡___*dónde*___! había estado. También quería saber con ¡___*quién*___!.
2. Luis no sabía ¡_____! llegaba el tren.
3. Mi hija no tenía ni idea de ¡_____! hacerlo.
4. El profesor sabía ¡_____! ir, a México, pero no sabía ¡_____! iban a hacer el viaje de fin de curso, si en primavera o en verano.
5. No supo contestarme ¡_____! lo había hecho sin pedir permiso.
6. El frutero le preguntó ¡_____! quería y ¡_____! le ponía.

21. RELATIVOS
FORMA Y USOS

1. Una las frases como en el ejemplo.

1. Esta es la ciudad. Visitamos la ciudad hace años.
   Esta es la ciudad que visitamos hace años.

2. Este fin de semana hemos visto una película. La película es muy buena.

3. Te recomiendo un libro. El libro está de moda.

4. Miguel es mi sobrino. El sobrino vive en Bilbao.

5. Es un ejercicio muy interesante. Hice el ejercicio ayer.

6. Toledo es una ciudad monumental. He visitado Toledo.

7. La obra más famosa de Cervantes es *El Quijote*. Escribió *El Quijote* en 1605.

8. *El Peine de los Vientos* es una escultura de Chillida. La escultura está en San Sebastián.

9. La Alhambra es un palacio árabe impresionante. La Alhambra está en Granada.

2. Sustituya las palabras en negrita por *donde*, *quien* o *cuando*.

1. Ésta es la casa **en la que** viví durante años.   *Donde*
2. El 14 de octubre es la fecha **en la que** se casa María José.
3. Charo es **la mujer que** nos recomendó este restaurante tan bueno.
4. El restaurante **en el que** celebramos tu cumpleaños es muy bonito.
5. **La persona que** te llamó antes era extranjera.
6. Me confirmó que **en el momento en que** supiera la noticia, nos llamaría.
7. Ángel fue **el que** le ayudó con el jardín, no José.
8. Esta tarjeta me la ha dado para ti **el chico que** vino a verte antes.

3. Complete las frases con *que* o con *el/la/los/las que*.

1. Madrid es la capital europea *que* tiene más árboles por persona.
2. Málaga es la ciudad en _____ nació Picasso.
3. En Barcelona se organizaron las olimpiadas _____ se celebraron en 1992.
4. _____ pintó *Las Meninas* fue Velázquez.
5. El disco que me he comprado es de Shakira, a _____ le han dado el premio Nacional de la Música.

4. Marque la opción correcta.

1. Quiero saber quién fue el **cual**/ **que** rompió el jarrón de la abuela.
2. María José, **cuyo** / **que** padre es mi jefe, se casa la próxima semana.
3. El restaurante **adonde** / **donde** han ido a comer es bastante caro.
4. Vinieron a la fiesta **cuantos** / **quienes** habían invitado.
5. En esta clase, **que** / **quienes** tienen dudas preguntan sin problemas.
6. Laura me mandó una carta en la **cual** / **cuya** me contaba sus vacaciones en Barcelona.
7. Fue de esta manera **como** / **cuando** resolví el acertijo.
8. Los **cuales** / **que** salieron antes llegaron, lógicamente, los primeros.
9. Es una persona **que** / **la que** me cae muy bien.
10. Nuria estudia en un instituto en **el cual** / **cuanto** también aprende ballet.

5. Forme una sola frase.

1. Rafa es un compañero de la Universidad. / A Rafa te lo presenté el otro día. / En la Universidad estudiamos cinco años.
   Rafa, a quien / el que te presenté el otro día, es un compañero de la Universidad en la que / donde estudiamos cinco años.

2. Tuvimos una reunión importante con Matilde. / El padre de Matilde es el director de la fábrica. / En la reunión se plantearon los objetivos del año.

3. Irene organizó una gran fiesta de cumpleaños. / A la fiesta vinieron todos sus amigos. / Las parejas de sus amigos no estaban invitadas.

4. El gobierno perdió las elecciones generales. / Los miembros del gobierno estaban disgustados por el resultado. / Las elecciones se celebraron pacíficamente.

5. Ayer se aprobaron unas leyes sociales nuevas. / Las leyes sociales no gustan a ciertos grupos de presión. / Ayer se manifestaron muchas personas en contra de los grupos de presión.

6. Marque la opción correcta.

1. Hoy tengo que leer varios libros. Por favor, devuélveme **el** / **lo** que te presté.
2. Javier, ya han pasado tres meses. Por favor, devuélveme **el** / **lo** que te presté.
3. **El** / **Lo** que te quiero decir es que no voy a poder ir a tu fiesta.
4. **El** / **Lo** que no va a ir a tu fiesta soy yo.
5. Iñaqui me explicó **el** / **lo** que hay que hacer con esto.
6. Iñaqui me explicó que **el** / **lo** que hizo esto se equivocó.

22. PRESENTE DE INDICATIVO (1)
FORMA

1. Complete el siguiente esquema de verbos regulares.

	Hablar	Leer	Escribir
Yo	Hablo		
Tú		Lees	
Él, ella, usted			Escribe
Nosotros, nosotras			
Vosotros, vosotras			
Ellos, ellas, ustedes			

2. En el siguiente cuadro, marque las formas irregulares de los verbos.

	Pensar	Dormir	Pedir	Conocer
Yo	Pienso	Duermo	Pido	Conozco
Tú	Piensas	Duermes	Pides	Conoces
Él, ella, usted	Piensa	Duerme	Pide	Conoce
Nosotros, nosotras	Pensamos	Dormimos	Pedimos	Conocemos
Vosotros, vosotras	Pensáis	Dormís	Pedís	Conocéis
Ellos, ellas, ustedes	Piensan	Duermen	Piden	Conocen

3. Complete el siguiente cuadro de verbos irregulares.

	Cerrar	Soñar	Medir	Conducir
Yo	Cierro			
Tú				
Él, ella, usted				
Nosotros, nosotras				
Vosotros, vosotras				
Ellos, ellas, ustedes				

4. Complete las siguientes series.

1. **EMPEZAR**: empiezo, empiezas, ⌐_empieza_⌐, empezamos, empezáis, ⌐_____⌐.
2. **SENTIR**: ⌐_____⌐, sientes, siente, ⌐_____⌐, sentís, sienten.
3. **ENCONTRAR**: encuentro, ⌐_____⌐, encuentra, encontramos, ⌐_____⌐, encuentran.
4. **VOLVER**: ⌐_____⌐, vuelves, vuelve, volvemos, ⌐_____⌐, vuelven.
5. **SEGUIR**: sigo, ⌐_____⌐, sigue, ⌐_____⌐, seguís, siguen.

5. Complete el siguiente cuadro con las formas del Presente de Indicativo.

	Yo	Tú	Él, ella, usted	Nosotros/as	Vosotros/as	Ellos/as, ustedes
1. Ser	Soy					
2. Estar						
3. Tener						
4. Haber						
5. Hacer						
6. Ir						
7. Decir						
8. Dar						
9. Saber						
10. Oír						

6. Escriba el infinitivo de los siguientes verbos.

1. Hacéis — Hacer
2. Pido
3. Va
4. Se acuesta
5. Dormís
6. Conozco
7. Se despiertan
8. Juegan
9. Traigo
10. Sigues
11. Tengo
12. Traduzco
13. Huyes
14. Elijo
15. Parezco
16. Doy

7. Clasifique los siguientes verbos según su tipo de irregularidad. Algunos pueden tener dos.

elegir - crecer - ejercer - dar - conseguir - dirigir - mostrar - seguir - oír - almorzar - entender - traducir - sentir - empezar - convencer - reír - divertirse - decir - producir - recoger - ir - ofrecer - volver - servir - repetir - soñar - conducir - contar - vencer - pedir - venir - salir - ser - recordar

O>UE	E>IE	E>I	-GO	C>ZC	C>Z	G>J	Otros
		elegir					

1. Complete el texto con los siguientes verbos en Presente de Indicativo.

hablar (3) - leer (2) - escribir - trabajar (2) - estudiar - vivir

Yo (1) _hablo_ español y francés, pero sólo (2) .... el periódico en español. En cambio, mi novio (3) .... de auxiliar de vuelo, (4) .... muchos idiomas y (5) .... y (6) .... en todos ellos. Nosotros (7) .... en Nueva York. Yo (8) .... en una empresa chilena y, por eso, (9) .... muy poquito inglés, lo (10) .... en una academia.

2. Con la ayuda de los siguientes verbos, complete el texto.

decir (2) - dar - ser - conducir - pasar - tener (2) - mostrar - aprovechar - freír - contar - impedir

"La portera me (1) _conduce_ a su habitáculo, sito en el subsuelo del edificio. Me lo (2) .... y me (3) .... que en verano la vivienda (4) .... un horno y en invierno, una nevera. Como no (5) .... cocina, (6) .... los arenques en la estufa de butano, (7) .... Luego la humareda le (8) .... ver la tele. No (9) .... cuarto de baño. Por fortuna, las tuberías del edificio (10) .... por su dormitorio y (11) .... los reventones para ducharse. Pero todo esto, (12) .... yo, ¿a mí qué se me (13) ....?"

Eduardo Mendoza, *Sin noticias de Gurb*, (texto adaptado).

3. Lea esta información y escriba los datos de México.

México

Capital: México D.F.
Población: 96 millones.
Superficie: 1.972.547 km².
Ubicación: Norteamérica, entre Estados Unidos, Belice y Guatemala.
Lenguas: español, náhuatl y otras lenguas indígenas.
Moneda: peso.
Curiosidad: lugar del mundo de donde más gente emigra.

La capital de México es México D.F.
Tiene 96 millones de habitantes y...

4. Forme frases como en el ejemplo.

Planes para este fin de semana:

1. Hacer calor / ir (nosotros) a la piscina.
   Como hace calor, este fin de semana vamos a la piscina.

2. Poner una buena película en la televisión / el sábado quedarnos en casa.

3. El domingo no trabajar (yo) / descansar por la mañana.

4. Ser mi cumpleaños / invitaros a comer en mi casa.

5. Los niños querer aire libre / ir al zoo.

5. Observe la agenda semanal de María y explique las citas que tiene para esta semana.

	Lunes	Martes	Miércoles	Jueves	Viernes	Sábado	Domingo
Mañana	Reunión con Conta-bilidad (1)					Excursión La Pedriza, Marta (8)	
Tarde	Inglés (2)	Dentista 18:30 (3)	Inglés (4)				Comida, Alberto (10)
Noche			Cena: aniversario de boda de mis padres (5)	Partido de tenis, José (6)	Junta de vecinos (7)	Concierto: Alejandro Sanz (9)	

1. *El lunes por la mañana se reúne con el Departamento de Contabilidad.*
2.
3.
4.
5.
6.
7.
8.
9.
10.

24. PRETÉRITO IMPERFECTO DE INDICATIVO
FORMA Y USOS

1. Complete el cuadro con las formas del Pretérito Imperfecto de los siguientes verbos regulares.

	Hablar	Comer	Escribir
Yo	Hablaba		
Tú			
Él, ella, usted			
Nosotros, nosotras			
Vosotros, vosotras			
Ellos, ellas, ustedes			

2. Complete el cuadro con las formas del Pretérito Imperfecto de los siguientes verbos irregulares.

	Ser	Ir	Ver
Yo	Era		
Tú			
Él, ella, usted			
Nosotros, nosotras			
Vosotros, vosotras			
Ellos, ellas, ustedes			

3. Coloque las siguientes formas en la persona adecuada. Ojo, algunas formas se repiten.

vivían - veían - movía - comíamos - tenías - eras - erais - cantabais - poníamos - trabajabais - eran - queríamos - iba - estaba - volvía - dabas - conducían - hacíais - perdías - sabíais - oían - empezaba - salíamos

Lucía	Tú y Mariano	Yo	Tú	Los Sres. Aguado	Mi madre y yo
-	-	-	-	- vivían	-
-	-	-	-	-	-
-	-	-	-	-	-
-	-	-	-	-	-
-	-	-		-	

4. Complete el texto con los verbos entre paréntesis en Pretérito Imperfecto.

Cuando (1)⌐___*era*___¬ (ser, yo) pequeño, (2)⌐_____¬ (vivir) con mi familia en Barcelona. Mi padre (3)⌐_____¬ (trabajar) en una fábrica de automóviles y mi madre (4)⌐_____¬ (encargarse) de nosotros, sus cinco hijos. Todas las mañanas (5)⌐_____¬ (discutir) en la puerta del baño porque todos (6)⌐_____¬ (querer) entrar al mismo tiempo. Mi madre (7)⌐_____¬ (acompañar) a los pequeños al colegio y, a continuación (8)⌐_____¬ (hacer) la compra. Todos, menos mi padre, (9)⌐_____¬ (volver) a comer a casa. Por la tarde también (10)⌐_____¬ (tener) clases. Los fines de semana (11)⌐_____¬ (ir) a comer al campo o a la playa.

5. Transforme las frases.

En mi calle ahora...

1. No hay árboles.
2. Las aceras son más estrechas.
3. No hay fuente.
4. Pasan los camiones de la basura.
5. El autobús tiene una parada.
6. La gente camina rápidamente.
7. En las tiendas venden ropa.
8. Se recicla el vidrio y el papel.
9. Los niños no juegan en la calle.
10. Hay gente de diferentes orígenes.

pero antes...

⌐___*Había*___¬ muchos árboles.
Las aceras ⌐_____¬ bastante anchas.
⌐_____¬ una fuente pública.
No ⌐_____¬ ninguno.
No ⌐_____¬ parada el autobús.
La gente ⌐_____¬ sin prisa.
En las tiendas ⌐_____¬ alimentos.
No se ⌐_____¬ nada.
Los niños ⌐_____¬ en la calle.
Sólo ⌐_____¬ madrileños.

6. Complete con los verbos entre paréntesis en Pretérito Imperfecto.

1. Ayer me dijo que ⌐___*tenía*___¬ (tener) los billetes.
2. Me dijo que no ⌐_____¬ (poder) hacerlo.
3. No he visto nada de lo que ⌐_____¬ (querer) comprar.
4. Con lo poco que ⌐_____¬ (ganar), se compró su primera cámara.
5. En la guía ⌐_____¬ (poner) que la iglesia ⌐_____¬ (estar) al lado del museo.
6. Lo siento, pero ⌐_____¬ (estar) ocupado cuando llamaste.
7. De repente se dio cuenta de que no ⌐_____¬ (tener) ninguna posibilidad.
8. En Londres se compró un disco que ⌐_____¬ (estar) descatalogado.
9. Por fin he encontrado el libro que ⌐_____¬ (buscar) desde hacía un mes.
10. Aquel hombre dijo que no ⌐_____¬ (saber) nada del asunto.

25. PRETÉRITO INDEFINIDO
FORMA Y USOS

1. Complete el cuadro del Pretérito Indefinido de los siguientes verbos regulares.

	Hablar	Comer	Escribir
Yo	Hablé		
Tú			
Él, ella, usted			
Nosotros, nosotras			
Vosotros, vosotras			
Ellos, ellas, ustedes			

2. Complete el cuadro del Pretérito Indefinido de los siguientes verbos irregulares.

	Yo	Tú	Él, ella, usted	Nosotros/as	Vosotros/as	Ellos/as, ustedes
1. Ser	Fui					
2. Estar						
3. Tener						
4. Haber						
5. Hacer						
6. Ir						
7. Saber						
8. Dar						
9. Venir						
10. Mentir						
11. Dormir						

3. Complete el siguiente texto con los verbos del recuadro.

> tuvieron - murió - fue - hubo - fue - debatió - desactivó - mereció - ocurrió

El martes 1 de julio de 2003 (1) _fue_ en España un día sin especial relieve. En el Congreso de los Diputados se (2) _____ sobre "El estado de la Nación" y la Ertzaintza (3) _____ un coche-bomba en Bilbao. La noticia más destacada (4) _____ la llegada a Madrid, en avión privado, del centrocampista británico David Beckham, uno de los fichajes "galácticos" del Real Madrid. Y sin embargo, ese día anodino (5) _____ algo milagroso que no (6) _____ titulares ni espacios en los informativos: nadie (7) _____ en las carreteras españolas. No (8) _____ diligencias judiciales por ese motivo, ni las urgencias hospitalarias (9) _____ que lidiar con el drama de las vidas rotas en un instante.

Lola Galán, *El País*, 24 de octubre de 2004

4. Complete con la forma correcta del Pretérito Indefinido de los verbos entre paréntesis.

1. Cuando !_____vio_____! (ver, él) a su adversario, se !_____! (dar, él) cuenta de que no tenía nada que hacer.
2. !_____! (llamar, yo) por teléfono en cuanto !_____! (llegar) a la estación, pero allí no había nadie.
3. Desde que me !_____! (caer) y !_____! (estar) en el hospital tanto tiempo, no he vuelto a patinar.
4. !_____! (dejar) de trabajar cuando !_____! (conocer) a Alberto y me !_____! (casar) con él.
5. !_____! (encontrar, nosotros) el pueblo, pero no !_____! (ver, nosotros) ninguna iglesia románica.
6. !_____! (andar) por todo el paseo, me !_____! (sentar) en una terraza y !_____! (ver) la puesta de sol.
7. Ayer !_____! (ver, nosotros) por fin esa película tan famosa, y la verdad es que no nos !_____! (gustar, nosotros) nada.
8. !_____! (dejar, nosotros) todo tal y como estaba cuando !_____! (llegar, nosotros).

5. Con los siguiente datos sobre la directora de cine española Pilar Miró, escriba su biografía.

- Madrid, 20/04/1940 - Madrid, 19/10/1997.
- Derecho y periodismo.
- 1960. Televisión Española como auxiliar de redacción.
- 1976, película: *La petición*.
- 1979, película: *El crimen de Cuenca*.
- 1982 /1989 Directora General de Cinematografía.
- Junio 1989 Directora General de Radio-Televisión Española.
- 1991, película: *Beltenebros*.
- Importantes premios a lo largo de su carrera.

Pilar Miró nació en Madrid el 20 de abril de 1940...

1. Complete el siguiente cuadro con las formas del Pretérito Perfecto de los siguientes verbos regulares.

	Hablar	Comer	Subir
Yo	He hablado		
Tú			
Él, ella, usted			
Nosotros, nosotras			
Vosotros, vosotras			
Ellos, ellas, ustedes			

2. Relacione cada participio irregular con su infinitivo.

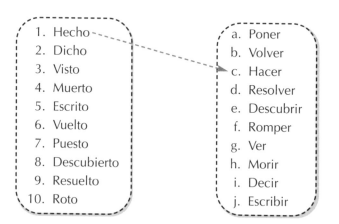

1. Hecho	a. Poner
2. Dicho	b. Volver
3. Visto	c. Hacer
4. Muerto	d. Resolver
5. Escrito	e. Descubrir
6. Vuelto	f. Romper
7. Puesto	g. Ver
8. Descubierto	h. Morir
9. Resuelto	i. Decir
10. Roto	j. Escribir

3. Siga el modelo y escriba las preguntas.

1. Lavarse las manos. (vosotros) *¿Os habéis lavado las manos?*
2. Terminar el desayuno. (tú)
3. Ordenar la habitación. (usted)
4. Hacer los deberes. (vosotros)
5. Poner la mesa. (ella)
6. Guardar los bocadillos. (ellos)
7. Apagar la luz. (vosotros)
8. Bajar la basura. (tú)
9. Preparar la cartera para el día siguiente. (tú)
10. Recoger la ropa sucia. (ellas)
11. Comprar el pan. (él)
12. Aprobar el examen. (vosotros)

4. Complete con los verbos en Pretérito Perfecto la siguiente conversación telefónica que tiene lugar en Nochevieja entre dos amigos.

vender - comprar - ir - ocurrir - conocer - cambiar - ~~ser~~ - ascender

Mariano:	¿Dígame?
Juana:	¡Hola Mariano! ¿Cómo estás?
Mariano:	¡Hola! ¡Qué sorpresa! ¡Cuánto tiempo sin saber nada de ti! ¿Qué tal estás?
Juana:	Muy bien. Este año (1) _ha sido_ estupendo.
Mariano:	¿Sí? Cuenta, cuenta.
Juana:	(2) _____ cosas muy importantes. (3) _____ al hombre de mi vida, se llama Luis, (4) _____ juntos este verano a Marruecos.
Mariano:	Me alegro mucho.
Juana:	En el trabajo, me (5) _____ y ahora soy subdirectora.
Mariano:	¡Qué bien!
Juana:	Además, esta semana, Luis y yo (6) _____ de piso. (7) _____ el que tenía y con ese dinero (8) _____ otro que es más grande. ¿Cuándo vas a venir a vernos?
Mariano:	Después de las fiestas te llamo y quedamos.
Juana:	Estupendo. ¡Feliz año nuevo!
Mariano:	Igualmente.

5. Complete las frases en Pretérito Perfecto y *ya* o *todavía no*, en los casos necesarios.

1. - ¿ _Has encontrado ya_ (encontrar) el libro?
   • No, _____ (tener) ni un solo minuto libre para buscarlo.
2. - ¿ _____ (ir) a las rebajas?
   • Sí, y _____ (comprar) el vestido para la boda.
3. He llegado a Argentina hace poco. _____ (visitar) Iguazú y el norte, pero _____ (ver) Buenos Aires ni Rosario.
4. -¿Sabes si _____ (terminar) el partido de fútbol?
   • Sí, pero _____ (dar) los resultados por la radio, así que no sé quién _____ (ganar).
5. _____ (ver) a la profesora que me _____ (asignar) para hacer las prácticas.
6. El presidente _____ (explicar) si _____ (decidir) dimitir o no.

27. CONTRASTE DE LOS TIEMPOS DEL PASADO (1):
ACONTECIMIENTOS

1. Clasifique estas expresiones de tiempo según si acompañan a verbos en Pretérito Perfecto o en Pretérito Indefinido.

> hoy - a mediodía - alguna vez - anoche - anteanoche - anteayer - ayer - el año pasado - el fin de semana pasado - el invierno pasado - en 1975 - en agosto - esta mañana - esta semana - este año - este mes - hace diez minutos - hace dos años - hace poco - muchas veces - nunca - una vez

Pretérito Perfecto	
- hoy	-
-	-
-	-
-	-
-	-
-	

Pretérito Indefinido	
-	-
-	-
-	-
-	-
-	-

2. Complete usando el verbo entre paréntesis en Pretérito Perfecto o Pretérito Indefinido, según convenga.

1. - Ayer mi hija y yo ¡___fuimos___¡ (ir) al zoo.
   - ¿Qué animales ¡_____¡ (ver)?
   - Elefantes, camellos, hipopótamos... A mi hija le ¡_____¡ (fascinar) una elefantita pequeña.

2. - ¿¡_____¡ (comer) tamales alguna vez?
   - Sí, una vez. Los (probar) ¡_____¡ en la fiesta de cumpleaños de Maite.
   - ¿Y te ¡_____¡ (gustar)?
   - ¡Me ¡_____¡ (encantar)!

3. - ¿¡_____¡ (estar) alguna vez en América?
   - Hace diez años ¡_____¡ (ir) de luna de miel a Cancún.
   - Seguro que ¡_____¡ (disfrutar) mucho.
   - Sí. Ahora va a ser nuestro aniversario y ¡_____¡ (reservar) billetes para repetir el mismo viaje.

4. - Anoche ¡_____¡ (acostarse) tardísimo y esta mañana el teléfono ¡_____¡ (sonar) muy temprano.

5. ¿¡_____¡ (oír) la última noticia?
   - No, ¿qué ¡_____¡ (pasar)?

3. Transforme las frases como en el ejemplo.

1. Este verano he alquilado una casa en la ría de Vigo.
   El verano pasado alquilé una casa en la ría de Vigo.
2. Esta Navidad he ido a esquiar al Pirineo aragonés.
   La Navidad pasada
3. Lo hemos pasado muy bien en la Feria de Abril de Sevilla.
   En la pasada Feria de Abril
4. La película que acabamos de ver nos ha gustado mucho.
   La película que vimos ayer
5. Este fin de semana nos lo hemos pasado muy bien: hemos bailado y nos hemos reído.
   El pasado fin de semana
6. Esta noche no he dormido muy bien, me he despertado varias veces y he soñado mucho.
   Anoche
7. Almodóvar ha empezado el rodaje de su nueva película, que ha dicho que se llama *Volver*.
   La semana pasada
8. Me han regalado un libro por mi cumpleaños y lo he leído, pero no me ha gustado mucho.
   En mi último cumpleaños

4. Complete las frases con el verbo entre paréntesis en Pretérito Perfecto o Pretérito Indefinido, según convenga.

1. Este año *he trabajado* (trabajar) más que el año pasado, pero, curiosamente, _____ (vender) menos.
2. La primera película de Carlos Saura que _____ (ver) me _____ (encantar) y desde entonces no _____ (perderme) ninguna.
3. - ¿Qué (pasar) _____?
   • No sé. Primero _____ (oírse) una explosión y ahora _____ (desalojar) el edificio.
4. Ayer _____ (comprar) este reloj y hoy lo _____ (ver) más barato en la relojería de al lado de mi casa.
5. No (ver) _____ a Mercedes desde que _____ (casarse).
6. Hace cinco minutos que _____ (hablar) por teléfono con mi abogado y me _____ (confirmar) que ayer _____ (firmarse) el contrato sin problemas.
7. Desde que _____ (empezar) el invierno, no _____ (llover) ni una sola vez.

28. CONTRASTE DE LOS TIEMPOS DEL PASADO (2): ACONTECIMIENTOS Y CIRCUNSTANCIAS

1. Relacione las siguientes frases.

1. Ayer no fui a trabajar
2. La jefa me llamó por teléfono
3. Pasé la mañana en la cama
4. Me hice una sopa,
5. Decidí llamar al médico,
6. Me preparé una infusión con miel y limón,
7. Dormí muy mal
8. Hoy me he levantado

a. para saber qué tal estaba.
b. pero no tenía hambre.
c. pero ya no citaba para el día.
d. pero no podía tragar.
e. porque no paraba de dolerme.
f. porque me dolía la garganta.
g. porque me sentía mejor.
h. porque no tenía fuerzas para levantarme.

2. Reflexione y complete.

Se utiliza el Pretérito Indefinido o el Pretérito Perfecto para expresar ⌊_____⌋.
Se utiliza el Pretérito Imperfecto para expresar ⌊_____⌋.

3. En los siguientes textos marque las circunstancias (——) y los acontecimientos (====).

1. Iba tan tranquila por la carretera de vuelta a casa. Había tráfico, pero era fluido. De repente, el coche que iba delante frenó, yo no pude reaccionar a tiempo y le di. No fue muy grave porque no íbamos a mucha velocidad.

2. Anoche no pude llamarte. Pensaba que el móvil tenía batería, fui a un restaurante porque no tenía nada en la nevera para cenar y allí me di cuenta de que la batería estaba descargada. Cuando llegué a casa, ya era demasiado tarde.

3. Al final no hice la receta de tortilla que me diste. No tenía huevos y tampoco me quedaban patatas, así que preparé una buena ensalada, descongelé unos langostinos que tenía en el congelador y cenamos muy bien.

4. Quería presentarme a ese examen, pero no pude prepararme bien porque no tenía mucho tiempo, y al final lo he dejado para la próxima convocatoria.

5. El fin de semana pasado, como hacía muy buen tiempo, nos metimos en el coche y nos fuimos a la sierra. Cuando llegamos, empezó a llover y no paró hasta el domingo, así que nos pasamos los dos días encerrados en casa.

4. **Complete las siguientes frases con el verbo en Pretérito Imperfecto o Pretérito Indefinido, según convenga.**

1. ¡__*Conocí*__! (conocer) a mi segunda esposa en Ávila. Yo ¡_____! (estar) en un parque leyendo en un banco y ella ¡_____! (estar) sentada allí y también ¡_____! (leer). Al cabo del rato ¡_____! (darme) cuenta de que ¡_____! (estar) leyendo el mismo libro, y ¡_____! (parecernos) muy gracioso. ¡_____! (comenzar) a hablar y así ¡_____! (ser) como ¡_____! (empezar) todo.

2. Mi familia y yo ¡_____! (vivir) en Chile, donde yo ¡_____! (trabajar) en una empresa española, y mi marido ¡_____! (encargarse) de los niños. ¡_____! (vivir) bien hasta que la empresa ¡_____! (cerrar). Como yo ¡_____! (tener) muchas ganas de volver a España, ¡_____! (hacer) las maletas y ¡_____! (venirnos).

3. - ¿Sabes lo que ¡_____! (pasarme) ayer? ¡_____! (ir) por la calle cuando de pronto ¡_____! (ver) a Teresa.
   • ¡No me digas! ¡_____! (creer) que todavía ¡_____! (estar) en el hospital.
   - ¡_____! (salir) la semana pasada.

4. - ¿¡_____! (ir) a ver la película que te ¡_____! (recomendar)?
   • Sí, la ¡_____! (ver) anoche. Como ¡_____! (estar) solo, ¡_____! (aprovechar) y ¡_____! (ir) al cine.

5. **Relacione. Después forme frases con *porque* transformando los verbos en infinitivo en Pretérito Imperfecto o Pretérito Indefinido.**

1. Cambiar de coche.	a. Gustar mucho la naturaleza.
2. Cortarse el pelo.	b. Querer comprar un piso.
3. Tener mucho frío.	c. Trabajar en la misma empresa.
4. Conocer a mi marido.	d. Ser vegetariano.
5. Ir al campo a menudo.	**PORQUE** → e. El otro estar ya muy viejo.
6. Nunca comer carne.	f. Tenerlo muy largo.
7. Solicitar un crédito en el banco.	g. Ver a alguien en su balcón.
8. Avisar a la policía.	h. Hacer mucho viento.

1. ¡ *Cambió de coche porque el otro estaba ya muy viejo.* _____!
2. ¡_____!
3. ¡_____!
4. ¡_____!
5. ¡_____!
6. ¡_____!
7. ¡_____!
8. ¡_____!

29. PRETÉRITO PLUSCUAMPERFECTO DE INDICATIVO
FORMA Y USOS

1. Escriba la fórmula del Pretérito Pluscuamperfecto de Indicativo.

El Pretérito Pluscuamperfecto de Indicativo se forma con el !_____
del verbo HABER y el !_____

2. Relacione cada persona con la forma verbal adecuada.

1. Yo	a. habían comido
2. Tú	b. habíamos roto
3. Él, ella, usted	c. había puesto
4. Nosotros, nosotras	d. habíais leído
5. Vosotros, vosotras	e. habías vivido
6. Ellos, ellas, ustedes	f. había escrito

3. Relacione los elementos de las dos columnas.

1. Cuando llegué a la estación,	a. todavía no había cumplido un año.
2. Cuando entraron en la casa,	b. todavía no había pensado qué decir.
3. Cuando llegaron los bomberos,	c. todavía no había estudiado chino.
4. Cuando se casaron,	d. todavía no habían derribado el muro.
5. Cuando conocí a mi marido,	e. yo no había terminado ni con el aperitivo.
6. Cuando visité Shanghai,	f. ya habían encontrado trabajo los dos.
7. Cuando empezó a andar,	g. los ladrones ya habían huido.
8. Cuando empezó la conferencia,	h. el tren ya había salido.
9. Cuando viví en Berlín,	i. la casa se había quemado completamente.
10. Cuando sirvieron el postre,	j. todavía no había terminado mis estudios.

4. Transforme las frases según el modelo.

1. Ya he visto esa película. !_Dijo que ya había visto esa película._
2. La reunión ya ha terminado. !_____
3. Las invitaciones ya se han enviado. !_____
4. He comprado el regalo. !_____
5. Han cancelado el vuelo. !_____
6. Hemos firmado el contrato. !_____
7. No han abierto las tiendas. !_____

5. Complete con el verbo apropiado en Pretérito Pluscuamperfecto de Indicativo.

> estar - conocer - comer - preguntar - reírse -
> escuchar - montar - ver - saber - conducir

1. No *había escuchado* música clásica hasta hoy.
2. No !_____! a caballo desde que tenía quince años.
3. No !_____! nada igual en toda mi vida.
4. Hasta ese momento no !_____! toda la verdad.
5. No !_____! tanto desde hacía mucho tiempo.
6. Nunca !_____! un coche automático.
7. Ningún estudiante me !_____! eso nunca.
8. En mi vida !_____! nada tan rico.
9. Jamás !_____! a nadie con tanta desfachatez.
10. Nunca !_____! en un sitio tan bonito.

6. Forme frases como en el modelo.

1. Marga y Jorge / <u>conocerse</u> / dos meses antes de casarse.
   ¡ *Marga y Jorge se habían conocido dos meses antes de casarse.* ¡
2. Luis / el lunes vio el anuncio del coche / el miércoles, <u>comprarlo</u>.
3. Pedro / el día 15 puso su piso en venta / el día 18, <u>venderlo</u>.
4. Álvaro / por la mañana solicitó la línea ADSL / por la tarde, <u>ser activada</u>.
5. Estrella / un día decidió cambiar de vida / al día siguiente, <u>dejar</u> su trabajo.
6. Marga y Jorge / discutieron una noche / al día siguiente, <u>solicitar</u> el divorcio.
7. Yo / ayer pedí una pizza por teléfono / a los cinco minutos, <u>llegar</u> la pizza a casa.
8. Manolo / ayer salió en coche hacia Coimbra desde Lisboa / hoy, no <u>llegar</u> todavía.
9. Mercedes / anoche buscó un canguro / al poco rato, <u>encontrar</u> a Luisa.
10. Beatriz / el lunes plantó unas semillas de girasol / el jueves, <u>brotar</u>.

30. FUTURO IMPERFECTO
FORMA Y USOS

1. Complete el cuadro.

	Cantar	Comer	Vivir
Yo	Cantaré		
Tú			
Él, ella, usted			
Nosotros, nosotras			
Vosotros, vosotras			
Ellos, ellas, ustedes			

2. Relacione los infinitivos con la forma *yo* del Futuro Imperfecto.

1. Querer	a. Saldré		
2. Poder	b. Diré		
3. Saber	c. Haré		
4. Decir	d. Querré		
5. Hacer	e. Vendré		
6. Poner	f. Podré		
7. Caber	g. Habré		
8. Haber	h. Sabré		
9. Salir	i. Pondré		
10. Venir	j. Cabré		

3. Escriba el Futuro Imperfecto de los siguientes verbos.

Infinitivo	Futuro
1. Decir (yo)	Diré
2. Hacer (tú)	
3. Poder (ella)	
4. Haber (él)	
5. Querer (usted)	
6. Saber (nosotros)	
7. Salir (vosotras)	
8. Tener (ellos)	
9. Venir (ustedes)	
10. Poner (nosotras)	

4. Complete las siguientes frases utilizando el Futuro Imperfecto de los siguientes verbos.

poder - dejar - ser - cambiar - enviar - alimentar - haber (2) - funcionar - encontrar

¿Qué sabemos del futuro? He aquí algunas previsiones para el año 2.130.

1. _Habrá_ alimentos sintéticos.
2. Los coches _____ con una energía alternativa a la gasolina.
3. Se _____ hologramas a través del teléfono móvil.
4. Nos _____ mediante pastillas y píldoras.
5. _____ vida en otros planetas.
6. _____ nuevas enfermedades.
7. En lo básico, nada _____.
8. Los hombres _____ de hacer guerras.
9. Europa _____ un único país.
10. Se _____ elegir el sexo de los bebés.

5. Jacinto Rovira y Mercedes Mérida se disponen a salir de viaje. Esto es lo que tienen que hacer antes de salir. Relacione la información de las dos columnas.

1. Cortar
2. Cerrar
3. Llamar
4. Llevar
5. Bajar
6. Comprobar
7. Guardar

a. el equipaje al portal.
b. que las ventanas y persianas están bajadas.
c. el gato a casa de la hermana de Mercedes.
d. el pasaporte y los billetes de avión.
e. por teléfono a un taxi.
f. la puerta.
g. el agua y el gas.

6. Ordene cronológicamente las acciones del ejercicio anterior. Utilice el Futuro Imperfecto.

1. Llevarán el gato a casa de la hermana de Mercedes.
2.
3.
4.
5.
6.
7.

7. Complete el texto con los verbos en la forma correcta.

METEOROLOGÍA PREVÉ PARA HOY LLUVIAS EN CASI TODA LA PENÍNSULA

La vuelta de las vacaciones de Semana Santa (1) coincidirá (coincidir) con lluvias generalizadas por casi toda la Península. El Instituto Nacional de Meteorología (INM) prevé que (2)_____ (haber) para hoy chubascos localmente fuertes al sur de la Comunidad Valenciana, en Murcia, en el litoral oriental de Andalucía y en Melilla, así como intervalos de viento fuerte del noreste en Baleares.

(3)_____ (haber) chubascos localmente moderados en el sureste de Castilla-La Mancha y tormentosos en Baleares. (4)_____ (ser) débiles en la Comunidad de Cantabria y en la vasca, y también en el norte de las comunidades de Navarra, Aragón y Cataluña, donde (5)_____ (extenderse), con disminución de intensidad y probabilidad, hasta el oeste de Asturias, oeste de Castilla y León, sierra de Madrid, resto de Castilla-La Mancha y norte de la Comunidad Valenciana. En el resto de la Península, (6)_____ (permanecer) poco nuboso.

El País, 11 de abril de 2004

▶ Para saber más, vaya a la ficha 31, pág. 66.

31. CONTRASTE *IR A* + INFINITIVO Y FUTURO IMPERFECTO

1. Localice las formas del Presente de Indicativo del verbo *ir* y escríbalas.

```
V A N I M O S V
E V O V E N D A
T O O Q R V E I
O Y E P S A O S
V A C A C M E N
Y E C P E O S A
C V A S H S E N
```

1. (yo)   ¡_____¡
2. (tú)   ¡_____¡
3. (él)   ¡_____va_____¡
4. (nosotros) ¡_____¡
5. (vosotros) ¡_____¡
6. (ellos)   ¡_____¡

2. Clasifique las siguientes frases según expresen una intención o una predicción futura.

	Intención	Predicción
1. Esta tarde voy a comprarme unos zapatos marrones.	✓	
2. Esta primavera hará buen tiempo.		
3. Viviré cien años, seguro.		
4. Voy a llamarle por teléfono inmediatamente.		
5. ¿Vas a venir a comer?		
6. Solucionaré esto cuanto antes.		

3. Complete el cuadro.

IR A + **infinitivo** es la perífrasis utilizada para expresar ¡_____¡.
El Futuro Imperfecto es la forma utilizada para expresar ¡_____¡.

4. Complete las siguientes frases utilizando el Futuro Imperfecto o *ir a* + infinitivo.

1. El próximo fin de semana ¡_____*lloverá*_____¡ (llover), así que me ¡_____¡ (quedar, yo) en casa, me apetece estar tranquilo leyendo un buen libro.
2. El profesor nos ha dicho que si no estudiamos, todos ¡_____¡ (suspender).
3. Te ¡_____¡ (acordar) de mí, te lo aseguro.
4. ¡_____¡ (llamar) a Carmen ahora mismo.
5. Te prometo que ¡_____¡ (arreglar) la lámpara en cuanto pueda.
6. "¡_____¡ (ganar) el pan con el sudor de tu frente".
7. No parece complicado. Lo ¡_____¡ (tener) arreglado en un momento.
8. Ya ¡_____¡ (ver, tú) como todo se soluciona.
9. ¡_____¡ (sacar) dinero del cajero, porque el taxi ¡_____¡ (ser) caro.

5. Una las frases de cada columna según el criterio de causa–efecto.

1. Ir a la playa.
2. Recoger la casa.
3. Preparar la comida.
4. No viajar en coche.
5. Ahorrar.
6. Confirmar la cita.

a. El restaurante estar lleno.
b. Mis hijos ya tener hambre.
c. Venir unos amigos a visitarme.
d. Hacer buen tiempo.
e. Hacer un viaje en vacaciones.
f. Haber mucho tráfico.

6. Forme frases con los elementos del ejercicio anterior, siguiendo el modelo.

1. *Voy a ir a la playa porque hará buen tiempo.*
2.
3.
4.
5.
6.

7. Complete las frases con el verbo adecuado y la perífrasis *ir a* + infinitivo en la forma correcta.

echar - salir - dejar - pagar - declararme - contar - cerrar - comprar - llamar - preguntar

1. ¡Hola, Carmen! Precisamente te *iba a llamar* yo en este mismo momento.
2. Se dio cuenta de que no llevaba dinero cuando _____ al taxista.
3. No te enfades, te lo _____ todo.
4. Mira qué casualidad. Le _____ a Paco por vosotros cuando habéis aparecido.
5. _____ esta carta al buzón pero, ya que estás aquí, toma, léela.
6. _____ la puerta cuando me he dado cuenta de que no tenía las llaves.
7. Me propusieron un aumento de sueldo cuando _____ la empresa.
8. _____ una televisión cuando les regalaron una.
9. Justo _____ cuando se puso a llover.
10. _____ cuando supe que tenía novio.

▸ Para saber más, vaya a las fichas 30, pág. 64, y **41**, pág. 278.

32. FUTURO PERFECTO
FORMA Y USOS

1. **Escriba las formas del Futuro Perfecto del verbo *haber*.**

Yo	*habré*
Tú	
Él, ella, usted	
Nosotros, nosotras	
Vosotros, vosotras	
Ellos, ellas, ustedes	

2. **Escriba la fórmula del Futuro Perfecto.**

Futuro Perfecto = ⌐_____⌐ del verbo HABER + ⌐_____⌐

3. **Forme el Futuro Perfecto de los siguientes verbos en las personas indicadas.**

1. Trabajar (yo)   *Habré trabajado*
2. Andar (tú)
3. Conocer (él)
4. Ver (ella)
5. Poner (usted)
6. Poder (nosotros)
7. Escribir (nosotras)
8. Venir (vosotros)
9. Merecer (vosotras)
10. Dar (ellos)

4. **Complete con el Futuro Perfecto.**

1. Mañana, a esta hora, la policía lo *habrá descubierto* (descubrir) todo.
2. Me pregunto si _____ (darse) cuenta de lo que hizo.
3. ¿_____ (llegar) ya Antonio?
4. No sé cómo se _____ (tomar) mi primo el asunto.
5. ¿_____ (llamar) alguien mientras estábamos fuera?
6. Si no te ha saludado es porque no te _____ (ver).
7. Cuando tú llegues, yo ya _____ (acostarse).
8. Al anochecer, nosotros _____ (llegar) a la frontera.
9. Si no te das prisa, cuando llegues, ya _____ (salir) el tren.
10. ¿Qué _____ (hacer) yo para merecer semejante castigo?

5. ¿Que habrá sucedido cuando llegue el año 2.130? Complete las frases con los siguientes verbos.

> construir - morir - cambiar - poblarse - descubrir - aumentar - erradicarse - desaparecer - extinguirse - aparecer

1. *Habrán construido* máquinas para viajar a otras galaxias.
2. La contaminación del planeta _____.
3. _____ la Luna.
4. _____ vacunas contra las principales enfermedades.
5. _____ la pobreza.
6. Muchas especies animales _____.
7. Todos _____.
8. _____ nuevas enfermedades.
9. En lo básico nada _____.
10. Los océanos _____ por el deshielo de los glaciares.

6. Complete las frases utilizando el Futuro Imperfecto, el Futuro Perfecto o *ir a* + infinitivo, según convenga.

1. - ¿Le *habrá pasado* (pasar) algo a Pablo? Es muy tarde y todavía no ha vuelto. Estoy preocupada.
   - • No te preocupes, seguro que _____ (volver) antes de la cena.
   - - Sí, sí, no _____ (ocurrir) nada, pero estoy intranquila.
   - • _____ (estar) en casa de Guido y se _____ (entretener).
   - - Juro que esto no _____ (volver) a suceder: he decidido que _____ (comprar) un teléfono móvil y así seguro que le _____ (tener) siempre localizado.
   - • Eso _____ (ser) si Pablo quiere. Recuerda lo que siempre repite: "Nunca _____ (tener) un móvil, nunca".
2. - Mira, Jesús tiene el ojo morado.
   - • _____ (darse) un golpe.
   - - ¿En el ojo? Eso es que se _____ (pelear) con alguien. Se lo _____ (preguntar) ahora mismo.
   - • No, déjalo. Si se ha peleado con alguien, no _____ (tener) ganas de hablar de ello.
   - - De todas formas está aquí y _____ (hablar) con él. Quiero saber qué ha pasado.
   - • Bueno, pero seguramente se _____ (enfadar) contigo.
   - - Sí, quizá tienes razón. Pero _____ (llamar) a su madre. Ella probablemente me lo _____ (contar) y antes de comer ya _____ (informarse) de todo.

33. CONDICIONAL IMPERFECTO
FORMA Y USOS

1. Complete el siguiente cuadro.

	Hablar	Comer	Vivir
Yo			
Tú		Comerías	
Él, ella, usted			
Nosotros, nosotras			Viviríamos
Vosotros, vosotras			
Ellos, ellas, ustedes	Hablarían		

2. Complete.

Infinitivo	Futuro Imperfecto (Yo)	Condicional Imperfecto
1. Tener	Tendré	(Yo) Tendría
2. Venir		(Nosotros)
3. Saber		(Ella)
4. Poder		(Ustedes)
5. Haber		(Ellos)
6. Querer		(Vosotras)
7. Poner		(Tú)
8. Salir		(Él)
9. Decir		(Nosotras)
10. Hacer		(Vosotros)

3. Complete con los siguientes verbos en condicional.

tener - ir - poder - ser - dejar - deber - venir - querer - hacer

1. Aquí ¡_____iría_____! muy bien un sofá de color azul turquesa.
2. ¿No ¡_____! mejor cambiar la fecha de la reunión?
3. Yo lo ¡_____! todo como está y no ¡_____! nada.
4. Te ¡_____! muy bien cambiar de aires.
5. Usted ¡_____! que ser más amable con ellos.
6. Con la lluvia, no ¡_____! conducir tan rápido, Alfredo.
7. ¡_____! un kilo de tomates.
8. ¿¡_____! apagar su teléfono, por favor?

4. Transforme las frases según la situación, como en el ejemplo.

1. **Tu amigo Juan**: "Te escribiré una postal, te lo prometo". Ya ha vuelto del viaje y no has recibido nada.
   Me prometiste que ¡*me escribirías una postal*_____!

2. **El hombre del tiempo**: "Hará sol en toda la zona y subirán las temperaturas". Vas de excursión y llueve todo el día.
   Pero si el hombre del tiempo pronosticó que ¡_____!

3. **El novio**: "Te mandaré la invitación de mi boda". Te has enterado de que ya se han casado y no has ido a la boda porque no has recibido la invitación.
   No fui a tu boda porque me dijiste que ¡_____!

4. **El mecánico**: "Tendrá el coche arreglado la próxima semana". Ya han pasado dos semanas y sigues sin tener el coche listo.
   Mire, no puede ser. Ya hace dos semanas que me confirmó que ¡_____!
   ¡_____!

5. Complete con el verbo en Condicional Imperfecto.

Si pudiera vivir nuevamente mi vida,
en la próxima (1)¡___*trataría*___! (tratar) de cometer más errores.
No (2)¡_____! (intentar) ser tan perfecto,
(3)¡_____! (relajarse) más.
(4)¡_____! (ser) más tonto de lo que he sido,
de hecho (5)¡_____! (tomar) muy pocas cosas con seriedad.
(6)¡_____! (ser) menos higiénico.
(7)¡_____! (correr) más riesgos,
(8)¡_____! (hacer) más viajes,
(9)¡_____! (contemplar) más atardeceres,
(10)¡_____! (subir) más montañas,
(11)¡_____! (nadar) más ríos.
(12)¡_____! (ir) a más lugares donde nunca he ido,
(13)¡_____! (comer) más helados y menos habas,
(14)¡_____! (tener) más problemas reales y menos imaginarios.
Yo fui de esas personas que vivió sensata y prolíficamente cada momento de su vida,
Claro que tuve momentos de alegría.
Pero si pudiera volver atrás (15)¡_____! (tratar) solamente de tener buenos momentos.
Por si no lo saben, de eso está hecha la vida, solo de momentos, no te pierdas el ahora.
Yo era uno de esos que nunca iba a ninguna parte sin un termómetro,
una bolsa de agua caliente, un paraguas y un paracaídas.
Pero ya ven, tengo 85 años y sé que me estoy muriendo.

(Nadine Stair)

▸ **Para saber más, vaya a las fichas** ❸, pág. 182, ❹, pág. 185 y ⑫, pág. 208.

34. CONDICIONAL PERFECTO
FORMA Y USOS

1. Señale las formas del Condicional Perfecto.

a. había trabajado   d. habrías visto   g. hubiera traído   j. hubieras escuchado

b. habíais puesto   e. habrán abierto   h. habrá sacado   k. habrase visto

c. habrían escrito   f. habrá creído   i. hubiese encontrado   l. habríamos creído

2. Escriba el verbo en Condicional Perfecto en la persona adecuada.

1. Hacer (nosotros)   *Habríamos hecho.*
2. Decir (yo)
3. Ver (usted)
4. Abrir (ellos)
5. Poner (tú)
6. Volver (vosotros)
7. Romper (él)
8. Escribir (nosotros)
9. Descubrir (ustedes)
10. Resolver (yo)
11. Tener (ella)
12. Poder (vosotros)
13. Ir (usted)
14. Conocer (tú)
15. Vivir (nosotros)

3. Relacione las frases.

1. Si hubieras venido pronto,...
2. Si no hubieras conducido tan rápido,...
3. Si hubieras anotado la cita en la agenda,...
4. Si supiera la verdad de este asunto,...
5. Si no estuviera tan cansado,...
6. Si la película hubiera tenido un final feliz,...
7. Si no me hubieran dado esa beca,...
8. Si no te hubieras quitado la barba,...
9. Si no hubiera habido tanto tráfico,...
10. Si hubieras querido verme,...

a. habría recogido la casa. Lo haré mañana.
b. habríamos llegado a tiempo.
c. habríamos podido acabar esto.
d. lo habrías hecho, sabes dónde vivo.
e. me habría gustado más.
f. no habría podido terminar los estudios.
g. no te habrías olvidado de ella.
h. no te habrían puesto esa multa.
i. te habría reconocido. Estás muy cambiado.
j. ya te la habría dicho.

4. Complete usando el Condicional Perfecto de los siguientes verbos.

> divertirse - soportar - preocuparse - hacer - ganar - intentar -
> llegar - cambiar - reconocer

1. ¿Cómo es que no has venido al cine con nosotros? Te _habrías divertido_ mucho.
2. Yo que tú no _____ tanto.
3. Carlos ha vivido en muchas ciudades diferentes. ¿Lo _____ tú?
4. Si hubiera salido un poco antes, _____ a tiempo.
5. Por mucho que le insistiéramos, nunca _____ de forma de pensar.
6. No _____ el premio, tienes razón, pero al menos lo _____.
7. ¿Qué _____ tú en su lugar?
8. Si no me hubieras dicho que eras tú, no te _____. Estás cambiadísima.

5. Relacione las frases.

1. Mercedes Herrera conducía demasiado rápido.
2. Paco Miró participó en un concurso de televisión.
3. Carolina Cuadrado ganó a la lotería.
4. Juan José Castro conoció a la mujer de su vida.
5. Pilar Sanjuán fue de vacaciones a México.
6. Antonio Requena se dejó en casa las llaves.
7. Josefina Meneses estudió varios idiomas.
8. Arantxa Buendía se olvidó de cerrar el grifo.
9. Conchita Yébenes compró un lector DVD.

a. Se hizo millonaria.
b. Se quedó a vivir allí.
c. Tuvo un accidente.
d. Encontró trabajo rápidamente.
e. Vendió su vídeo.
f. Tuvo que entrar por el balcón.
g. Se casó inmediatamente.
h. Su piso se inundó.
i. Se compró la casa de sus sueños con el premio.

6. Forme, con la información anterior, frases como en el ejemplo.

1. _De no haber conducido demasiado rápido, Mercedes Herrera no habría tenido un accidente._
2. _____
3. _____
4. _____
5. _____
6. _____
7. _____
8. _____
9. _____

1. **Complete el siguiente cuadro.**

	Hablar		Comer		Vivir	
	Presente de Indicativo	Presente de Subjuntivo	Presente de Indicativo	Presente de Subjuntivo	Presente de Indicativo	Presente de Subjuntivo
Yo	Hablo					
Tú						
Él, ella, usted						
Nosotros/as						
Vosotros/as						
Ellos, ellas, ustedes						

	Pensar		Ser		Poner	
	Presente de Indicativo	Presente de Subjuntivo	Presente de Indicativo	Presente de Subjuntivo	Presente de Indicativo	Presente de Subjuntivo
Yo	Pienso					
Tú						
Él, ella, usted						
Nosotros/as						
Vosotros/as						
Ellos, ellas, ustedes						

2. **Clasifique estas formas verbales en el cuadro e indique la persona gramatical.**

tengamos - hay - busquen - puede - pueda - viváis - vivís - sepáis - sabéis - buscan - tenemos - piensan - vayas - haya - piensen - juega - conozco - conozca - vas - juegue

	Presente de Indicativo	Presente de Subjuntivo	Persona gramatical
1. Tener		Tengamos	Nosotros/as
2. Poder			
3. Saber			
4. Haber			
5. Vivir			
6. Buscar			
7. Jugar			
8. Pensar			
9. Ir			
10. Conocer			

3. Escriba la forma adecuada del Presente de Subjuntivo.

1. Querer (ellos) !_____*Quieran*_____!
2. Pedir (nosotros) !_____!
3. Vivir (tú) !_____!
4. Ir (vosotros) !_____!
5. Tener (usted) !_____!
6. Decir (yo) !_____!
7. Hablar (ella) !_____!
8. Oír (ustedes) !_____!
9. Ser (él) !_____!
10. Venir (ellos) !_____!

4. Complete las frases con uno de los siguientes verbos en Presente de Subjuntivo.

tener - comportarse - estar - saber - pasar - ser - tratarse - decir - pensar - escuchar

1. No me ha comentado nada de que !_____*tenga*_____! un problema.
2. No me molesta que mis clientes !_____! en mi despacho.
3. No dice que !_____! la verdad, sino que se lo imagina.
4. Te deseo que !_____! unas felices fiestas.
5. Espero que !_____! lo que haces.
6. A mí no me consta que !_____! de la misma persona.
7. Te ruego que me !_____! cuando te hablo.
8. Es necesario que !_____! con corrección.
9. Es absurdo que !_____! eso de mi familia.
10. Me sorprende que Alfonso !_____! así.

5. Complete las frases con uno de los verbos en infinitivo o Subjuntivo, según convenga.

hablar - leer - gastar - cantar - ir

1. a. Me gusta !_____*hablar*_____! español.
   b. Me gusta que todo el mundo !_____! español.
2. a. Me preocupa !_____! demasiado.
   b. Me preocupa que mis hijos !_____! demasiado.
3. a. Me pone nervioso !_____! en público.
   b. Me pone nervioso que tú !_____! en público.
4. a. Me encanta !_____! literatura argentina.
   b. Me encanta que mis estudiantes !_____! literatura argentina.
5. a. Me da igual !_____! hoy o mañana.
   b. Me da igual que nosotros !_____! hoy o mañana.

36. PRETÉRITO IMPERFECTO DE SUBJUNTIVO
FORMA

1. Complete el siguiente cuadro.

Infinitivo	Pretérito Indefinido (Ellos)	Pretérito Imperfecto de Subjuntivo (Yo)
1. Cantar	Cantaron	Cantara, cantase
2. Beber		
3. Escribir		

2. Complete el siguiente cuadro.

Infinitivo	Pretérito Indefinido (Ellos)	Pretérito Imperfecto de Subjuntivo (yo)
1. Ser / Ir	Fueron	(Yo) Fuera, fuese
2. Tener		(Tú)
3. Haber		(El)
4. Hacer		(Ella)
5. Poner		(Usted)
6. Poder		(Nosotros)
7. Decir		(Vosotras)
8. Venir		(Ellos)
9. Dar		(Ellas)
10. Saber		(Ustedes)

3. Elija la forma apropiada.

1. Me gustaría que mi hijo **hablara** / hablaría varias lenguas.
2. Si **tuviera** / tenga algún problema, no dude en llamarme.
3. Si por lo menos **supiera** / sabría su número de teléfono...
4. Yo no sabía que su marido **fue** / **fuera** médico.
5. Me recomendó que **hablara** / **hablará** despacio para que todo el mundo **pudiera** / **podría** entenderme.
6. Sería fantástico que **podrías** / **pudieses** venir a la fiesta.
7. No la reconocerías. Si **vieras** / **veas** que cambiada está...
8. No le gustó nada que **digas** / **dijeses** eso de él.
9. Le prohibieron terminantemente que **abriría** / **abriera** la puerta a nadie.
10. Nos pidieron que lo **terminásemos** / **terminaríamos** en una semana.

4. Las siguientes frases están en presente. Transfórmelas en pasado.

1. Me encanta que seas tan clara. *Me encantó que fueras / fueses tan clara.*
2. A mi hermana le pone triste que llueva.
3. A mi novio le gusta que lleve el pelo largo.
4. Me da igual que vayas o no.
5. Es normal que juegue.
6. No es lógico que pienses eso.
7. No soporto que me mientas.
8. No es justo que cancelen la reunión.
9. Es preciso que se resuelva de inmediato.
10. Les preocupa que la reunión no empiece a tiempo.

5. Lea las siguientes afirmaciones falsas y transfórmelas como en el ejemplo.

1. La Guerra Civil española terminó en 1945.   Guerra Civil española: 1936 - 1939.
   No es verdad que la Guerra Civil española terminara en 1945, sino que terminó en 1939.

2. La capital de Japón era Osaka.   Capital de Japón: Tokio.

3. El último presidente de Brasil fue una mujer.   Último presidente de Brasil: Henrique Cardoso.

4. Filipinas fue una colonia francesa.   Filipinas: colonia española.

5. Picasso era francés.   Picasso nació en Málaga (España).

6. Los Juegos Olímpicos de Barcelona se celebraron en 1994.   Juegos Olímpicos de Barcelona: 1992.

7. García Márquez recibió el premio Nobel de Literatura en 1967.   Premio Nobel en 1982.

37. PRETÉRITO PERFECTO DE SUBJUNTIVO
FORMA Y USOS

1. Escriba la fórmula del Pretérito Perfecto de Subjuntivo.

Pretérito Perfecto de Subjuntivo = !_____! del verbo HABER + !_____!

2. Localice en la siguiente sopa de letras las formas del Presente de Subjuntivo del verbo *haber*. Luego escríbalas.

```
H  A  Y  A  I  S  H  A  C  E
E  A  B  H  A  B  E  N  C  T
C  N  H  R  H  A  H  E  N  O
I  A  H  A  Y  A  E  P  H  D
S  N  E  I  Z  D  H  A  A  P
H  A  Y  A  N  S  P  V  Y  E
E  A  N  A  E  U  H  A  A  C
A  H  A  Y  A  S  A  Y  M  P
H  E  D  H  C  E  Y  A  O  H
S  R  S  I  S  I  A  N  S  S
```

1. (yo)   !_____ *haya* _____!
2. (tú)   !_____!
3. (él)   !_____!
4. (nosotros) !_____!
5. (vosotros) !_____!
6. (ellos)   !_____!

3. Complete las frases con las siguientes formas verbales.

> haya ganado - haya podido - haya llamado - hayas visto - haya salido - hayan alcanzado - hayas roto - hayan elegido - hayas venido - hayan bajado - haya dicho

1. El que alguien !___ *haya llamado* ___! sin dejar ningún mensaje es algo que me pone nervioso.
2. El que te !_____! a ti no te da derecho a hablarme así.
3. No es que !_____! el jarrón lo que me da rabia.
4. Me da igual que !_____! eso de mí.
5. Que lo !_____! o no es algo que no me preocupa.
6. Me sorprende que alguien !_____! encontrarlo. Lo escondí perfectamente.
7. Me encanta que !_____! los impuestos.
8. Me alegra que !_____! un acuerdo.
9. Me da pena que todo !_____! tan mal.
10. Nos da igual que !_____! tarde, pero podrías haber avisado.
11. Me da rabia que no !_____! mi partido en las pasadas elecciones.

4. Complete las frases con los verbos en Pretérito Perfecto de Subjuntivo.

1. No creo que Alberto !____*haya llegado*____! (llegar) todavía.
2. Me extraña que los chicos !_____! (tardar) tanto tiempo en llegar.
3. Yo no digo que los sindicatos !_____! (ir) demasiado lejos, pero...
4. Estoy encantado de que por fin Celia !_____! (tomar) una decisión.
5. Cuando lo !_____! (terminar), me lo dices.
6. Me molesta que la asociación !_____! (portarse) tan mal con nosotros.
7. No entiendo que Julia !_____! (tirar) la toalla.
8. Una vez que !_____! (madurar), se podrá recoger la fruta.
9. Me da pena que todo !_____! (salir) tan mal.

5. El partido político PIPA ha ganado las elecciones. Estas son algunas de las reacciones. Complete las frases utilizando los siguientes verbos en Pretérito Perfecto de Subjuntivo.

> ganar - perder - pactar - votar - sacar

1. **Miguel Vázquez**: "Estoy encantado de que el PIPA !____*haya ganado*____! las elecciones. Sí, señor, ya era hora".
2. **Marina Formal**: "Yo estoy muy decepcionada con que el PIPA !_____! con el partido de la oposición. Es una vergüenza".
3. **Francisco Vaquero**: "A mí me parece fatal que el PIPA !_____! tantos votos".
4. **Miguel Miravalles**: "Es normal que la mayoría de los electores !_____! al PIPA. Es el mejor".
5. **Serena Fuentes**: "Es muy lógico que la oposición al PIPA !_____!".

6. Marque la opción correcta.

1. Me pone nervioso que no **contestes** / (**hayas contestado**) a mis cartas anteriores.
2. Me alegra que ahora **estés** / **hayas estado** aquí.
3. No me sorprende que **suspendas** / **hayas suspendido** el examen, con lo poco que has estudiado.
4. Me encanta que siempre **sonrías** / **hayas sonreído**.
5. Nos gusta mucho que **decidáis** / **hayáis decidido** casaros.
6. Nos da miedo que **suban** / **hayan subido** los impuestos en el próximo Consejo de Ministros.
7. Me parece muy bien que mañana **sea** / **haya sido** fiesta.

38. PRETÉRITO PLUSCUAMPERFECTO DE SUBJUNTIVO
FORMA Y USOS

1. Escriba la fórmula del Pretérito Pluscuamperfecto de Subjuntivo.

> **Pretérito Pluscuamperfecto de Subjuntivo** = !_____! del verbo HABER + !_____!

2. Localice las seis formas del Pretérito Imperfecto de Subjuntivo del verbo *haber*. Ojo, puede aparecer indistintamente en las dos formas (*–RA*, *–SE*).

a. hubiera	d. hubieron	g. hubo	j. había	m. hubisteis
b. hubiéramos	e. hubierais	h. habíamos	k. habríamos	n. hubiese
c. habíamos	f. hubiesen	i. hubieses	l. habíamos	ñ. hubimos

3. Pepe y Lucy se casaron el 26 de junio de 2005. Éstas son algunas de las reacciones en sus familias el día de la boda. Complete las frases utilizando el Pretérito Pluscuamperfecto de Subjuntivo de los siguientes verbos.

> conocer - invitar - elegir - comprarse - pasar -
> enamorarse - venir - obligar - casarse - salir

1. Sus padres estaban encantados de que Pepe !___*hubiera / hubiese conocido*___! a Lucy.
2. Su ex-novia estaba extrañada de que la !_____! a la boda.
3. Su hermano estaba muy contento de que Pepe !_____! de casa.
4. La hermana de Lucy no comprendía que su hermana !_____! de un chico como Pepe.
5. El padre de Lucy estaba feliz de que su hija !_____! con Pepe.
6. A las amigas de Lucy les hacía reír que Lucy !_____! un vestido tan cursi.
7. A los compañeros de trabajo de Pepe les daba envidia que !_____! todos los jefes.
8. Al dueño de la sala de fiestas le encantaba que Pepe y Lucy !_____! un menú tan caro.
9. A la sobrina de Lucy le molestó que la !_____! a llevar las arras hasta el altar.
10. A los novios les satisfizo que todos los invitados lo !_____! tan bien en su boda.

4. Transforme las frases como en el ejemplo.

1. Lo hice gracias a tu ayuda. ¡*Sin tu ayuda no lo hubiera / hubiese hecho.*
2. Llegué a tiempo gracias al coche.
3. Ganó gracias a sus votos.
4. La cosecha fue buena gracias a las lluvias.
5. Lo supe gracias al periódico.
6. Lo conocí gracias a la agencia matrimonial.
7. Lo encontré gracias a tus indicaciones.
8. Lo aprendí gracias a este libro.
9. Se hizo rico gracias a la lotería.
10. Se instruyó gracias a los clásicos.

5. Elija la opción correcta.

1. Lo miró como si viera / (hubiera visto) al mismísimo diablo.
2. Habla como si fuera / hubiera sido español.
3. Actuó como si no lo oyera / hubiera oído.
4. Parece como si no supiera / hubiera sabido nada.
5. Hizo los ejercicios como si ya aprendiera / hubiera aprendido toda la gramática.
6. Dejaron la casa como si pasara / hubiera pasado un tornado.
7. La encontré como si rejuveneciera / hubiera rejuvenecido veinte años.
8. Estoy descansado como si durmiera / hubiera dormido veinte horas.
9. Está todo el día viajando, como si los billetes fueran / hubieran sido gratis.
10. Se levantó de la cama como si le pincharan / hubieran pinchado.

6. Transforme las frases como en el ejemplo.

1. De haberlo sabido, no vengo.
   ¡*Si lo hubiera sabido, no habría venido.*
2. De tener 30.000 euros, me compro ese coche.
3. De haber nacido en otro país, me habría gustado nacer en Grecia, me encanta su cultura.
4. De haberlo pensado, no lo habría hecho.
5. De conducir más despacio, no te habrían puesto esa multa.
6. De haber estudiado más, habrías sacado mejores notas.

39. CONTRASTE INDICATIVO / SUBJUNTIVO (1):
ACTIVIDAD MENTAL

1. Clasifique las siguientes formas verbales.

creáis - supones - creéis - pensamos - pensemos - afirmas - afirmes - imaginan - opina - opine - consideramos - consideremos - imaginen - supongas

Presente de Indicativo

Presente de Subjuntivo
creáis

2. Indique si las siguientes formas verbales están en Indicativo o Subjuntivo. Después indique qué tiempo verbal es.

Forma	Indicativo	Subjuntivo	Tiempo verbal
1. Pensara		✔	Imperfecto
2. Creyéramos			
3. Haya pensado			
4. Creíamos			
5. Hubiera opinado			
6. Pensaron			
7. Opinara			
8. Afirmara			
9. Habíais pensado			
10. Imaginara			
11. Imaginamos			
12. Imaginaba			
13. Hayáis opinado			

3. En la siguiente lista de verbos subraye aquellos que expresan actividad mental.

creer	explicar	suponer	pensar	leer
darse cuenta	estimar	comentar	soñar	considerar
averiguar	comprobar	opinar	verificar	exigir
descubrir	recordar	acordarse	manifestar	escribir

4. Complete las siguientes frases con el verbo entre paréntesis en la forma adecuada.

1. (Estar, tú) muy ocupado.
   a. Entiendo que ⌐estás muy ocupado──────────────────────────────────────┘
   b. No entiendo que ⌐───┘

2. (Encontrar, nosotros) una solución rápidamente.
   a. Creo que ⌐──┘
   b. No creo que ⌐───┘

3. (Tener) éxito.
   a. No sabía que la película ⌐───────────────────────────────────────┘
   b. Ya sabía que la película ⌐───────────────────────────────────────┘

4. (Tomar, tú) la decisión adecuada.
   a. Considero que ⌐──┘
   b. No considero que ⌐───┘

5. (Vivir, nosotros) en el campo.
   a. Soñé que ⌐───┘
   b. No soñé que ⌐──┘

6. (Haber) cinco personas.
   a. Recuerdo que ⌐───┘
   b. No recuerdo que ⌐──┘

7. (Apagar, tú) el ordenador
   a. Comprobé que ⌐───┘
   b. No comprobé que ⌐──┘

8. (Actuar, yo) conforme al reglamento.
   a. La comisión estimó que ⌐───┘
   b. La comisión no estimó que ⌐──────────────────────────────────────┘

9. (Tener) posibilidades.
   a. He pensado que la propuesta ⌐────────────────────────────────────┘
   b. No pensaba que la propuesta ⌐────────────────────────────────────┘

10. (Ponerse, yo) un poco impertinente a veces.
    a. Reconozco que ⌐───┘
    b. Normalmente no reconozco que ⌐─────────────────────────────────┘

5. Reflexione y conteste.

El anterior ejercicio se ha completado con verbos en...

- ⌐─────────────────┘ para completar aquellas frases enunciadas por un verbo de actividad mental en forma afirmativa.

- ⌐─────────────────┘ para completar aquellas frases enunciadas por un verbo de actividad mental en forma negativa.

▶ **Para saber más, vaya a la ficha ④④, pág. 288.**

40. CONTRASTE INDICATIVO / SUBJUNTIVO (2): OPINIÓN

1. Lea las siguientes frases y relaciónelas con un elemento de la columna de la derecha.

1. Creo que Guillermo toca el violín en la Orquesta de Soria.
2. Creo que Guillermo ha tocado en la Orquesta de Soria.
3. Creo que Guillermo tocaba en la Orquesta de Soria.
4. Creo que Guillermo tocó en la Orquesta de Soria.
5. Creo que Guillermo iba a tocar en la Orquesta de Soria.

a. Un día de estos.
b. De joven.
c. Normalmente.
d. Una vez.
e. Hoy.

2. Forme frases.

1. Amparo / aprender inglés / en breve.
   Me parece que *Amparo aprenderá inglés en breve.*
2. Pilar / pintar muy bien / normalmente.
   Opinamos que
3. Vicente / hacer *surf* / las vacaciones pasadas.
   Piensan que
4. Pablo / tirarse en paracaídas / ayer.
   Creo que
5. Soraya / montar a caballo / de pequeña.
   Imagina que

3. Lea estos diálogos y relaciónelos.

1. Hernán se va a casar con su novia de toda la vida.

2. Me he gastado todo el dinero que me diste.

3. Hice el ejercicio yo solo ayer.

a. No creo que lo hicieras, era muy difícil.

b. No creo que lo haga, la verdad.

c. No creo que lo hayas hecho, me estás engañando.

4. Transforme las frases del ejercicio 2 en negativas.

1. No me parece que *Amparo aprenda inglés en breve.*
2. No opinamos que
3. No piensan que
4. No creo que
5. No imagina que

5. Complete las frases en el tiempo verbal adecuado.

1. Me van a dar una beca para estudiar en el extranjero.
   Como no hablas idiomas, no creo que ⌐*te den la beca.* _____⌐

2. Se han ido de vacaciones a Canarias.
   No tenían reserva, no creo que ⌐_____⌐

3. Es un actor muy famoso.
   Nunca he oído hablar de él, no me parece que ⌐_____⌐

4. De pequeño era muy deportista.
   Ahora es tan vago que no pienso que ⌐_____⌐

5. La fiesta fue un éxito.
   Todo el mundo dice que se aburrió, por eso no creo que ⌐_____⌐

6. Hoy he visto a Lucas por la calle.
   Está viviendo en La Patagonia, no creo que ⌐_____⌐

6. *Estar de acuerdo* es una expresión para expresar opinión. Lea las frases y marque de qué tipo son.

> Enrique, vamos a ir de viaje a Cancún porque es un sitio muy bonito, el vuelo es barato y podemos visitar todas las playas de la zona.

	Es una información	Es una intención de hacer algo
1. Estoy de acuerdo en que vayamos a Cancún.		✔
2. También estoy de acuerdo en que es un lugar bonito.		
3. Pero no estoy de acuerdo en que el viaje es barato.		
4. Y, sobre todo, no estoy de acuerdo en que visitemos todas las playas. Quiero descansar.		

7. Complete las frases después con el verbo entre paréntesis en la forma correcta del Indicativo o del Subjuntivo.

1. Estoy de acuerdo contigo en que los reajustes económicos ⌐_____*son*_____⌐ (ser) muy importantes, pero no lo es todo.

2. Nosotros no estamos de acuerdo en que este fin de semana ⌐_____⌐ (ir, nosotros) todos en el mismo coche a Bilbao. Preferimos ir en dos, es más cómodo.

3. Evaristo está de acuerdo en que ⌐_____⌐ (adelantar, nosotros) la clase.

4. ¿Están ustedes de acuerdo en que ⌐_____⌐ (cumplir, yo) todos los requisitos de la inscripción? Entonces, ¿por qué no me admiten?

5. Estoy de acuerdo con vosotros en que ⌐_____⌐ (dejar, nosotros) para más tarde esto y que ⌐_____⌐ (ir, nosotros) a jugar al tenis ahora.

▶ **Para saber más, vaya a la ficha 44, pág. 288.**

41. CONTRASTE INDICATIVO / SUBJUNTIVO (3):
CONSTATACIÓN

1. Clasifique estos adjetivos si van con el verbo *ser* o con el verbo *estar*.

> cierto - claro - comprobado - demostrado - evidente - indiscutible - innegable - obvio - seguro - verdad - visto

Ser			Estar		
- cierto	-	-	-		-
-	-		-		-
-	-				

2. Marque la opción correcta.

> __Algunos consejos para tener buena salud.__

1. Es / (Está) demostrado que hacer excesivo deporte es perjudicial.
2. Es / Está verdad que tener alto el colesterol es tan malo como tenerlo demasiado bajo.
3. Es / Está obvio que hay que cuidarse.
4. Es / Está visto que la vida en las grandes ciudades genera estrés.
5. Es / Está comprobado que la dieta mediterránea ayuda a tener buena salud.
6. Es / Está innegable que la alimentación influye en la salud.
7. Es / Está evidente que cada vez tenemos más conciencia de los problemas de salud.

3. Transforme las frases en negativas.

1. Está claro que todos los españoles duermen la siesta.
   No está claro que todos los españoles duerman la siesta.
2. Es evidente que la mayoría de los argentinos habla mucho.
3. Está visto que a todos los cubanos les gusta mucho la música.
4. Es obvio que en México se come todos los días tacos.
5. Es verdad que los latinos son muy pasionales.
6. Está comprobado que los latinos no saben organizarse.
7. Es indiscutible que el tráfico en muchos países sudamericanos es un caos.
8. Está demostrado que el mejor sitio para vivir es el propio país.

4. Complete las frases con el verbo entre paréntesis en la forma correcta.

1. Es verdad que a muchas personas les ⌐_____*gusta*_____¬ (gustar) el cine de acción.
2. No es evidente que el cine de Almodóvar ⌐_____¬ (ser) mejor que el de Amenábar.
3. Está claro que no ⌐_____¬ (querer, tú) venir conmigo.
4. ¿Es cierto que los gitanos ⌐_____¬ (proceder) de la India?
5. No está demostrado que el euskera ⌐_____¬ (ser) una lengua caucásica.
6. Es obvio que no ⌐_____¬ (poder, nosotros) seguir así.

5. Marque la opción adecuada.

1. Hoy está claro que el aceite de oliva (es) / era bueno para la salud, pero hace años no estaba claro que **sea / fuera** así.
2. Tras las investigaciones quedó demostrado que el cáncer **tiene / tenía** cura y ahora es evidente que muchos tumores se **curan / curaban**.
3. Yo lo tenía todo muy claro, pero, tras la conversación con el director, ya no estaba tan seguro de que **tenga / tuviera** razón en lo que proponía.
4. Tras las elecciones fue innegable que **hay / había** que cambiar los acuerdos previos.
5. Según un documental que pusieron en la tele, no era verdad que el gobierno **actúa / actuara** con completa honradez.
6. No me pareció obvio que **tengamos / tuviéramos** que votar todos lo mismo.
7. Es innegable que yo **soy / era** mayor que tú, pero no lo es que tú **estés / estuvieras** mejor que yo.
8. Hasta que no se demostró lo contrario, no se creía que la tierra **sea / fuera** redonda, pero desde Galileo es innegable que la tierra **es / era** redonda.

6. Complete las frases con el verbo entre paréntesis en la forma correcta.

1. A nosotros no nos pareció evidente que Paco ⌐_____*actuara*_____¬ (actuar) con discreción en este asunto.
2. Es verdad que las cosas se ⌐_____¬ (poder) haber hecho de otra forma, pero no supimos cómo.
3. Fue demostrado ante la opinión pública que le ⌐_____¬ (acusar) de unos delitos que eran falsos.
4. A todos les pareció obvio que la decisión tomada ⌐_____¬ (ser) la mejor.
5. Cuando era niño, no estaba muy claro para mí que ⌐_____¬ (ser) una necesidad ir al colegio.

42. CONTRASTE INDICATIVO / SUBJUNTIVO (4):
CONSTATACIÓN Y VALORACIÓN

1. Lea el siguiente diálogo y señale las expresiones en negrita que constatan la realidad (══) y las que valoran esa realidad (──).

- A mí me gusta mucho el arte contemporáneo. **Es verdad que** a muchas personas les parece raro, pero **es cierto que** es muy expresivo.

• **Es verdad que** es expresivo, pero también **es cierto que** es feo.
- Hombre, **es sorprendente que** digas que es feo.

• Pues sí, con el arte contemporáneo **está claro que** un caballo no parece un caballo.
- Claro, porque no es figurativo. Y **es lógico que** no lo sea, porque busca otra cosa.

• ¿Y qué es lo que busca?
- **Es evidente que** busca crear otra realidad.

• Pues **es absurdo** querer crear otra realidad, el arte contemporáneo es absurdo.

2. Reflexione y complete el cuadro.

En la expresión de la opinión, las frases en !_____! sirven para informar de un hecho. Las frases en !_____! sirven para dar una valoración subjetiva de los hechos, no para informar de ellos.

3. Clasifique los adjetivos según si sirven para constatar la realidad o para valorarla.

bien - bueno - cierto - claro - comprobado - demostrado - estupendo - evidente - fantástico - horrible - increíble - indiscutible - innegable - interesante - mal - maravilloso - obvio - seguro - terrible - verdad - visto

Constatar		Valorar	
- cierto	-	-	-
-	-	-	-
-	-	-	-
-	-	-	-
-	-		
-			

4. Marque la opción adecuada.

1. - ¿Es **increíble** / (**verdad**) que en tu país llueve mucho?
   - No, no tanto.
2. - Es **cierto** / **horrible** que haya tanta desigualdad en el mundo.
   - Sí, es verdad, es realmente terrible.
3. - Es **malo** / **obvio** que la situación política está muy mal.
   - Pues yo no lo veo así. A mí me parece que todo va bien.
4. - ¿Por qué no te cae bien Agustín?
   - Porque es un maleducado. ¿Es **normal** / **verdad** que no me salude?
   - No, tienes razón, es **normal** / **verdad** que a veces es bastante antipático.
5. - Está **bien** / **demostrado** que muchos ancianos viven solos.
   - Pues me parece **fatal** / **verdad** que sea así.

5. Complete las frases con el verbo en la forma adecuada.

1. Está claro, Isidro, que no !_____*quieres*_____! (querer) venir con nosotros de excursión y me parece fatal que no nos lo !_____! (decir) tú y que nos !_____! (tener, nosotros) que enterar por otras personas. ¿Hay confianza o no?

2. Mira lo que dice el periódico. Unos científicos españoles han descubierto una proteína que puede curar el cáncer. Es fantástico que !_____! (investigar) esta enfermedad. Me parece muy bien que !_____! (destinar) más presupuesto a la investigación científica.

3. Tienes razón. Es cierto que no !_____! (estar) demostrado que !_____! (haber) vida en otros planetas, pero es muy romántico pensar que !_____! (haber) seres racionales fuera de aquí.

4. Es un hecho que el hombre !_____! (ser) un lobo para el hombre, como decía el filósofo. Por eso es normal que !_____! (cometerse) tantas barbaridades y que todavía !_____! (haber) guerras.

5. Está muy bien que !_____! (querer, tú) ayudar a los demás y que !_____! (colaborar) en esas asociaciones humanitarias, pero es evidente que no !_____! (poder) descuidar tus obligaciones.

6. Mira, Mercedes, es normal que !_____! (estar) triste, pero también es lógico que tu hijo !_____! (querer) emanciparse. Es verdad que !_____! (ser) tu único hijo, pero también es cierto que ya !_____! (tener) veinte años.

▸ Para saber más, vaya a la ficha **36**, pág. 268.

43. CONTRASTE INDICATIVO / SUBJUNTIVO (5):
ESTILO INDIRECTO

1. Lea estos recados y marque con una "I" los que son una información y con una "P" los que son una petición. Después escriba cómo eran los mensajes originales.

1. (I) Antonio dice que hoy no viene a comer.
   Hoy no vengo a comer.

2. ◯ Paloma dice que la llames por teléfono.

3. ◯ Teresa dice que te volverá a llamar por la tarde.

4. ◯ Perico dice que hagas tú la compra.

5. ◯ Pepe dice que tiene los papeles del banco.

6. ◯ Cuca dice que sabe el teléfono de Santiago.

7. ◯ Ana dice que vayas a su casa a cenar hoy.

8. ◯ Fernando dice que compres el periódico.

2. Transforme las frases según la situación.

1. **Iñaki**: "No voy a ir a la fiesta. Es que estoy muy cansado".
   a. Al día siguiente en la fiesta lo cuentas: *Ayer Iñaki me dijo que no venía a la fiesta...*
   b. El lunes después de la fiesta:

2. **María**: "Ven a mi casa mañana y así podemos charlar un rato".
   a. Se lo cuentas cinco minutos después a Pedro:
   b. Estás en la puerta de la casa de María y no hay nadie:

3. **Nuria**: "La novia de Javier es dominicana y se llama Daniela".
   a. Llamas por teléfono a Irene y se lo dices:
   b. Hablas con la novia y te dice que es boliviana y se llama Ruth:

4. **Ana**: "Estuve hablando con Francisco porque discutió contigo".
   a. Le cuentas lo que te acaba de decir a un amigo:
   b. Dos días después hablas con Francisco:

5. **El hombre del tiempo**: "Mañana hará buen tiempo".
   a. Propones a tu pareja ir a pasar el día a la sierra:
   b. Estáis en el campo y está lloviendo:

3. Lea esta noticia del periódico y subraye los verbos de habla que hay. Escríbalos en la columna de abajo y relaciónelos con las frases originales.

Atraco en el Banco Central

Ayer a la una del mediodía dos atracadores irrumpieron en el banco y se llevaron el dinero y las joyas depositadas en la caja de la sucursal de la calle Menor.

Una testigo <u>aseguró</u> que las había visto entrar sin máscaras y que eran dos mujeres. La policía confirmó que se trataba de dos mujeres de unos cuarenta años y comentó que eran rubias. El robo se produjo en el momento de mayor presencia de guardias, ya que era la hora de apertura de la caja y el director del banco preguntó que cómo era posible que nadie las hubiera detenido. El jefe de la patrulla contestó que no quisieron utilizar sus armas debido a la cantidad de gente que había en la sucursal. Asimismo desmintió que no hubieran actuado con rapidez y solicitó a todos que dieran cualquier pista para esclarecer el caso.

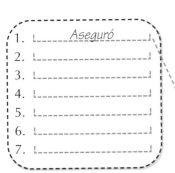

1. *Aseguró*
2.
3.
4.
5.
6.
7.

a. "Con la cantidad de guardias que había, ¿cómo es posible que no las hayan detenido? Es una vergüenza".
b. "No es cierto, hemos actuado con rapidez".
c. "Por cierto, son rubias".
d. "Por favor, quien sepa algo sobre el caso, que dé cualquier pista que pueda esclarecerlo".
e. "Pues mira, la verdad, no quisimos utilizar nuestras armas porque había muchísima gente en la sucursal".
f. "Sí, es cierto. Se trata de dos mujeres de cuarenta años".
g. "Yo las he visto entrar sin máscaras y son mujeres, dos mujeres".

4. Elija la opción correcta.

1. Pues, fíjate, me dijo que no viene /(iba a venir)/ vendría a la fiesta, que está / estaba / iba a estar muy cansado y ahí lo tienes, bailando como un loco.
2. Sí, Raúl me ha dicho que no viene / iba a venir / vendría a la fiesta, que está / estaba / iba a estar muy cansado.
3. No, no vino. Me dijo que no voy / iba a ir / iría a la fiesta, que está / estaba / iba a estar muy cansado.
4. El jefe le pidió que vaya / fuera / iría con la delegación chilena, se fue y no volvió hasta dos meses después.
5. Es un chico muy dispuesto, el jefe le pidió ayer que vaya / fuera / iría con la delegación chilena, que no confía en otra persona, y ya está haciendo las maletas.

44. CONTRASTE INDICATIVO / SUBJUNTIVO (6):
DESEOS

1. Clasifique las expresiones si van con Indicativo o con Subjuntivo.

> quiero - espero - deseo - me gustaría - ojalá - a ver si

Subjuntivo	Indicativo
quiero	

2. Complete las siguientes expresiones de deseo con el Presente de Subjuntivo.

1. Espero que ¡_____*podamos*_____¡ (poder, nosotros) hablar con tranquilidad de todo esto algún día.
2. Deseo que ¡_____¡ (pasar, ustedes) una velada lo más agradable posible.
3. Quiero que ¡_____¡ (arreglar, tú) tu habitación inmediatamente.
4. Quiero que ¡_____¡ (comprar, tú) el pan cuando vengas.
5. No quiero que ¡_____¡ (verme) nadie en este estado.
6. Deseo que ¡_____¡ (encontrarse, usted) bien de salud.
7. Espero que ¡_____¡ (encontrar, tú) la dirección fácilmente.
8. Ojalá que ¡_____¡ (saber, tú) la verdad de lo que sucedió.
9. Espero que ¡_____¡ (conocerse, nosotros) pronto.
10. Deseo que ¡_____¡ (comprender, tú) que es lo mejor para los dos.

3. Relacione un elemento de cada columna y escriba las frases.

1. Necesito dinero.	a. No llover este fin de semana.
2. Necesito ir de vacaciones.	b. Interesarle a alguien.
3. Necesito un traje.	**OJALÁ** → c. Tocar la lotería.
4. Tengo que vender la casa.	d. Encontrar un viaje económico.
5. Tengo que ir al norte.	e. Ver uno moderno y barato.

1. ¡ *Necesito dinero. Ojalá me toque la lotería.* ¡
2. ¡_____¡
3. ¡_____¡
4. ¡_____¡
5. ¡_____¡

4. Complete con el verbo en la forma correcta y relacione las frases de ambas columnas.

1. A ver si (verse, nosotros) ⌊_*nos vemos*_⌋
2. A ver cuando (quedar, nosotros) ⌊_____⌋
3. A ver si (llamarme, tú) ⌊_____⌋
4. A ver en qué (quedar, nosotros) ⌊_____⌋
5. A ver cuándo (venir, vosotros) ⌊_____⌋ a casa.

a. Deseo que (llamarme, tú) ⌊_____⌋
b. Deseo que (venir, vosotros) ⌊_____⌋
c. Deseo que (verse, nosotros) ⌊_____⌋
d. Deseo que (quedar, nosotros) ⌊_____⌋
e. Deseo que (llegar, nosotros) ⌊_____⌋ a un acuerdo.

5. Complete con el tiempo adecuado del Subjuntivo.

1. Me gustaría que me ⌊_*entendieras*_⌋ (entender, tú)
2. Espero que todavía no ⌊_____⌋ (cerrar) el banco.
3. ¡Qué frío! ¡Ojalá ⌊_____⌋ (ser) verano todo el año!
4. Desearía tanto que ⌊_____⌋ (venir, tú)...
5. Espero que los niños ya ⌊_____⌋ (llegar) a la escuela.
6. ¡Quién ⌊_____⌋ (estar) en la playa!
7. Espero que al recibo de ésta ⌊_____⌋ (encontrarse) bien de salud.
8. ¡Ojalá que muy pronto ⌊_____⌋ (poder, nosotros) escribirnos en español!
9. Nos gustaría que ⌊_____⌋ (venir, vosotros) a la fiesta.
10. Quieren que ⌊_____⌋ (ir, nosotros) con ellos de vacaciones.

6. Complete con la forma adecuada del verbo indicado, añadiendo *que* en caso necesario.

1. | Llegar |
   a. Espero (yo) ⌊_*llegar*_⌋ a tiempo a la cita.
   b. Espero (tú) ⌊_____⌋ a tiempo a la cita.

2. | Aprender |
   a. Espero (yo) ⌊_____⌋ lo antes posible.
   b. Espero (nosotros) ⌊_____⌋ lo antes posible

3. | Verse |
   a. Deseo (yo) ⌊_____⌋ pronto, Julián.
   b. Deseo (nosotros) ⌊_____⌋ pronto, Julián.

4. | Conocer |
   a. Quiero (yo) ⌊_____⌋ Jamaica.
   b. Quiero (vosotros) ⌊_____⌋ Jamaica.

5. | Saber |
   a. Deseo (yo) ⌊_____⌋ toda la verdad.
   b. Deseo (ustedes) ⌊_____⌋ toda la verdad.

6. | Conocer |
   a. Me gustaría (yo) ⌊_____⌋ a Vargas LLosa.
   b. Me gustaría (vosotros) ⌊_____⌋ a Vargas LLosa.

▸ **Para saber más, vaya a la ficha ⑥, pág. 191.**

45. CONTRASTE INDICATIVO / SUBJUNTIVO (7):
CAUSA

1. Relacione las frases.

1. Vamos a la piscina.	a. Ayer dormí poco.
2. Me voy a la cama.	b. Hace mucho calor.
3. Estoy muy cansado.	c. La película es aburrida.
4. Me voy a casa.	d. Está lloviendo.
5. Llévate un paraguas.	e. Ya son las siete.
6. Cambia de canal.	f. No hay nada en la nevera.
7. Voy a la compra.	g. Tengo sueño.

2. Ahora escriba las frases del ejercicio anterior con *como* y *porque*.

1. *Vamos a la piscina porque hace mucho calor / Como hace mucho calor, vamos a la piscina.*
2.
3.
4.
5.
6.
7.

3. Lea las frases e imagine las causas.

1. Antes de salir, cogí el paraguas *porque llovía.*
2. No te olvides de llevarte el abrigo
3. Vamos a ir al médico con Paco
4. Tenemos que llevar el coche al taller
5. No puedes poner ese CD

4. Marque la opción adecuada.

1. Antes de salir, cogí el paraguas, no porque (estuviera)/ está lloviendo, que hacía un día muy bueno, sino porque se lo iba / fui a prestar a Sonsoles, que se iba de viaje al norte.
2. No olvides llevarte el abrigo, no porque haga / hace frío, sino porque lo tienes / tengas que llevar a la tintorería, que está muy sucio.
3. Vamos a ir al médico con Paco, no porque esté / está enfermo, sino porque tiene / tienen que hacerle un chequeo rutinario.
4. Tenemos que llevar el coche al taller, pero no te preocupes, no es porque esté / está averiado o haya tenido algún accidente, sino porque hay / haya que cambiarle el aceite.
5. No puedes poner ese CD, no porque no me gusta / guste ese grupo, sino porque está / esté estropeado el aparato.

5. Forme frases como en el ejemplo.

1. No hacía calor, pero queríamos pasear. Fuimos a la playa.
   Fuimos a la playa, no porque hiciera calor, sino porque queríamos pasear.

2. No estaba cansado, pero me encontraba mal. Me metí en la cama.

3. No era viejo, pero estaba enfermo. Se jubiló antes de tiempo.

4. No era muy deportista, pero era amigo de los jugadores. Fue con el equipo de su ciudad al partido.

5. No le había tocado la lotería, pero tenía dinero ahorrado. Se tomó un año sabático.

6. No había estudiado nunca japonés, pero había vivido en Japón. Hablaba bien japonés.

7. No era sordo, pero había mucho ruido en la calle. No oyó la explosión.

8. No era valiente, pero no se lo pensó. Socorrió a varios ancianos del incendio.

6. Relacione las frases y escriba una.

1. Tener sueño. (Yo) No trabajar mucho. Dormir poco.	*Tengo sueño, no porque haya trabajado mucho,* *sino porque he dormido poco.*
2. Subir el sueldo. (A él) No llevar muchos años en la empresa. Cumplir los objetivos.	
3. Decidir celebrar la Navidad en su casa. (Él) No ser buen cocinero. Tener una casa muy grande.	
4. Ayer tener náuseas. (Yo) No estar enferma. Estar embarazada.	
5. Ir a la piscina hoy. (Nosotros) No hacer calor. Hacer deporte.	
6. Viajar a Cancún la semana pasada. (Ellos) No estar de vacaciones. Firmar un contrato.	

▶ **Para saber más, vaya a las fichas 74, pág. 152 y ❶, pág. 176.**

1. Relacione las frases.

1. Si Antonio puede,
2. Si hace buen tiempo este fin de semana,
3. Si tienes tiempo,
4. Si pudieras venir mañana,
5. Si te cuidaras más,
6. Si no fueras tan testarudo,
7. Si la hubieras invitado,
8. Si hubieras estudiado más,

a. ahora no te sentirías tan mal.
b. te agradecería la visita.
c. Carmen estaría ahora en tu fiesta.
d. habrías aprobado el examen.
e. iremos al campo.
f. me habrías hecho caso.
g. siempre viene a mi casa a verme.
h. ven a visitarme.

2. Marque en el ejercicio anterior las formas verbales, reflexione y complete.

1. Para referirnos a una condición real que ocurre habitualmente utilizamos la estructura:
   Si + ¡___Presente___¡ de Indicativo, ¡_____¡

2. Para referirnos a una condición real sobre el futuro utilizamos la estructura:
   Si + ¡_____¡ de Indicativo, ¡_____¡

3. Para referirnos a una condición real en una petición, sugerencia o ruego utilizamos la estructura:
   Si + ¡_____¡ de Indicativo, ¡_____¡

4. Para referirnos a una condición poco probable del futuro utilizamos la estructura:
   Si + ¡_____¡ de Subjuntivo, ¡_____¡

5. Para referirnos a una condición imposible sobre el presente que podría tener consecuencias presentes, igualmente utilizamos la estructura:
   Si + ¡_____¡ de Subjuntivo, ¡_____¡

6. Para referirnos a una condición imposible, porque la realidad no es así, que ha tenido consecuencias pasadas, utilizamos la estructura:
   Si + ¡_____¡ de Subjuntivo, ¡_____¡

7. Cuando nos referirnos a una condición imposible -porque no se ha producido algo en el pasado- que tiene consecuencias presentes, utilizamos la estructura:
   Si + ¡_____¡ de Subjuntivo, ¡_____¡

8. Para referirnos a una condición imposible, porque no se ha producido algo en el pasado y que, por tanto, ha tenido consecuencias pasadas, utilizamos la estructura:
   Si + ¡_____¡ de Subjuntivo, ¡_____¡

3. Elija la opción correcta.

1. Si no había / (hubiera) venido a la fiesta, me **habría / hubiera** aburrido en casa.
2. Si me lo **habías / hubieras** preguntado, te lo **había / habría** contado.
3. Si **quieres / querrás**, pasa por casa y hablamos.
4. Si yo **soy / fuera** tú, no haría eso.
5. Si quieres aprobar, **estudia / estudiaras** más.
6. Si fuera más amable, le **iría / habría ido** a visitar a su casa el domingo pasado.
7. Si no sabes qué hacer, **lees / lee** un libro.
8. Si hubiera hecho buen tiempo, **podríamos / habríamos podido** salir un rato.

4. Complete las frases con el verbo en la forma adecuada.

1. Ayer, si me *hubieras dicho* (decir, tú) la verdad, no _____ (tener, yo) que haber preguntado a todo el mundo.
2. Te prometo que si mañana _____ (hacer) buen tiempo, _____ (ir, nosotros) a ver la Ciudad Encantada de Cuenca.
3. Es un buen estudiante. Si _____ (descubrir) una palabra nueva, la _____ (anotar) en su agenda, la _____ (utilizar) en muchas frases hasta que la memoriza y la _____ (copiar) varias veces.
4. ¡Qué casa más bonita! Si _____ (ser, yo) millonario, la _____ (comprar, yo) sin pensarlo.
5. Arturo, te lo pido por favor, si _____ (tener, tú) problemas económicos, _____ (pedirme) la ayuda que necesites.
6. Siempre me pasa igual, confío en los demás y luego me engañan. Si no _____ (ser, yo) tan confiado e ingenuo, no me _____ (pasar) lo que me ha pasado y no me _____ (volver, ellos) a engañar.
7. Me das una envidia... Si a mí me _____ (proponer, ellos) algo parecido a lo que te han propuesto a ti, lo _____ (aceptar, yo) sin pensarlo.

5. Transforme las frases con *si*.

1. Te dejaré el coche con tal de que no conduzcas muy rápido.
   Te dejaré el coche si no conduces muy rápido.
2. No podré ir a almorzar con Ana, excepto que se cancelara un reunión que tengo prevista.
   _____
3. Elena se iría a vivir al extranjero siempre que le concedieran la beca que pidió.
   _____
4. En caso de que me paguen lo que me deben, te invito a cenar.
   _____

▸ **Para saber más, vaya a las fichas 77, pág. 158, ❸, pág. 182 y ❹, pág. 185.**

47. CONTRASTE INDICATIVO / SUBJUNTIVO (9):
OPOSICIÓN

1. Relacione las frases.

1. Hoy hay clase.	a. He invitado a unos amigos a comer a casa.	I. Era su sueño desde que era pequeño.
2. Estoy de vacaciones.	b. Me colé en la celebración.	II. La cama no está hecha.
3. No tengo nada preparado.	c. No te vayas todavía a dormir.	III. Me llamaron la atención los trajes. Eran muy originales.
4. No es muy buen estudiante.	d. No voy a ir a la universidad.	IV. Mi profesor está enfermo.
5. Tiene problemas económicos.	e. Sacó muy buenas notas el curso pasado.	V. Quiero hablar contigo de algo importante.
6. Tienen una casa preciosa en Santander.	f. Se ha comprado un coche deportivo.	VI. Se lo había prometido.
7. No tengo mucho apetito.	g. Se van a ir de vacaciones a Sevilla.	VII. Sus padres quieren que toda la familia pase junta el verano.
8. Sé que tienes mucho sueño.	h. Te acompaño a almorzar a ese restaurante.	VIII. Tenemos un proyecto muy importante que terminar.
9. No conocía a nadie en la fiesta.	i. Voy a ir a trabajar.	IX. Tuvo un profesor particular.

2. Ahora escriba las frases utilizando los conectores *aunque* y *porque*, como en el ejemplo.

1. Aunque hoy hay clase, no voy a ir a la universidad porque mi profesor está enfermo.
2. _____
3. _____
4. _____
5. _____
6. _____
7. _____
8. _____
9. _____

3. Transforme las frases anteriores utilizando *sin embargo*.

1. Hoy hay clase. Sin embargo, no voy a ir a la universidad porque mi profesor está enfermo.
2. _____
3. _____
4. _____
5. _____
6. _____
7. _____
8. _____
9. _____

4. Complete los diálogos rechazando la petición, como en el ejemplo.

1. - Pedro, no salgas, que está lloviendo.
   - ¡ *Aunque esté lloviendo, voy a salir* _____ !, que tengo que hacer muchas cosas.
2. - Francisco, venga usted mañana temprano, que tenemos que terminar el informe.
   - ¡_____! porque tengo una cita con el médico.
3. - No vayas en coche, que hay mucho tráfico.
   - ¡_____!, tengo que ir lejos.
4. - Ayúdame a subir estas cajas al desván, que pesan mucho.
   - ¡_____!, me duele la muñeca.
5. - Manda un ramo de flores a Sandra, que es su cumpleaños.
   - ¡_____! porque no nos hablamos.
6. - No quiero que vayas con esos chicos, no me gustan.
   - ¡_____! porque son mis amigos.
7. - Susana, vete a la cama, que ya es muy tarde.
   - ¡_____!, que ponen una película muy buena en la tele.
8. - No pongas los pies encima de la mesa, que se estropea.
   - ¡_____!. Estoy en mi casa y hago lo que quiero.

5. Lea estas frases y marque si la información presentada por *aunque* es nueva (S) o no (N). Después fíjese en la forma del verbo.

	S	N
1. - Pues yo, cuando tenía veinte años, aunque vivía en un pueblo pequeño, conocía a mucha gente. • Ah, no sabía que habías vivido en un pueblo.	X	
2. - Le han dado un premio literario a Marcelino. • Pues aunque se lo hayan dado, a mí me parece un pésimo escritor.		
3. Sé que no me crees y aunque no me creas, te estoy diciendo la verdad.		
4. - El hombre del tiempo dice que mañana va a hacer muy buen día. • Pues aunque lo diga el mismísimo hombre del tiempo, me parece que no. Mira qué nubes.		
5. Aunque este año tenemos pocos días de vacaciones, vamos a hacer un viajecito.		

6. Marque la opción correcta.

1. En agosto nos marchamos Pepe y yo y, aunque vamos / (vayamos) solos, lo pasaremos bien.
2. Benito, aunque no es / sea como tú te imaginas, es una buena persona.
3. Mi coche me está dando problemas, aunque es / sea nuevo, lo compré hace dos meses.
4. Ya sé que no te cae bien, pero aunque no te gusta / guste, tienes que ser más amable con él.
5. ¡Qué tarde es! Bueno, pues aunque es / sea tarde, tenemos que terminar el informe.

▸ **Para saber más, vaya a las fichas 72, pág. 148, 75, pág. 154, ⑪, pág. 204 y ㉟, pág. 265.**

1. Lea las frases y relaciónelas con el significado.

1. Quiero un libro que sea ameno.
2. Quiero ese libro que es tan ameno.
3. Aquí hay alguien que sabe la verdad. ¿Quién es?
4. Por favor, si hay alguien que sepa la verdad, que la diga.

a. Es seguro que existe, lo sabe.
b. No es seguro que exista, lo desea.

2. Complete la regla con Indicativo o Subjuntivo.

Las oraciones relativas se utilizan con un verbo en ⌐⎯⎯⎯⎯⎯⌐ cuando el antecedente al que se refieren es concreto y conocido. En cambio, se utilizan con ⌐⎯⎯⎯⎯⎯⌐ cuando no es concreto ni conocido o no se sabe si existe o no.

3. Complete las frases utilizando las siguientes expresiones en su forma adecuada.

promocionarme - ser sensacionalista - sentarle bien - tener muchos ejercicios

1. Trabajo en una empresa en la que *me promocionan.*
2. Busco trabajo en una empresa en la que
3. Tengo un libro de español que
4. Me gustaría un libro de español que
5. En mi país hay un periódico que
6. Se necesita un periódico que
7. Se viste con una ropa que
8. Tiene que llevar ropa que

4. Marque la opción correcta.

1. Busco a Azucena. Me han dicho que ha escrito / haya escrito poesía.
2. Mi jefe está buscando a alguien que sabe / sepa contabilidad.
3. Por favor, los que van terminando / vayan terminando, que salgan de la sala.
4. Por favor, los que ya han terminado / hayan terminado y estén sin hacer nada que salgan de la sala.
5. Me escribió un fax en el que me pide / pida un presupuesto.
6. No he recibido ningún fax en el que alguien me pide / pida un presupuesto.

5. Complete con los siguientes verbos.

> gustar - estar - conocer - saber - hablar - tener - ser - traer - viajar - publicar

Se busca...

1. Compañero de piso al que le ⌐___*gusten*___¬ los animales.
2. Secretaria que ⌐_____¬ español y japonés.
3. Joven para cuidar bebé que ⌐_____¬ cocinar.
4. Personal para trabajo a domicilio que ⌐_____¬ ordenador.
5. Piso para alquilar que ⌐_____¬ cerca del metro.
6. Edición de *El Quijote* que ⌐_____¬ notas críticas.
7. Persona que ⌐_____¬ solvente.
8. Conductor que ⌐_____¬ bien la ciudad.
9. Persona que ⌐_____¬ a París en julio en coche. Gastos a compartir.
10. Editorial española que ⌐_____¬ libros para aprender chino.

6. Una las frases como en el ejemplo.

1. Busco una ciudad para las vacaciones. La ciudad tiene que ser tranquila.
   Busco una ciudad para ir de vacaciones que sea tranquila.
2. Me han recomendado un libro. El libro cuenta las aventuras de un caballero loco.
3. Tengo un amigo. Mi amigo baila flamenco muy bien.
4. Busco un apartamento. El apartamento debe ser luminoso y debe tener un gran salón.
5. Busco un piso céntrico. Tiene que estar bien comunicado.
6. Necesito un ordenador portátil. Tiene que pesar poco y tener mucha memoria.

7. Transforme las frases como en el ejemplo.

1. Conozco un libro que te puede interesar. *No conozco ningún libro que te pueda interesar.*
2. Tengo un amigo que escribe poemas.
3. En mi ciudad hay un restaurante en el que dan comida peruana.
4. Sé de un lugar donde viven animales prehistóricos.
5. He visto un aparato que parece un ovni.

▶ **Para saber más, vaya a la ficha 21, pág. 46.**

ciento uno ■ 101

49. CONTRASTE INDICATIVO / SUBJUNTIVO (11): DESCRIPCIÓN DE UN MOMENTO O DE UN TIEMPO

1. *Cuando* describe un momento. Lea estas frases y marque si se refieren a un momento pasado, habitual o futuro. Después subraye el verbo que va después de *cuando*.

	Pasado	Habitual	Futuro
1. Yo aprendí a montar en bici cuando <u>tenía</u> siete años.	✓		
2. Llámame cuando hayas llegado al hotel.			
3. Mi hija, cuando se enfada, deja de hablarnos y hace que no nos ve.			
4. Cuando tengas hambre, dímelo y te traigo la comida.			
5. Te llamé cuando me enteré de lo sucedido.			
6. Cuando estoy muy nervioso, me voy de compras y me relajo.			
7. No te preocupes por el perro. Vendrá cuando tenga frío.			
8. Me di cuenta de que no tenía dinero cuando fui a pagar.			

2. Reflexione y complete el cuadro.

> Se utiliza el verbo en !_____! si la frase se refiere a un momento pasado o también si se refiere a un momento habitual.
>
> Se utiliza el verbo en !_____! si la frase se refiere a un momento futuro.

3. Elija el tiempo adecuado y complete las frases con uno de los siguientes verbos. Marque si es Indicativo o Subjuntivo.

> estar (2) - llegar (2) - ser (2) - tener (2) - saber

	Indicativo	Subjuntivo
1. Cuando !____*estoy*____! en casa, lo primero que hago es quitarme los zapatos.	✓	
2. Me voy a quitar la corbata cuando !_____! en casa.		
3. Cuando !_____! mayor, seré futbolista.		
4. Cuando !_____! mayor, trabajaré con mi padre.		
5. Mientras !_____! salud, seguiré trabajando.		
6. Mientras !_____! salud, no nos damos cuenta de lo importante que es.		
7. Llámame en cuanto !_____!.		
8. En cuanto !_____! a casa, la llamó.		
9. Así que !_____! la noticia, nos la comunicó.		

4. Complete las frases con los verbos entre paréntesis en la forma adecuada.

1. No ha llegado el pedido. Cuando lo ⌐____*tenga*____¬ (tener), te lo ⌐_____¬ (enviar).

2. Todavía no está terminado. En cuanto lo ⌐_____¬ (terminar), te ⌐_____¬ (avisar).

3. No tengo permiso de conducir. Tan pronto como me lo ⌐_____¬ (sacar), me ⌐_____¬ (comprar) un coche.

4. Leo muy poco en español. Siempre que ⌐_____¬ (leer) más, ⌐_____¬ (aprender) más rápido.

5. Sigue lloviendo. Cuando ⌐_____¬ (dejar) de llover, ⌐_____¬ (subir) al monte a buscar setas.

6. ⌐_____¬ (ir, yo) a verte cuando te ⌐_____¬ (encontrar) mejor.

7. Te ⌐_____¬ (perdonar, él) cuando se le ⌐_____¬ (pasar) el enfado.

8. Te ⌐_____¬ (llamar, nosotros) cuando ⌐_____¬ (ser) tu cumpleaños, seguro.

9. ⌐_____¬ (dejar, ellos) de comprar ese periódico tan sensacionalista cuando ⌐_____¬ (terminar) el coleccionable que están haciendo.

10. Le ⌐_____¬ (dar, nosotros) una respuesta en cuanto lo ⌐_____¬ (decidir).

5. Numere las actividades.

◯ Recibir a los invitados.	◯ Llamar a su amiga Tere.	◯ Cambiarse de ropa.
◯ Servir un aperitivo.	◯ Sentarse a la mesa.	⑦ Llegar a casa.
◯ Preparar la cena.	◯ Cenar.	◯ Ofrecer un café.

6. Escriba las frases del ejercicio anterior usando *cuando*. Siga los ejemplos.

1. *Cuando llegue a casa, se cambiará de ropa.*
2. *Cuando se cambie de ropa.*
3. _____
4. _____
5. _____
6. _____
7. _____
8. _____

▶ **Para saber más, vaya a las fichas 81, pág. 166 y ❾, pág. 199.**

50. CONTRASTE INDICATIVO / SUBJUNTIVO (12):
DESCRIPCIÓN DE UN MODO

1. Complete con la primera persona del singular.

	Presente		Pasado	
	Indicativo	Subjuntivo	(Indicativo) Pretérito Indefinido	(Subjuntivo) Pretérito Imperfecto
1. Cantar	Canto	Cante		
2. Comer				
3. Vivir				
4. Poder				
5. Ser				
6. Estar				
7. Tener				
8. Hacer				

2. Lea las siguientes frases y señale si expresan un modo que indique un hecho conocido o desconocido. Subraye los verbos que van detrás de la construcción modal.

	Conocido	Desconocido
1. Hizo el trabajo como le indicó su profesor.	✔	
2. Enrique canta como le enseñó su padre.		
3. En el aeropuerto actúa según te indiquen los carteles.		
4. No tienes más que seguir las instrucciones conforme pone en el prospecto.		
5. ¿Sabes lo que te digo? Hazlo según te dicte tu conciencia.		
6. No intentes imitarlo. Hazlo del modo en que sepas.		
7. Tal y como has reaccionado no vas a conseguir nada. Controla tus emociones.		
8. Hacía las cosas conforme marcaba el reglamento.		
9. Trabaja conforme le van llamando.		
10. Prepara el pescado como quieras.		

3. Reflexione y complete el cuadro.

En las oraciones modales, se utiliza el Indicativo cuando ¡_____¡.
Se utiliza, en cambio, el ¡_____¡ cuando el modo es desconocido.

4. **Complete las siguientes frases utilizando Indicativo o Subjuntivo según convenga.**

1. Compórtate conforme a lo que ¡_*has aprendido*_¡ (aprender).
2. Cristina habla siempre de tal forma que a nadie le ¡_____¡ (caber) ninguna duda de sus intenciones.
3. Sucedió de noche, de forma que nadie lo ¡_____¡ (saber) hasta el día siguiente.
4. Vamos a hablar de uno en uno de forma que ¡_____¡ (poder) escucharnos todos.
5. Por favor, levanten el brazo según les ¡_____¡ (indicar, yo).
6. Ayúdeme como buenamente ¡_____¡ (poder).
7. Se sentirá mejor conforme le ¡_____¡ (explicar) el prospecto.
8. Lo hice según me ¡_____¡ (enseñar, ellos).
9. Hazlo como te ¡_____¡ (explicar, yo).
10. El arquitecto hará los planos según le ¡_____¡ (indicar, nosotros) cómo queremos la casa.

5. **Complete las siguientes frases utilizando el Subjuntivo.**

1. Hay que batir bien la mezcla, de manera que no ¡_*se formen*_¡ (formarse) grumos.
2. Te lo contaré como mejor ¡_____¡ (poder).
3. Lo escondió de modo que nadie ¡_____¡ (poder) encontrarlo nunca más.
4. ¡_____¡ (ser) como ¡_____¡ (ser), hasta mañana no se sabrá el resultado.
5. Te ¡_____¡ (poner, tú) como te ¡_____¡ (poner, tú), no te voy a hacer caso.
6. No me importa el modo en que lo ¡_____¡ (hacer, vosotros). Lo que me importa es que lo hagáis.

6. **Lea estos consejos para hacer una tortilla española. Complete las frases.**

1. Corte las patatas en rodajas finas, de manera que ¡_*se cocinen*_¡ (cocinarse) por completo.
2. Cubra de aceite la sartén, de modo que las patatas ¡_____¡ (quedar) sumergidas.
3. Reduzca el fuego en el momento de echar las patatas, de tal modo que se ¡_____¡ (hacer) muy lentamente.
4. Añada la cebolla diez minutos más tarde que las patatas, de forma que ¡_____¡ (tardar) el mismo tiempo en cocinarse.
5. Saque las patatas, bata los huevos y mézclelo todo de forma que ¡_____¡ (quedar) todo bien.
6. Dé la vuelta a la tortilla con un plato, de forma que no ¡_____¡ (deshacerse). ¡Buen provecho!

51. IMPERATIVO (1)
FORMA

1. **Forme el Imperativo de estos verbos regulares.**

	Tú	Usted	Nosotros/as	Vosotros/as	Ustedes
1. Hablar	*Habla*				
2. Beber					
3. Vivir					

2. **Indique la persona de cada forma del Imperativo. A continuación, ponga los verbos en singular o plural.**

1. Estad   *Vosotros*   *Está*
2. Coma
3. Escriban
4. Pasa
5. Comprad
6. Lean
7. Sean
8. Comprended
9. Dibujen
10. Pregunta

11. Miren
12. Sube
13. Escuchad
14. Anda
15. Abrid
16. Tomen
17. Pregunte
18. Venda
19. Trabaje
20. Utilizad

3. **Indique la persona de cada forma del Imperativo. A continuación escriba la forma *yo* del Presente de Indicativo.**

1. Entiende   *Tú*   *Entiendo*
2. Empiecen
3. Cuenta
4. Entended
5. Duerman

6. Recuerda
7. Repitan
8. Contad
9. Sirve
10. Prefiere

4. **Forme el Imperativo de los siguientes verbos.**

	Tú	Usted	Nosotros/as	Vosotros/as	Ustedes
1. Volar	*Vuela*				
2. Volver					
3. Dormir					
4. Empezar					
5. Entender					
6. Preferir					
7. Repetir					

5. Observe el verbo *salir* en la persona *yo* del Presente y en Imperativo, y forme los otros verbos.

Salir	Poner	Caer	Decir	Traer	
Salgo	*Pongo*				Yo
Sal	*Pon*				Tú
Salga					Usted
Salgamos					Nosotros/as
Salid					Vosotros/as
Salgan					Ustedes

6. Localice en esta sopa de letras 12 formas en Imperativo de verbos irregulares y escriba los infinitivos y la persona en la que están.

A	V	A	Y	A	M	O	S	J	H
U	E	B	R	T	P	I	E	S	E
L	N	U	C	A	I	G	A	N	M
D	I	G	A	I	K	A	N	T	P
O	D	A	Z	I	H	N	J	R	I
H	R	T	S	E	P	A	N	I	E
A	S	E	X	N	L	F	U	N	C
Z	T	N	Y	N	O	S	I	Y	E
M	D	E	D	U	E	R	M	A	N
O	I	D	M	N	K	N	A	N	G

1. *Vayamos. Ir. nosotros/as*
2.
3.
4.
5.
6.
7.
8.
9.
10.
11.
12.

7. Forme el Imperativo negativo de estos verbos.

	Tú	Usted	Nosotros/as	Vosotros/as	Ustedes
1. Hablar	*No hables*				
2. Beber					
3. Vivir					
4. Volar					
5. Volver					
6. Dormir					
7. Empezar					
8. Entender					
9. Preferir					
10. Repetir					

▸ Para saber más, vaya a la ficha **14**, pág. 213.

52. IMPERATIVO (2)
USOS

1. Lea estos diálogos y relaciónelos con los usos del Imperativo.

1. - ¿Puedo salir ahora?
   • Sí, **sal**, **sal**.
2. - ¿Hay una farmacia, por aquí?
   • Sí, **vaya** todo recto, y la segunda a la derecha.
3. - Estoy muy contento en mi trabajo, pero me han ofrecido otro puesto mejor.
   • **Quédate** aquí. El otro trabajo no lo conoces.
4. - Mira, tengo unos caramelos. **Toma** uno.
   • Gracias, abuela.
5. - Jorge, **haz** los ejercicios ahora mismo.
   • Sí, mamá, ya voy.

a. Ofrecer algo.
b. Dar instrucciones.
c. Conceder permiso.
d. Dar órdenes.
e. Dar consejo.

2. Conteste afirmativamente a las preguntas, como en el modelo.

1. ¿Puedo abrir la ventana?   _Sí, claro, ábrela, ábrela._
2. ¿Puedo poner la radio?
3. ¿Te importa si cierro la puerta?
4. ¿Me dejas leer el periódico?
5. ¿Puedo bajar el volumen de la tele?
6. ¿Te importa si me pruebo tu chaqueta?
7. ¿Puedo pasar?
8. ¿Puedo ver tu colección de sellos?

3. Conteste a las preguntas del ejercicio anterior de forma negativa.

1. _No, no la abras._
2.
3.
4.
5.
6.
7.
8.

4. **Ordene las instrucciones y escríbalas correctamente para explicar cómo hacer funcionar estas máquinas.**

1. Fotocopiadora

   Poner el original en la parte superior.
   No retirar el original.
   Enchufar a la red eléctrica.
   Apretar el botón de puesta en marcha.

   Para hacer funcionar la fotocopiadora, primero enchufe la máquina a la red eléctrica. Luego

2. Cafetera automática

   Retirar el vaso.
   Pulsar en el botón de la bebida seleccionada.
   Introducir el importe exacto.
   Seleccionar la bebida.

3. Exprimelimones

   Apretar y girar la mitad de la fruta.
   Cortar la fruta en dos mitades.
   Colar el jugo.
   Poner una mitad de la fruta sobre la máquina.

5. **Sustituya las peticiones de Ivonne por otras más coloquiales.**

1. Por favor, ¿puede pasarme la sal?

2. ¿Le importaría darme un vaso de agua, por favor?

Ivonne

3. ¿Sería tan amable de dejarme un bolígrafo?

4. ¿Podría ayudarme con estos ejercicios, por favor? No sé qué tengo que hacer.

1. *Por favor, pásame la sal.*
2.
3.
4.

▶ Para saber más, vaya a la ficha **14**, pág. 213.

53. FORMAS NO PERSONALES DEL VERBO (1):
INFINITIVO, GERUNDIO Y PARTICIPIO

1. Infinitivo. Clasifique estos verbos.

hablar - comer - hacer - vivir - ser - estar - tener -
comprender - salir - existir - poder - decir

-AR	-ER	-IR
hablar		

2. Gerundios regulares. Forme el gerundio de los siguientes verbos.

1. Hablar — _Hablando_
2. Beber
3. Vivir
4. Ser
5. Empezar

6. Poder
7. Hacer
8. Cantar
9. Poner
10. Elegir

3. Gerundios irregulares. Relacione estos verbos con su gerundio.

1. Decir
2. Dormir
3. Ir
4. Leer
5. Morir
6. Pedir
7. Poder
8. Sentir
9. Venir
10. Repetir

a. Pudiendo
b. Viniendo
c. Durmiendo
d. Leyendo
e. Sintiendo
f. Repitiendo
g. Pidiendo
h. Yendo
i. Diciendo
j. Muriendo

4. Participios regulares. Forme el participio de estos verbos.

1. Hablar — _Hablado_
2. Beber
3. Vivir
4. Ser
5. Empezar

6. Poder
7. Leer
8. Cantar
9. Ir
10. Elegir

5. Participios irregulares. Escriba el infinitivo de los siguientes participios.

1. Hecho	*Hacer*	6. Vuelto	
2. Dicho		7. Muerto	
3. Roto		8. Visto	
4. Escrito		9. Abierto	
5. Puesto		10. Impreso	

6. Usos del infinitivo. Relacione los usos con las frases.

1. **Al volver** del trabajo, pasé por una floristería y te compré esta planta.
2. Mira, **de ser** verdad lo que dices, todo el mundo lo sabría, pero no es así.
3. Voy a ser sincero contigo: **con decir** que vas a hacer algo no basta, **con prometer** cosas no es suficiente. Hay que cumplirlas.

a. Aunque
b. Cuando
c. Si

7. Transforme estas frases utilizando el infinitivo.

1. **Cuando termino la jornada laboral**, suelo volver a casa a pie.
   Al terminar la jornada laboral, suelo volver a casa a pie.
2. **Si pudiera**, iría a verte.

3. **Aunque sepas gramática**, no es suficiente. Tienes que practicarla.

4. Me llamó **cuando llegó al aeropuerto**.

5. Pues, mira, **si yo fuera tú**, no iría a esa fiesta. Va a ser muy aburrida.

6. Se emocionó **cuando se despidió** de nosotros en la estación.

7. **Si fueras** un poco menos egocéntrico, tendrías más amigos.

8. Complete las frases con *al, con* o *de*.

1. *Con* repasar los verbos, no basta. Hay que hacer frases con ellos.
2. Ganó el primer premio _____ ser el autor más original.
3. _____ salir de casa, me di cuenta de que no llevaba las llaves del coche.
4. Mira, _____ ser verdad lo que me dices sobre Juan, no tendría amigos. Yo no creo que sea tan antipático.
5. Verá, doctor, _____ levantarme, noto un cierto mareo.
6. Se divorciaron _____ tener caracteres muy diferentes.

54. FORMAS NO PERSONALES DEL VERBO (2):
INFINITIVO, GERUNDIO Y PARTICIPIO

1. Usos del gerundio. Transforme estas frases utilizando el gerundio.

1. **Aunque es muy rico**, no parece muy feliz, la verdad.
   Siendo muy rico, no parece muy feliz, la verdad.

2. Queda mejor **si lo haces a máquina**. Así vas a tardar mucho.

3. **Como no tiene dinero**, es imposible que se compre esa casa que quiere.

4. **Si tienes tiempo**, ¿por qué no haces ese trabajo con más cuidado?

5. **Trabaja mucho y, sin embargo**, gana poco dinero.

6. **Aunque vive solo**, está muy acompañado porque sus amigos lo visitan a menudo.

7. **Como es tan tímido**, no sabe cómo actuar en las fiestas.

8. **Lee mucho y, sin embargo**, comete muchas faltas de ortografía al escribir.

2. Sustituya las siguientes frases con gerundio por otras similares con *aunque*, *como* o *si*.

1. - ¿Por qué lo haces a mano? A máquina es más rápido.
   • Sí, pero **haciéndolo a mano**, queda mejor.
   Sí, pero si lo hago a mano, queda mejor .

2. - Venga, date prisa, que tenemos que entregar esto enseguida.
   • **Dándome prisa**, no conseguiré terminarlo antes.

3. - ¿Cómo es que no me llamaste?
   • **Pensando que no estabas**, creí más conveniente hacerlo yo solo.

4. - Yo creo que no va a poder venir porque está muy ocupado.
   • **Estando ocupado**, irá, estoy seguro.

5. - Y tú, ¿por qué vienes siempre en metro?
   • Porque, **viniendo en metro**, tardo menos que si viajo en coche.

3. Usos del participio. Transforme estas frases utilizando el participio.

1. **Aunque sabía la respuesta**, nos preguntó a todos qué queríamos hacer.
   Sabida la respuesta, nos preguntó a todos qué queríamos hacer.

2. **Como empezó pronto**, pudimos terminar la reunión antes del almuerzo.

3. **Cuando llegó a la estación**, vio que no tenía el billete.

4. No, Ana ya no está aquí. **Cuando terminó su trabajo**, se marchó.

5. **Como aprobamos el examen**, hicimos una fiesta para celebrarlo.

6. **Cuando leyó la carta**, se echó a llorar.

7. No, no vamos a obedecerle. **Aunque dijo eso**, haremos lo que queramos.

8. **Cuando terminó su ponencia**, el público aplaudió entusiasmado.

9. **Como llovió**, se regaron los campos.

10. Pues no, **aunque presentó su oferta a tiempo**, fue rechazada.

4. Complete con el verbo en infinitivo, gerundio o participio.

1. *Comer* (comer) mucha grasa es perjudicial para ti.

2. Mira, Nuria, _____ (trabajar) tan despacio, no terminarás nunca. Date prisa.

3. Claro, _____ (llegar) tan tarde a la estación, no estará el tren.

4. _____ (empezar) la reunión, nos dieron el orden del día, y no antes.

5. Al _____ (salir) de clase nos preguntó si queríamos ir a su casa.

6. ¿Vas ahora a la entrevista de trabajo? Pues es importante _____ (vestirse) correctamente.

7. _____ (redactar) el informe, no quedó más que despedirse.

8. _____ (actuar) como lo haces sólo conseguirás que se enfade contigo.

9. En el _____ (comer) y en el _____ (rascar) todo es empezar.

10. _____ (poner) las cosas en su sitio, la casa parecía más amplia.

55. PERÍFRASIS DE INFINITIVO

1. Relacione las perífrasis de infinitivo con su uso.

a. Expresa el final de una acción.

c. Expresa obligación o posibilidad.

b. Expresa el inicio de una acción.

1. [a] Acabar de
2. [ ] Deber
3. [ ] Dejar de

4. [ ] Echarse a
5. [ ] Estar para
6. [ ] Estar por

7. [ ] Haber de
8. [ ] Haber que
9. [ ] Poder

10. [ ] Ponerse a
11. [ ] Tener que
12. [ ] Pensar

2. Ordene y forme frases con *ir a* + infinitivo.

1. este / vacaciones / a / ir / año / Perú / de
   Este año voy a ir a Perú de vacaciones.

2. ¿Irene / nosotros / a / venir / fiesta / con / la / de?

3. Miguel / la / estar / del / no / reunión / en / jueves

4. viene / comprar / y / un / yo / coche / mes / Laura / que / el

3. Transforme las frases utilizando *estar por* o *estar para* + infinitivo.

1. El tren a Barcelona **va a salir**. *El tren a Barcelona está para salir*
2. **Me apetece salir** a dar un paseo. ¿Vienes conmigo?

3. Pablo está enfadado con nosotros. **Creo que voy** a hablar con él.

4. Bueno, ya he terminado el ejercicio. **Ya puedo** practicar las frases.

5. No creo que Gemma **venga** a la reunión. Está enferma.

6. **No tengo ganas de** fiestas, estoy demasiado cansado.

7. El autobús de Eva llegaba a las cinco, así que **estará a punto de llegar**.

8. ¡Qué hambre! **Me gustaría** comer algo. ¿Preparo ya la cena?

9. Yo **estaba a punto de** llamarte cuando ha sonado el teléfono.

10. Yo creo que el avión **va a** aterrizar ahora. Ya es la hora.

4. Complete los diálogos con *deber de* o *venir a*, en el tiempo adecuado.

1. - ¿Qué hora es?
   • No sé, no tengo reloj, pero !___*deben de*___! ser las siete o siete y media.
2. - Los pisos !_____! costar 1.500 euros el metro cuadrado.
   • Uy, ¡qué horror! Es imposible comprase un piso.
3. - ¿Cuántos años tiene María?
   • !_____! tener más o menos cuarenta, no estoy muy seguro.
4. - ¿Cuáles fueron las conclusiones del conferenciante? Porque yo no entendí nada.
   • Bueno, !_____! decir que las últimas pruebas confirman nuestras hipótesis.
5. - ¿Cuántos años dijiste que tenía Elvira?
   • Pues, !_____! tener más o menos cuarenta, no estoy muy seguro.
6. - ¿Y había mucha gente?
   • No, no mucha. !_____! haber unas veinte o veintitantas personas. No más.

5. Sustituya los elementos marcados en negrita por una de las perífrasis de infinitivo del recuadro.

acabar de - darle por - deber - deber de - dejar de - estar para - estar por - haber de - haber que - ir a - llegar a - llevar sin - poder - ponerse a - tener que - venir a - volver a

1. ¡Qué sueño! **Ya son más o menos** las doce, me voy a la cama. !_*Deben de ser.*_!
2. **Ya no tomo** zumo de naranja por las mañanas. Me sentaba fatal. !_____!
3. Anda, ya estás aquí. **Ahora mismo ha salido** Lorenzo a buscarte. !_____!
4. De pronto el cielo se nubló y **empezó a llover**. !_____!
5. **Es necesario mirar** a los dos lados antes de cruzar. !_____!
6. Estaba tan cansado que **necesitó tomarse** unas vacaciones. !_____!
7. **No duermo** bien desde hace varios días. No sé qué me pasa. !_____!
8. La situación es tan mala que **es necesario economizar** lo máximo. !_____!
9. Los tomates han subido mucho. **Cuestan más o menos** 3 euros el kilo. !_____!
10. **Tengo ganas de comerme** todo el pastel. !_____!
11. **Otra vez has llegado** tarde. Intenta ser puntual. !_____!
12. Para hacerlo bien, **hazlo** despacio. !_____!
13. Sé que algún día **seré** el director general de la empresa. !_____!
14. Te lo prometo, el año que viene **seré** más puntual. Seguro. !_____!
15. **Una posibilidad es que vengas** con nosotros. !_____!
16. **Ya estoy preparado para responder** a tus preguntas. !_____!
17. Alicia ahora **ha empezado a coleccionar** monedas. !_____!

56. PERÍFRASIS DE GERUNDIO

1. Marque la opción correcta.

1. Este año nos **vamos** / estamos yendo de vacaciones a Galicia. Hablamos / Estamos hablando con unos amigos de Laura, que tienen / están teniendo una casa cerca de Tuy.
2. Creo / Estoy creyendo que Ana últimamente pasa / está pasando por un buen momento.
3. Carlos y Miguel piensan / están pensando en volver a Barcelona. Tienen / Están teniendo un dinero ahorrado y se van a comprar un apartamento en la Diagonal.
4. No, Javier no está, estudia / está estudiando en casa de su compañero de clase. Mañana tiene / está teniendo un examen.
5. Estoy muy cansado. Últimamente trabaja / estoy trabajando mucho.
6. Ahora son / están siendo las siete. Date prisa. ¿Qué haces / estás haciendo?

2. Complete las frases con la perífrasis *estar* + gerundio en el tiempo adecuado.

1. Cuando era joven, ¡____*estuve viviendo*____! (vivir) en Teruel.
2. Ayer estaba en el baño, ¡_____! (ducharse) cuando llamaste por teléfono.
3. En los últimos meses ¡_____! (hacer) muchos ejercicios de gramática.
4. Celia ¡_____! (dormir) desde ayer a las once. No sé si despertarla.
5. Y tú, ¿desde cuándo ¡_____! (trabajar) con Lorenzo?
6. María, desde 1999 hasta 2003, ¡_____! (estudiar) en esa universidad.

3. Lea estas frases y relacione las perífrasis con su significado.

1. A Ana no le gustaba mucho vivir en la ciudad, pero, al final, **acabó gustándole** y ahora está muy contenta.
2. Últimamente **ando buscando** discos antiguos.
3. Pues no, no **estoy trabajando**. Es que me despidieron y me he tomado unos meses de reflexión.
4. Poco a poco **voy aprendiendo** la lengua, aunque me cuesta un poco.
5. Montse **lleva** más de quince años **dedicándose** a la traducción. Le va muy bien.
6. Por nuestra conversación de ayer **me he quedado pensando** que no hemos actuado bien.
7. Mercedes **sigue trabajando** en aquella empresa en la que empezó hace veinte años.
8. Con la crisis actual, la gente **viene teniendo** serios problemas económicos.

a. Por eso.
b. Desde hace tiempo.
c. Finalmente.
d. Últimamente.
e. Mucho tiempo.
f. Ahora mismo.
g. Gradualmente.
h. Todavía.

4. Sustituya el verbo que va después de la expresión en negrita por una perífrasis del ejercicio anterior.

1. Nuria **todavía aprende** ballet en una escuela del centro. ⌐ *Sigue aprendiendo.* ⌐
2. Ruth **últimamente hace** planes para comprarse un piso. ⌐_____⌐
3. Si quieres comprarlo **gradualmente**, **ahorra** lo que puedas. ⌐_____⌐
4. No puedo hablar contigo. **Ahora mismo hablo** por el móvil. ⌐_____⌐
5. **Al final dijo que él sería** el próximo en ser ascendido. ⌐_____⌐
6. José, **desde hace** más de dos **años**, **estudia** en París. ⌐_____⌐
7. Estaba tan cansado que, **por eso**, **durmió** toda la mañana. ⌐_____⌐
8. Como no hay una política de apoyo a la vivienda, el precio de los pisos **desde** hace un tiempo sube cada día. ⌐_____⌐

5. Complete con *ir* o *estar* en la forma adecuada.

1. Mi padre ⌐___*va*___⌐ mejorando poco a poco de la operación.
2. Como hago muchos ejercicios ⌐_____⌐ perfeccionando mi español.
3. No, ahora no ⌐_____⌐ buscando piso. Son tan caros que es imposible.
4. Elena ⌐_____⌐ viviendo en Málaga desde que terminó la universidad.
5. Últimamente Manuel ⌐_____⌐ diciendo que se va a separar. ¿Será verdad?
6. Desde que me dio por los puzzles, ⌐_____⌐ haciendo uno a la semana.
7. Isabel ⌐_____⌐ recuperándose de su operación con rapidez. Por eso le dieron el alta, porque la fiebre le ⌐_____⌐ bajando.
8. Los fines de semana ⌐_____⌐ (yo) alternando el estudio con el descanso.
9. Los políticos ⌐_____⌐ promulgando leyes que no mejoran la situación económica.

6. Complete las siguientes frases con una preposición, en caso necesario, y con el verbo en infinitivo o gerundio.

1. No sé, pero vendrá ⌐___*a costar*___⌐ (costar) unos 15 euros, más o menos.
2. No creo que Lucas vaya ⌐_____⌐ (aprobar) todos los exámenes.
3. María acabó ⌐_____⌐ (instalarse) en Barcelona.
4. Mira, acabo ⌐_____⌐ (hablar) con Elena y también me ha preguntado por ti.
5. Yo no sé tú, pero yo me voy ⌐_____⌐ (ir) a la cama, estoy muerto de sueño.
6. Después de la reunión los delegados se quedaron ⌐_____⌐ (discutir) qué iban a hacer. La situación era extrema.
7. Esther fue ⌐_____⌐ (aprobar) todas las asignaturas este curso.
8. Han quedado ⌐_____⌐ (reanudar) las conversaciones en breve.

▸ **Para saber más, vaya a las fichas** **21**, pág. 229 y **42**, pág. 281.

57. PERÍFRASIS DE PARTICIPIO

1. Complete con gerundio o participio.

1. Creo que César está ⌐_____pensando_____¬ (pensar) en comprarse otra casa.
2. Yo creo que Alicia está ⌐_____¬ (asustar) con el resultado de la prueba.
3. Se ha quedado ⌐_____¬ (dormir) en casa de Jorge. Mañana vendrá.
4. Alejandro se ha quedado ⌐_____¬ (dormir) delante de la tele.
5. Alicia está ⌐_____¬ (enojar) contigo.
6. Desde hace unos meses estoy ⌐_____¬ (preocupar) por el trabajo.

2. Lea este texto del periódico y encuentre la información.

El Director de Policía anunció anoche que, detenido el jefe, la organización mafiosa está terminada. Capturados todos los ladrones, continúan la investigación para conocer si hay otros grupos. Aclarado este punto, siguió informando que continuarían con su labor, aceptada por todo el mundo, según él. Más tarde dijo que, encarcelada toda la red de delincuentes, el gobierno se sentía satisfecho de su gestión.

1. Como están en prisión todos los ladrones.　⌐_Encarcelada toda la red de delincuentes._¬
2. Que todo el mundo admitía.　⌐_____¬
3. Cuando resolvió este tema.　⌐_____¬
4. Como han capturado al dirigente.　⌐_____¬
5. Aunque están detenidos todos los delincuentes.　⌐_____¬

3. Transforme esta noticia utilizando el participio.

El médico dijo que el paciente, **como había superado bien la operación**, estaba fuera de peligro y que, **aunque habían tomado todas las precauciones**, continuaría unas semanas en el hospital, **que era reconocido como uno de los mejores del país**.

⌐_El médico dijo que el paciente, superada bien la operación._____¬
⌐_____¬
⌐_____¬
⌐_____¬
⌐_____¬

4. Transforme las frases usando *quedar* o *dejar* + participio, como en el ejemplo.

1. Me he quedado preocupado por lo que ha dicho Celia.
   Lo que ha dicho Celia me ha dejado preocupado.

2. La respuesta de Ramón me ha dejado frío, la verdad.

3. Miguel ha dejado dormido al niño.

4. No quiero nada más. Me he quedado muy satisfecho con la sopa.

5. Habla con Alfredo. Se ha quedado muy sorprendido con tu historia.

6. Carlos ha dejado claro que no viene.

5. Lea las frases y relaciónelas.

1. Como ya hemos hablado de todo, **doy por terminada** la reunión.
2. Ya hemos acordado todo y la reunión **está terminada**.
3. **Llevo** ya tres reuniones **terminadas**, qué cansado estoy.
4. Después de oír todas las opiniones, la reunión **quedó terminada** hasta el día siguiente.
5. De las cinco reuniones que tengo este mes, **tengo terminadas** ya tres.

a. Me faltan dos reuniones.
b. Ya he terminado tres reuniones.
c. Para mí está terminada la reunión.
d. Por hoy está terminada la reunión.
e. Ha terminado la reunión.

6. Complete las frases con una de estas perífrasis en el tiempo y persona adecuados: *dar por, estar, llevar, quedar* o *tener.*

1. No puedo más, voy a descansar un poco. Ya *llevo* estudiados los cinco primeros capítulos de los quince. Mañana seguiré.
2. Es un inconsciente. Como entendía las reglas de gramática, las _____ sabidas y no las estudió más. Claro, cuando llegó el examen, no sabía aplicarlas.
3. La comida era tan escasa que se _____ insatisfecho y se fue a comer algo más al restaurante de abajo.
4. Jesús _____ muy preocupado por la situación actual.
5. Ayer, cuando _____ andados unos cinco kilómetros, decidí volver a casa. Fue un buen paseo.
6. _____ callado mucho tiempo. ¿Qué te pasa?
7. Es importante que _____ firmadas todas las cartas.

▶ **Para saber más, vaya a la ficha 42, pág. 281.**

1. Complete los diálogos con un adverbio de afirmación.

1. - ¿Puedo abrir la ventana?
   - ¡_____*Sí*_____¡, ¡_____*sí*_____¡, ábrela.
2. - ¿Vas a venir con nosotros?
   - ¡_____¡ que voy con vosotros, me apetece mucho.
3. - Creo que hoy va a llover.
   - ¡_____¡ que va a llover, está muy nublado.
4. - Yo me voy. ¿Y tú?
   - Yo ¡_____¡, que es muy tarde.
5. - ¿Te gustó la película?
   - ¡_____¡, mucho.
6. - Yo voy a pedir una ensalada.
   - Yo ¡_____¡.
7. - Yo creo que se ha enfadado.
   - ¡_____¡, no nos habla.
8. - ¿Estás contento?
   - ¡_____¡ que sí, me siento muy feliz.
9. - ¿Ya son las tres?
   - ¡_____¡.
10. - ¿Vamos al cine?
    - ¡_____¡. Te espero a las cinco en la entrada.

2. Marque la opción adecuada.

1. - ¿Por qué no dice nada tu amigo?
   - Es extranjero y (apenas)/ no / tampoco habla español, sólo dos palabras.
2. -¿Quieres ver el partido de fútbol con nosotros?
   - Apenas / No / Tampoco, es que apenas / no / tampoco me gusta.
3. - Yo no tengo hambre.
   - Yo apenas / no / tampoco. Hacemos una ensalada y ya está.
4. - ¿Has visto a María?
   - Apenas / No / Tampoco, hace mucho que apenas / no / tampoco la veo.
5. - ¡Es muy raro! Apenas / No / Tampoco me ha saludado.
   - A mí apenas / no / tampoco.
6. - ¿Por qué apenas / no / tampoco le pides ayuda a Celia?
   - Apenas / No / Tampoco la conozco y no tengo suficiente confianza.
7. - ¿Sabes quién ha venido?
   - Pues apenas / no / tampoco, no tengo ni idea.
8. - Rafa está enfermo y apenas / no / tampoco sale de casa.
   - Sí, hace mucho tiempo que no lo veo.

3. Lea las descripciones de estos dos amigos. Después conteste.

Eduardo

- Activo, dinámico, trabajador.
- Le gustan los deportes y el cine de acción.
- Tiene 34 años.
- Vive solo en un apartamento en el centro de la ciudad.
- Habla cuatro idiomas.
- Trabaja en un banco.
- No tiene animales en casa.

Matías

- Tranquilo, tímido, vago.
- Le gusta el cine.
- Tiene 34 años.
- Vive solo en una casa en las afueras de la ciudad.
- Habla cuatro idiomas.
- No tiene trabajo.
- No tiene animales en casa.

1. Eduardo tiene 34 años.
   Matías también.

2. Eduardo es activo, dinámico y trabajador.

3. A Eduardo le gustan mucho los deportes.

4. A Eduardo le gusta el cine.

5. Eduardo no vive con nadie.

6. Eduardo habla cuatro idiomas.

7. Eduardo trabaja en un banco.

8. Eduardo no tiene animales en casa.

4. Escriba las frases que corresponden a las siguientes reacciones.

1. *Matías vive solo en una casa en las afueras de la ciudad.*
   Eduardo no, Eduardo vive en un apartamento.

2.
   Eduardo también: español, inglés, alemán y portugués.

3.
   A Eduardo también, le encantan las películas de mucha acción.

4.
   Eduardo sí, trabaja en un banco muy importante.

5.
   Eduardo tampoco, ni mujer ni hijos.

6.
   Eduardo también. Su cumpleaños es el 15 de septiembre.

7.
   Eduardo tampoco, pero quiere comprarse un perro.

59. ADVERBIOS DE DUDA

1. Complete con consonantes los siguientes adverbios de duda.

1. I _G_ U A _L_
2. _ _ O _ I _ _ E _ E _ _ E
3. _ _ O _ A _ _ E _ E _ _ E
4. _ U I _ Á _
5. _ A _   _ E _

2. Lea estas frases y subraye el adverbio de duda. Después marque el grado de seguridad que hay en la frase. Muy seguro (+) o poco seguro (–).

	+	-
1. Es muy tarde y todavía no ha venido Montse. <u>Posiblemente</u> está todavía en la oficina, hoy tenía mucho trabajo.	✔	
2. He visto a José Ángel en la pastelería. Tal vez traiga pasteles. Claro que también puede estar encargando la tarta para la fiesta del jueves.		
3. Quizás todavía no lo sepas, pero me voy de la empresa. Me han ofrecido un puesto mejor en otra.		
4. Probablemente nos vamos de vacaciones a casa de Matilde. Nos deja su casa de la playa.		
5. Me parece raro, pero dicen que tal vez Jacinta esté embarazada otra vez. No sé, a mí me extraña.		
6. He oído que posiblemente van a bajar los tipos de interés. Me lo ha dicho el director del banco y sabe mucho de finanzas.		
7. Probablemente sea yo el ganador del concurso. Los otros me han parecido unos torpes. ¿No opinas lo mismo que yo?		
8. Dice Rosa que posiblemente mañana salgamos antes.		

3. Observe el verbo que va después del adverbio de duda, fíjese en la forma y complete el cuadro.

- Los adverbios de duda *posiblemente, probablemente, quizá(s)* y *tal vez* pueden ir con Indicativo o Subjuntivo. Van con !_____! cuando se expresa un grado de certeza mayor. En cambio, van con !_____! cuando el grado de certeza es menor.

- El adverbio *igual* siempre va con !_____!.

4. Marque la opción adecuada.

1. - ¿Sabes algo de Alicia?
   • No, hace tiempo que no sé nada. Quizá me escribe / (escriba) pronto.
2. - ¿Dónde está Asunción?
   • No sé, ha salido de compras. Igual me está / esté comprando algo. Como el sábado es mi cumpleaños...
3. - ¿Tú crees que vendrán a la fiesta los Rodríguez?
   • Probablemente sí, probablemente vienen / vengan. Confirmaron su asistencia.
4. - ¡Qué raro, no contesta al teléfono!
   • Tal vez ha salido / haya salido o está / esté en la ducha.
5. - Está muy raro, casi ni nos habla.
   • Tal vez todavía está / esté enfadado por lo que le dijimos.
6. - ¿Por qué será tan caro este concierto?
   • No sé, posiblemente hay / haya muchos músicos o...
   - ¡Qué va, si es un cuarteto!
7. - Me han dicho que Jesús y Carmen se van a casar.
   • Sí, sí. Y quizás se casan / casen el mismo día de mi cumpleaños. Parece ser que es la fecha que les han dado en el juzgado.
8. - No hay nadie en casa.
   • Pues sí que es raro, me dijeron que estarían aquí todo el día. Tal vez han salido / hayan salido un momento a comprar algo.

5. Relacione las situaciones con los deseos. Después una las frases con *igual* haciendo las transformaciones necesarias.

1. Bea se va a presentar a ese puesto de trabajo.
2. Dicen que Guillermo está en la ciudad.
3. Hoy voy a comer a casa de mi madre.
4. Los directivos están reunidos para reorganizar los departamentos.
5. Mi hermano se va a comprar un coche nuevo.
6. Mi mujer se ha ido de viaje con unas amigas.

a. Ojalá haga paella. Me encanta.
b. Ojalá me regale el coche viejo.
c. Ojalá me traiga algo típico.
d. Ojalá consiga el trabajo.
e. Ojalá me elijan director de mi departamento.
f. Ojalá me llame para quedar. Hace mucho que no lo veo.

1. *Bea se va a presentar a ese puesto de trabajo. Igual lo consigue.*
2.
3.
4.
5.
6.

▶ **Para saber más, vaya a la ficha ⑩, pág. 201.**

60. ADVERBIOS Y LOCUCIONES DE CANTIDAD

1. Complete los adverbios de cantidad con las consonantes que faltan.

1. A ᴅ E ᴍ Á ѕ
2. _ A _ _ A _ _ E
3. _ A _ I
4. _ U Á _
5. _ E _ A _ I A _ O

6. _ A _ _ O
7. _ I _ U I E _ A
8. _ Á _
9. _ E _ O _
10. _ O _ O

2. Marque la opción adecuada.

1. - Miguel es más / mucho / (muy) simpático.
   • Sí, yo lo quiero más / mucho / muy.
2. - No nos queda más / mucho / muy pan. ¿Bajas a comprar una barra, por favor?
   • No tengo más / mucha / muy hambre, con una ensalada es suficiente.
3. - Hay más / mucha / muy gente aquí que en el otro restaurante.
   • Sí, es más / mucho / muy barato y, además, la comida es más / mucho / muy abundante.
4. - ¿Has tenido que estudiar más / mucho / muy para aprobar esta oposición?
   • Sí, es más / mucho / muy difícil y hay más / mucha / muy gente que se ha presentado al examen.
5. - Dame más / mucha / muy agua, que tengo más / mucha / muy sed.
   • No queda más / mucha / muy agua fría. ¿La quieres del tiempo?

3. Complete las frases con uno de los siguientes adverbios de cantidad.

además - algo - bastante - casi - cuán - demasiada - harto - nada - siquiera

1. Al final vinieron ¡_____casi_____¡ cincuenta invitados, en realidad cuarenta y ocho.
2. Aquí hay ¡_____¡ gente. Vamos a otro café más tranquilo.
3. No sé si tengo ¡_____¡ dinero. Voy un momento al cajero automático.
4. Cómprale algo por su cumpleaños, ¡_____¡ un peluche.
5. Estamos muy contentos porque nuestro hijo se va a casar y, ¡_____¡, va a vivir muy cerca de nuestra casa.
6. Luis, a mí esto me parece ¡_____¡ complicado, muy difícil para mí.
7. No me gusta mucho esta camisa, es ¡_____¡ llamativa. ¿No te parece?
8. No sabes ¡_____¡ veloz es este automóvil. El más rápido de su categoría.
9. No sé qué piensas tú de Ricardo, pero a mí me parece que no es ¡_____¡ tonto.

4. Lea estas frases y clasifique las locuciones de cantidad que están en negrita.

1. No puedo dejarte todo el dinero que me has pedido, lo siento. **A lo sumo** 200 euros.
2. Hay **algo más de** 15 euros. ¿Tendremos suficiente?
3. Yo no aceptaría ese trabajo porque, **como mucho**, vas a ganar 48 euros al día.
4. Tuvo suerte porque se compró el coche por **poco menos de** la mitad del precio real.
5. La conferencia fue un éxito. **Por lo menos** hubo sesenta personas.
6. Está triste porque para su fiesta no pudo reunir mucha gente, **todo lo más** diez personas.
7. Para hacer un gazpacho para cien echa **un poco más de** un kilo de tomates bien maduros.
8. En la oposición **un poco menos de** la mitad aprobó el primer examen. Por eso en la segunda prueba hubo tanta gente.

Expresan un número mayor de lo que es en realidad.	Expresan un número menor de lo que es en realidad.
A lo sumo	

5. Complete las frases con una de las siguientes expresiones.

> algo más de - alrededor de - como mucho - de lo más - de un - por ciento - un poco

1. Como hoy era mi cumpleaños, me ha llamado a casa mucha gente, *alrededor de* veinte personas, veintiuna, para ser exactos, que lo tengo apuntado en esta agenda.
2. Es una persona _____ generosa, lo da todo, te ayuda en lo que puede y siempre colabora con todos.
3. Ese partido político no tiene mucho poder de convocatoria. A la manifestación fueron _____ cien mil personas, quizás menos.
4. No sé cuántas personas vi entrar en casa de los vecinos, más o menos, _____ quince invitados.
5. Pues a mí me gusta _____ el arte pop, pero no mucho, la verdad, prefiero otro tipo de estilo, como el impresionismo.
6. Según las estadísticas, el 48 _____ de los españoles no hace deporte nunca.
7. Tiene mucho genio. Es _____ soberbio que no se puede aguantar.

61. ADVERBIOS, LOCUCIONES Y PREPOSICIONES DE LUGAR

1. Relacione.

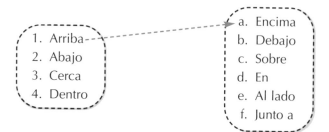

1. Arriba
2. Abajo
3. Cerca
4. Dentro

a. Encima
b. Debajo
c. Sobre
d. En
e. Al lado
f. Junto a

2. Indique dónde está la bola en relación al cubo. Utilice las siguientes expresiones.

debajo de - delante de - dentro de - detrás de - enfrente de - encima de - entre - sobre

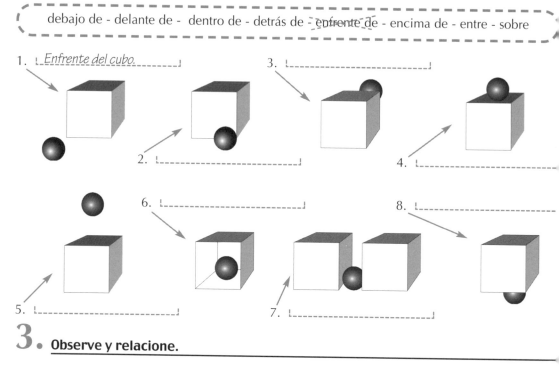

1. _Enfrente del cubo._

2.

3.

4.

5.

6.

7.

8.

3. Observe y relacione.

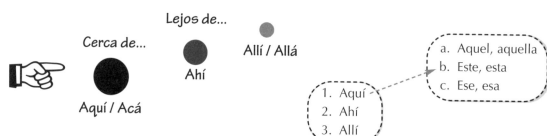

Lejos de...

Cerca de...

Allí / Allá

Ahí

Aquí / Acá

1. Aquí
2. Ahí
3. Allí

a. Aquel, aquella
b. Este, esta
c. Ese, esa

4. Complete los diálogos con *aquí, ahí, allí.*

1. - ¿Me pasas el libro?
   • ¿Cuál, ese de ⌐____*ahí*____¬?
   - No, no, el otro. Aquél de ⌐_____¬.
2. - ¿Hay una farmacia, por ⌐_____¬?
   • Sí, bastante cerca. ¿Ve aquel edificio de ⌐_____¬? Pues justo detrás hay una.
3. - ¿De quién es el coche rojo?
   • ¿Cuál, este de ⌐_____¬?
   - No, este ya sé que es tuyo. Ese de ⌐_____¬.
4. - ¿Dónde hay un banco?
   • ⌐_____¬ mismo, junto a la plaza.

5. Elija la opción correcta.

1. La zapatería está justo cerca /(al lado) del supermercado, a la derecha.
2. Mi casa está cerca / al lado de la plaza, pero no cerca / al lado, hay que andar.
3. Niños, adentro / dentro, que hace frío y es mejor que juguéis en casa.
4. Se sentaron uno enfrente del / lejos otro y se pusieron a discutir como locos.
5. Nuria vive en el edificio que está enfrente de / cerca mi casa.
6. Javier está adonde / donde su hermano Iñaqui, en Salamanca.
7. He puesto la lámpara encima de / sobre la mesa del comedor, colgada del techo.
8. El libro está encima de / sobre la mesita de la entrada.
9. Tu billete de avión está dentro / en la mesa, dentro / en del cajón.

6. Complete las frases con la palabra correcta.

adelante - delante - ~~ante~~ - atrás - detrás - tras - abajo - debajo - bajo

1. ⌐____*Ante*____¬ aquella situación no quedó más remedio que tomar una decisión rápida.
2. He puesto unos visillos muy bonitos ⌐_____¬ de la ventana del salón.
3. ⌐_____¬, chicos, un esfuerzo más y llegamos a la cima de la montaña.
4. Mi tía María vive en el piso de ⌐_____¬.
5. ⌐_____¬ de mi casa hay una discoteca. No puedo dormir por las noches.
6. Prohibido pisar el césped ⌐_____¬ pena de multa.
7. Ignacio es el que está ⌐_____¬ de Javier.
8. ⌐_____¬ el reinado de Alfonso XIII se proclamó la segunda República.
9. Los niños tienen que ir sentados ⌐_____¬ y con los cinturones puestos.

62. ADVERBIOS, LOCUCIONES Y PREPOSICIONES DE TIEMPO

1. Complete con consonantes los siguientes adverbios de tiempo.

1. S I E M P R E
2. E ⎵ ⎵ O ⎵ ⎵ E ⎵
3. A ⎵ O ⎵ A
4. ⎵ A ⎵ Á ⎵
5. E ⎵ ⎵ E ⎵ U I ⎵ A

6. ⎵ O ⎵ A ⎵ Í A
7. ⎵ U ⎵ ⎵ A
8. E ⎵ ⎵ ⎵ E ⎵ A ⎵ ⎵ O
9. ⎵ A ⎵ A ⎵ A
10. ⎵ E ⎵ ⎵ U É ⎵

2. Ordene.

> ahora - mañana - ayer - hoy - anteayer - antaño

Pasado ➤ _____ Futuro
  antaño

3. Relacione los contrarios.

1. Antes
2. Aún
3. Pronto
4. Temprano
5. Todavía

a. Después
b. Tarde
c. Ya

4. Complete con una preposición, en caso necesario.

1. ⎵___En___⎵ diciembre voy ⎵_____⎵ casa de mis padres de vacaciones.
2. Yo me levanto ⎵_____⎵ las seis ⎵_____⎵ la mañana para ir a trabajar.
3. Normalmente me ducho ⎵_____⎵ la mañana. ¿Y tú?
4. Susana trabaja ⎵_____⎵ nueve ⎵_____⎵ la mañana ⎵_____⎵ siete ⎵_____⎵ la tarde.
5. Creo que Cristina vuelve ⎵_____⎵ el 16 o ⎵_____⎵ el 17, no me acuerdo muy bien.

5. Escriba la fecha y hora actual.

⎵ Hoy es _____ ⎵

6. Marque la opción correcta en los siguientes diálogos.

1. - Juan, ven.
   - **Ahora** / **Enseguida** mismo voy, mamá.
2. - Tenemos muchas cosas que hacer y poco tiempo.
   - No te preocupes. Mira, yo voy cerrando las cajas. **Entretanto / Después** las puedes ir sacando a la calle.
3. - ¿Tú viniste a vivir a España en el 2003, no?
   - Sí. **Entonces / En aquella época** no hablaba ni una palabra de español.
4. - No voy a volver con Luis **jamás / ya no**.
   - ¿Por qué? ¿Qué ha pasado?
5. - ¿Cuándo me vas a ayudar con los ejercicios?
   - **Ahora / Después**, cuando termine de hacer esto.
6. - ¿Qué sabes de Jacinto?
   - **Por ahora / De pronto** que está bien y muy contento.
7. - Tienes que hablar con Gemma **acto seguido / de una vez por todas**. Ella tiene que saber la verdad.
   - Sí, tienes razón, pero no sé cómo decírselo. Lo haré **entretanto / más tarde**.

7. Complete las frases con una de las siguientes expresiones.

a más tardar - acto seguido - antes de - cada día más - de momento - de pronto - de una vez por todas - en aquella época - en esto - en punto - mientras tanto - ya no

1. A las doce |___*en punto*___| de la noche del 31 de diciembre los españoles se toman doce uvas como celebración del año nuevo.
2. De estudiante compartía un piso en el centro de la ciudad con otros compañeros. |_____| mis padres me daban algún dinero y yo hacía algunos trabajitos.
3. Está |_____| alto. Este niño no para de crecer.
4. Estaban durmiendo y, |_____|, se despertaron por un portazo.
5. Javier |_____| va a ese gimnasio. Dice que está muy sucio.
6. Mi mujer se dedicó a recoger la casa. |_____|, yo preparé la comida.
7. Mira, vamos a hablar de ese tema a ver si, |_____|, lo aclaramos.
8. No está muy claro lo que van a hacer, pero |_____|, se reúnen el lunes.
9. Pidió a todos los asistentes silencio y |_____| se puso a cantar.
10. Se levantó |_____| que saliera el sol porque iba a pescar.
11. Tenemos que llevar el coche al taller |_____| el jueves.
12. Todos estábamos de acuerdo y ya estábamos dándonos la mano. |_____|, apareció el jefe y dijo que había que volver a empezar la negociación.

63. ADVERBIOS Y LOCUCIONES DE MODO

1. Complete con vocales los siguientes adverbios de modo.

1. I G U A L M E N T E
2. C [ ] M [ ] Q [ ] [ ] [ ] R [ ]
3. B [ ] [ ] N
4. M [ ] L
5. S [ ] M [ ] M [ ] N T [ ]

6. R [ ] [ ] L M [ ] N T [ ]
7. [ ] S [ ] M [ ] S M [ ]
8. C [ ] N F [ ] R M [ ]
9. S [ ] L [ ]
10. R [ ] R [ ] M [ ] N T [ ]

2. Relacione.

1. Así
2. Asimismo
3. Comoquiera
4. Francamente
5. Conforme

a. Como
b. De esta manera
c. También
d. De verdad
e. De cualquier modo

3. Complete las siguientes frases con uno de estos adverbios.

> así - asimismo - aun - bien - como - comoquiera - especialmente - francamente - igualmente - justo

1. Hazlo !_____como_____! puedas, pero hazlo.
2. ¿Quieres saber mi opinión? Pues !_____!, no estoy en absoluto de acuerdo con la decisión que has tomado.
3. Vinieron a la fiesta todos sus primos. !_____! asistieron otros parientes, amigos y compañeros de trabajo.
4. Se propuso celebrarlo !_____! el día que peor me venía. Por supuesto, le dije que no.
5. Mira, vamos a hacer esto, !_____! sabiendo que no te gusta la idea.
6. No sé muy bien cómo lo hizo, pero, !_____! que fuera, lo hizo muy bien.
7. Es una persona muy rara, pero !_____! cuando está entre gente extraña.
8. Has hecho el ejercicio muy !_____!, te felicito.
9. Lo hicimos !_____!, como nos lo estás explicando. Pero no funcionó.
10. - Feliz fin de semana.
    - !_____!.

4. Marque la opción adecuada.

1. Decidí hacer este viaje (así) / asimismo, sin pensarlo.
2. Elvira siempre hace las cosas como / conforme tú quieres y tú te enfadas.
3. Habla muchísimo, especialmente / francamente cuando se pone nervioso.
4. Francamente / Sólo lo vi una vez, pero lo recuerdo perfectamente.
5. Es raramente / sumamente simpático, de las personas más agradables que he conocido nunca.
6. Por favor, hazlo así / conforme te he indicado. Si no, tendremos problemas.
7. Él llegó a la estación igualmente / justo cuando el tren estaba saliendo.
8. Estaba tan tranquilo y súbitamente / igualmente se desmayó.
9. Raramente / Realmente las fiestas multitudinarias no me gustan.
10. El director quiere verte lo antes posible. Así / Asimismo quiere revisar los informes de tu última campaña.

5. Complete los diálogos con *de verdad*, *francamente* o *la verdad*.

1. - Mejor, no vengas. Es que no le caes muy bien a Juan.
   • ¡___*La verdad*___¡, no me importa lo que opine Juan. Yo voy.
2. - ¿Por qué no vienes a casa a tomar algo?
   • No, ¡_____¡, me está esperando Luis.
3. - ¿Tú crees que nos subirán el sueldo en enero?
   • Pues, ¡_____¡, creo que sí. Este año ha habido beneficios.
4. - No sé por qué os enfadáis conmigo. ¡_____¡ que yo no he dicho nada.
   • Sí, ya lo sabemos.
5. - Yo, ¡_____¡, cada día te veo peor. ¿Qué te pasa?
   • No me encuentro bien.

6. Marque la opción adecuada.

1. Me parece muy (mal) / malo lo que has hecho.
2. Este consomé me parece muy mal / malo, no me gusta nada.
3. Es un chico muy bien / bueno.
4. Es un chico muy bien / bueno educado y muy responsable.
5. Hoy he visto una película que está bien / buena, te la recomiendo.
6. Es una película muy bien / buena. Vete a verla.
7. Han estrenado una película bien / buena.
8. ¿Desconfías de mí? Eso es porque eres un mal / malo pensado.
9. Te lo prometo, este complejo vitamínico es bien / bueno para la salud.
10. Bien / Bueno pensado, esta propuesta es más interesante de lo que parece.

64. USOS DE A

1. Relacione los ejemplos con el significado y con los usos de la preposición *a*.

1. ¿Los servicios? **Al** final del pasillo.
2. **A** las doce de la noche.
3. **A** los diecinueve años se fue a vivir solo.
4. Cuando salí de casa vi **a** Pepe.
5. Madrid está **a** 600 km. de Barcelona.
6. Me voy **a** casa.
7. Se conocieron y **a** los cinco años se casaron.

a. Esa persona...
b. Cuando tenía...
c. Después de...
d. Están en...
e. Hay una distancia de...
f. Para...
g. Son las...

I. Dirección, destino.
II. Distancia.
III. Alguien.
IV. Edad.
V. Hora.
VI. Lugar no concreto.
VII. Tiempo.

2. Complete con la preposición *a* en caso necesario.

1. ¿Has visto ⌐___*a*___⌐ Elena?
2. Le he comprado un regalo ⌐_____⌐ Lorenzo.
3. Busco ⌐_____⌐ un profesor de inglés para mis hijas.
4. ⌐_____⌐ María le gusta mucho patinar.
5. Vi ⌐_____⌐ un perro en la tienda y me gustó tanto que lo compré.
6. En mi vida he conocido ⌐_____⌐ personas tan interesantes.
7. ¿Has visitado ⌐_____⌐ Toledo? Es una ciudad preciosa.
8. ¿Conoces ⌐_____⌐ Misifú, mi gatito?

3. Sustituya los elementos en negrita utilizando la preposición *a* y haciendo los cambios necesarios.

1. **Entre** Segovia y Ávila hay una distancia de 50 kilómetros.
   ⌐*Segovia y Ávila están a 50 kilómetros.*_____⌐
2. **En el lado de** la derecha está la farmacia.
   ⌐_____⌐
3. **Cuando tenía** treinta años, me fui a vivir al extranjero.
   ⌐_____⌐
4. Estuve trabajando en La Paz y **después de** dos años me trasladé a Quito.
   ⌐_____⌐
5. ¿Vas **hacia** el mercado? Pues compra un paquete de arroz, por favor.
   ⌐_____⌐
6. **Cuando** termina mi clase, tomo un café con mis compañeros.
   ⌐_____⌐
7. Normalmente me levanto **cuando** son las seis y media de la mañana.
   ⌐_____⌐

4. Marque la opción correcta.

1. Es mejor ir a /(en) coche que a / en pie, porque está muy lejos.
2. La boda es a / hacia la una. Lo sé porque tengo la invitación.
3. Yo creo que la reunión empezará a / hacia las siete, ¿no?
4. Esto es a / para ti, espero que te guste.
5. A / Para mí no me gusta nada dormir en un camping, prefiero un hotel.
6. Iban a / por ciento cuarenta a / por hora. Por eso le pusieron esa multa.
7. El kilo de judías verdes está a / por 4 euros. Son muy caras.
8. Se compró esa moto de segunda mano a / por 600 euros.
9. Quedaron a / en aquel restaurante tan bonito en el que se conocieron.
10. Gire usted a / en la derecha y siga recto unos cien metros.

5. Complete con una de las siguientes expresiones.

> a cual más - a eso de las - a fin de - a fuerza de - a lo mejor - a lo sumo -
> a más tardar - a medida que - a medio - a menos que - a menudo - a partir de -
> a pesar de - a poder ser - a través de - a ver si

1. ¡___*A menudo*___¡ sueño que volvemos a aquella casa en la que fuimos tan felices.
2. ¡_____¡ las dificultades siempre tenía una sonrisa para todos.
3. Dicen que ¡_____¡ este año tendremos más días de vacaciones.
4. Eduardo, ¡_____¡ fueron pasando los días, se fue sintiendo más solo en aquella ciudad tan gigantesca.
5. Es un hombre muy tenaz. Lo ha conseguido todo ¡_____¡ trabajar.
6. Estuvo nevando toda la noche y por la mañana ¡_____¡ los cristales se veía un espectáculo increíble.
7. He dejado la comida ¡_____¡ hacer. ¿Puedes terminarla tú?
8. No puedo irme de vacaciones un mes, tenemos muchos pedidos, ¡_____¡ puedo escaparme en septiembre un par de semanas.
9. Por favor, arrégleme los zapatos cuanto antes, ¡_____¡ para mañana.
10. Puede usted volver ¡_____¡ a las cinco. El doctor siempre llega a esa hora.
11. Se apuntó a ese club de verano ¡_____¡ poder hacer alguna excursión, pero ese año no organizaron nada.
12. Según la portera, la fiesta terminó ¡_____¡ cinco de la madrugada.
13. Te llamo porque hace mucho que no nos vemos. ¡_____¡ vienes a casa a cenar un día de estos.
14. Te prometo que te devolveré el dinero ¡_____¡ la próxima semana.
15. Tienes dos hijas guapísimas, ¡_____¡ bonita.
16. Pasaremos las vacaciones en casa de mis suegros ¡_____¡ nos toque la lotería.

65. USOS DE *CON*

1. Escriba lo contrario.

1. Café con azúcar. _____ *Café sin azúcar.* _____
2. Hablas sin razón. _____
3. Me gusta viajar sin equipaje. _____
4. ¿Prefieres el té sin azúcar? _____
5. Son unos cereales con gluten. _____
6. Yo vivo con muchos compromisos. _____
7. Prefiero estar sin compañía. _____
8. Con dinero hago siempre lo que quiero. _____

2. Relacione.

1. El mármol se limpia	a. con un martillo.
2. Cuento	b. con libros viejos.
3. Vi a Paquita	c. con 200 euros.
4. Se chocó	d. con un árbol.
5. Está en el desván el baúl	e. con limón.
6. Rompieron el cristal	f. con arroz valenciano.
7. Esta paella está hecha	g. con Laura.

3. Relacione las frases con los usos de *con*.

1. Fue al médico **con** su madre por si se mareaba.
2. A mí no me gustan nada los coches **con** ranchera.
3. Me han regalado una caja de madera antigua **con** unos bombones.
4. No fue suficiente **con** mandarle una invitación, hubo que llamarle.
5. Dicen que los españoles cocinan **con** mucho ajo.

a. Ingrediente.
b. Contenido.
c. Concesión.
d. Característica.
e. Compañía.

4. Responda a las preguntas.

EN EL COCHE

1. ¿Con qué se acelera? _____ *Con el acelerador.* _____
2. ¿Con qué se frena? _____
3. ¿Con qué se limpia el parabrisas? _____
4. ¿Con qué se activa el contacto? _____
5. ¿Con qué se dirige el coche? _____
6. ¿Con qué se eleva el coche para cambiar una rueda? _____

5. Relacione.

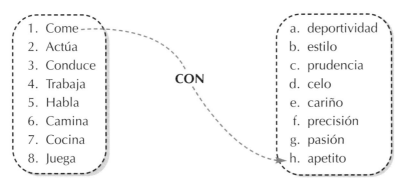

1. Come
2. Actúa
3. Conduce
4. Trabaja
5. Habla
6. Camina
7. Cocina
8. Juega

CON

a. deportividad
b. estilo
c. prudencia
d. celo
e. cariño
f. precisión
g. pasión
h. apetito

6. Transforme las frases como en el ejemplo.

1. Aunque come mucho, no consigue engordar.
   Con comer mucho no consigue engordar.

2. Aunque estudió varias carreras, no encontró trabajo.

3. Aunque se dio crema protectora, no pudo evitar quemarse por el sol.

4. Aunque pienso mucho en ello, no encuentro una solución.

5. Aunque se limpie el ordenador a menudo, no se consigue evitar que tenga polvo.

6. Aunque me lo repitas cien veces, no cambiaré de opinión.

7. Aunque pidas perdón, no arreglarás nada.

7. Complete las frases con una de las siguientes expresiones.

con frecuencia - con lo - con que - con razón - con respecto a

1. Elena dijo *con razón* que la situación era injusta.
2. En casa solemos comer cocido _____.
3. En su carta dijo que estaba bien y _____ su madre, que se recuperaba de la operación.
4. No entiendo cómo no tienes coche, _____ lejos que vives.
5. No hace falta que me llames. _____ me mandes un e-mail, es suficiente.

66. USOS DE *DE* Y *DESDE*

1. **Relacione las frases con los usos de *de*.**

1. La casa **de** mis padres.
2. Póngase **de** pie, por favor.
3. Es un buen libro **de** gramática.
4. Es enfermera y trabaja **de** noche.
5. ¿Es **de** plástico o **de** metal?
6. ¿Me da un vaso **de** agua, por favor?

a. Contenido.
b. Material.
c. Modo, manera.
d. Asunto.
e. Propiedad.
f. Tiempo.

2. **Relacione las frases con los usos de *desde*.**

1. **Desde** esa montaña hay una vista preciosa del valle.
2. Lo prometo, **desde** mañana me pongo a régimen.
3. **Desde** aquí a tu casa hay unos 20 minutos andando.

a. Fecha.
b. Lugar.
c. Origen.

3. **Marque la opción correcta.**

1. ¿De / Desde cuándo vives aquí?
2. De / Desde que te vi, me enamoré de ti.
3. La oficina está abierta de / desde por la mañana.
4. La oficina está abierta de / desde diez a dos.
5. La oficina está abierta de / desde las diez hasta las dos.
6. Vengo caminando de / desde la fábrica.
7. Éste es el tren que viene de / desde Algeciras.
8. Le ascendieron de / desde conserje a administrativo.
9. No voy al cine de / desde el año pasado.
10. De / Desde Santurce hasta Bilbao hay un buen paseo.

4. **Complete con *de* en caso necesario.**

1. Tiene estudios |___*de*___| derecho, |_____| economía y |_____| física.
2. |_____| simpático no tiene mucho, la verdad.
3. Es un vestido muy corriente, no tiene nada |_____| particular.
4. En la boda, la novia lloraba |_____| felicidad.
5. El árbol terminó muriéndose |_____| puro viejo.
6. ¿Prefieres el bocadillo |_____| jamón o |_____| chorizo?
7. Te advierto |_____| que está muy lejos de aquí.

5. Complete con una de las siguientes expresiones.

> de acuerdo - de aquí a - de ahí - de vez en cuando - de día - de noche -
> de eso ni hablar - de lo más - de momento - de nuevo - de pronto - de tanto -
> de todas formas - de un momento a otro - de una vez por todas - de verdad

1. - ¿Y si nos compramos esa tele tan moderna que anuncian en el periódico?
   • ¡____*De eso ni hablar*____!, es carísima.
2. ¿¡_____! que no has visto *Mar adentro*? Pues es una película preciosa.
3. ¿A qué hora se hace ¡_____! en tu país en invierno?
4. A nosotros nos gusta ir al teatro ¡_____!, cuando tenemos tiempo.
5. El hijo de los Martínez se ha casado ¡_____! con la misma mujer.
6. El portavoz del gobierno dijo que ¡_____! no podía dar más datos.
7. El presidente del banco se mostró ¡_____! en concedernos la hipoteca que le pedíamos.
8. En verano es ¡_____! a las siete de la mañana.
9. Es ¡_____! susceptible. Le haces cualquier crítica y se echa a llorar.
10. Estábamos tan tranquilos en una terraza y, ¡_____!, apareció Ismael.
11. Este año, ¡_____! como ha llovido, los pantanos están llenos.
12. Estoy seguro de que ¡_____! una semana habremos terminado esto.
13. Habían discutido por una herencia, ¡_____! que no se hablaran.
14. No creo que podamos ir con Elisa a su casa de campo. ¡_____!, tampoco nos ha invitado.
15. No te preocupes, ya verás como Jaime viene ¡_____!.
16. Pablo se presenta de nuevo a la oposición. A ver si ¡_____! aprueba.

6. Complete los diálogos con una de las siguientes expresiones.

> desde cuándo - desde luego - desde luego que no - desde que

1. - Oye, Celia, ¿¡____*desde cuándo*____! vives en Tres Cantos?
   • ¡_____! me casé con Alfredo.
2. - ¿Tienes ganas de pasar un fin de semana con Victoria y conmigo?
   • ¡_____!. Victoria me cae fatal.
3. - Mauricio ha vuelto a suspender.
   • ¡_____!, el profesor le tiene manía.
4. - ¿¡_____! llevas el pelo rubio?
   • ¡_____! estuve en Nueva York.
5. - ¿Quieres salir a dar un paseo?
   • ¡_____!, hace mucho calor.

67. USOS DE *EN*

1. Relacione las frases con los usos de *en*.

1. Encontró el fósil porque entró **en** la cueva.
2. Es muy bueno **en** matemáticas, pero las letras se le dan fatal.
3. He puesto los yogures **en** la nevera.
4. La Guerra civil española empezó **en** julio de 1936.
5. Le tasaron la casa **en** 145.000 euros, pero la vendió por bastante más.
6. Nos casaremos **en** noviembre.
7. Se fueron al río dando un paseo **en** bicicleta.
8. Te lo digo muy **en** serio, pórtate bien.
9. Trabaja muy rápido. **En** cinco días pintó toda la casa.

a. Cantidad de tiempo.
b. Ciencia.
c. Fecha futura.
d. Lugar.
e. Lugar interior.
f. Modo.
g. Precio.
h. Tiempo.
i. Vehículo.

2. Sustituya lo que está en negrita por una de las siguiente expresiones.

hace un año - dentro del - por - de la - para - por - a gritos - durante - dentro del

1. Las facturas están **en** el cajón de la mesa del despacho.
   Las facturas están dentro del cajón de la mesa del despacho.

2. Mandaron el paquete **en** avión para que llegara lo antes posible.

3. Para aprobar una oposición no puedes salir de casa **en** meses, tienes que encerrarte a estudiar.

4. Se fueron a vivir a Perú **en 2004**.

5. Es un genio **en** informática, lo sabe todo de ordenadores y computadoras.

6. Lo podrás vender **en** 300 euros, pero no más. No vale mucho más.

7. Quiero tener los resúmenes del año **en** diciembre y no en enero, como otros años.

8. Me lo contó **en voz alta**, se enteraron todos los vecinos.

9. Llovía tanto que entraron **en el** cine para no mojarse.

3. Marque la opción adecuada.

1. Aprendí a conducir durante /(en)dos meses.
2. Es muy bueno con / en los números, se le dan muy bien las matemáticas.
3. No volveremos a verlo dentro de / en una semana, se va de vacaciones.
4. Para / En el 30 de marzo habremos contestado a todos los correos electrónicos.
5. Es un coche carísimo. Lo compré por / en 60.000 euros.
6. En algunos pueblos todavía la gente va a / en burro.
7. El avión aterrizará para / en unos minutos.
8. Lo dijo completamente a / en serio y a / en gritos, o sea, que no quedó duda.
9. Está tan cerca que es mejor ir a / en pie que a / en metro.
10. Celia y Alfredo fueron al / en el cine y después cenaron a / en un restaurante mexicano.

4. Complete las frases con una de las siguientes expresiones.

> en aquella época - en cambio - en caso de que - en contra de - en cuanto -
> en cuanto a - en cuanto que - en esto - en mi vida - en lugar de - en su lugar

1. Ayer me asusté mucho. Estaba yo tranquilamente en casa y ⌐____*en esto*____⌐ que oigo un portazo. Casi me pongo a gritar, pero era el aire.
2. Cuando vivíamos en Teruel, íbamos a esquiar todos los inviernos al Pirineo. ⌐_____⌐ mis padres tenían una casita en Viella.
3. De los dos candidatos, yo creo que el más capacitado es el primero, ⌐_____⌐ tiene más años de experiencia y habla más idiomas.
4. Deberías recapacitar sobre tu decisión ⌐_____⌐ irte, ¿no crees que deberíamos hablar antes?
5. Hoy vamos a convocar una asamblea general para explicar la situación y ⌐_____⌐ no lleguemos a un acuerdo, venderemos la empresa.
6. Le hizo tanta ilusión la noticia que, ⌐_____⌐ se enteró, se la comunicó a todos sus amigos.
7. No vuelvo a tirarme en paracaídas ⌐_____⌐. ¡Qué miedo he pasado!
8. Sus ideas eran bastante originales. ⌐_____⌐, no reflejaban lo que la mayoría pensábamos, sino que representaban el punto de vista de una minoría.
9. Tenemos que distribuirnos las tareas porque, si no, no vamos a acabar nunca. Encárgate tú de poner en orden el almacén. ⌐_____⌐ los archivos, me encargo yo. ¿De acuerdo?
10. Tras las votaciones, el presidente tuvo que actuar ⌐_____⌐ su voluntad, porque así lo había decidido la mayoría.
11. Yo ⌐_____⌐, me cambiaría de piso. Ese barrio no es muy seguro.

68. USOS DE *POR* Y *PARA*

1. Lea este texto y subraye las preposiciones *por* y *para*. Después relacione.

<u>Por</u> entonces, además de estudiar por el día, yo tenía que trabajar por la noche tres días por semana, ya que necesitaba conseguir el dinero para antes de diciembre. Así que por dos meses seguidos yo casi no salí.

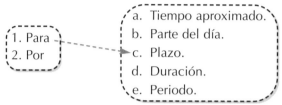

1. Para
2. Por

a. Tiempo aproximado.
b. Parte del día.
c. Plazo.
d. Duración.
e. Periodo.

2. Complete con *por* o *para*.

(1) !_____*Por*_____! aquella época yo solía ir a entrenar cinco días (2) !_____! semana porque quería estar en forma (3) !_____! el campeonato de mi escuela. Es decir, que estudiaba (4) !_____! las mañanas y (5) !_____! las tardes iba al gimnasio. Eso fue durante un año o año y pico, hasta que me di cuenta de que tenía que concentrarme en los estudios y dejar los entrenamientos (6) !_____! septiembre de 1999, cuando hubiera aprobado el examen de acceso a la universidad.

3. Marque la opción correcta.

1. Ya lo sé, (para) / por aprobar hay que estudiar mucho.
2. Le suspendieron **para** / **por** sus errores gramaticales.
3. Esto lo hago **para** / **por** necesidad, no **para** / **por** capricho.
4. Su mejor amigo le dijo que, **para** / **por** no tener problemas con él, debía ser más generoso, era muy tacaño y nunca invitaba a nada.
5. Es una persona muy solidaria. Lucha **para** / **por** la igualdad, **para** / **por** evitar las injusticias.
6. Es una organización que lucha **para** / **por** el hambre en el mundo, **para** / **por** repartir mejor la riqueza.

4. Lea estas frases y relaciónelas con su significado.

1. **Para** mí esto es un tontería.
2. Toma, esto es **para** ti.
3. Fue redactado **por** un grupo especial.
4. Vale, si no sabes hacerlo, lo haré yo **por** ti.

a. En sustitución de.
b. Destinatario.
c. Opinión.
d. Agente de la pasiva.

5. Ordene las palabras y forme frases.

1. pasar / ir / a / por / para / tienes / mi casa / el / parque / que
Para ir a mi casa tienes que pasar por el parque.

2. Gema / aquí, / búscala / está / por / jugando

3. voy / casa, / que / muy / ya / me / para / es / tarde

4. ¿que / cruzar / plaza / para / cine / por / al / tengo / la / ir?

6. Sustituya los elementos en negrita por *por* o *para*.

1. Se hizo rico **a fuerza de** trabajar sin descanso. *Por*
2. Este autobús va **en dirección a** León, pero no pasa **a través de** tu pueblo.
3. **Cerca de** agosto vendrá Bea de su viaje **alrededor del** mundo.
4. Trabajó mucho **con el fin de** pagar la hipoteca.
5. **Según** Arturo, **en** Navidad terminarán las obras de la autopista.
6. Este paquete fue enviado **gracias a** tu padrino.
7. Brindo **a causa de** vosotros, **con el fin de** que seáis muy felices.
8. **Hacia** el verano de 2003 se trasladaron a vivir aquí.
9. Lo hago **sustituyéndote a** ti, **a fin de** que no se note mucho tu ausencia.
10. Hacía yoga una vez **a la** semana **con el objetivo de** sentirse mejor.
11. **Según** Guillermo, esto es imposible.
12. Lo hice **en lugar de** Laura, estaba enferma.

7. Complete las frases con *por* o *para*.

1. Me sorprendió que te prometiera enviarte esto *para* fin de año.
2. _____ mí es imposible que Ramón te haya llamado. Es raro en él.
3. Con lo poco que gana es normal que trabaje _____ la noche _____ sacar un sobresueldo.
4. Elena está loca _____ la música, _____ eso le voy a regalar este disco.
5. No, no. No lo has entendido. No lo he hecho _____ ella, sino _____ ti.
6. Perdió el tren _____ cinco minutos, _____ el atasco que había _____ llegar a la estación.
7. _____ aquella época yo trabajaba _____ esa empresa.
8. Lo compró _____ 2.000 euros y lo vendió _____ el doble.
9. La llamó _____ teléfono y le dijo que volvería a casa _____ fin de mes.
10. Te prometo que iré _____ la mañana, _____ ayudarte.

69. USOS DE *ANTE, BAJO, CONTRA, DURANTE, ENTRE, EXCEPTO, HACIA*

1. Relacione.

1. Ante	a. A
2. Bajo	b. Con
3. Contra	c. Debajo
4. Durante	d. Delante
5. Entre	e. En
6. Excepto	f. En medio
7. Hacia	g. Salvo

2. Complete las frases con una de las preposiciones anteriores.

1. Como había nevado, no pudo controlar el coche y chocó !_____*contra*_____! el muro.
2. El crimen fue !_____! las doce de la noche, más o menos.
3. El presidente, !_____! la crisis que vivía el país, presentó la dimisión.
4. Es un idealista. Lleva toda la vida luchando !_____! la desigualdad social.
5. Este autobús va !_____! tu casa, pero da mucha vuelta.
6. Este restaurante abre todos los días, !_____! los lunes.
7. Los periódicos informan de que !_____! la manifestación no hubo disturbios.
8. Prohibido pisar el césped !_____! multa de 10 euros.
9. Pusimos una estantería !_____! los dos balcones.
10. Se dirigió !_____! mí y, con aire solemne, me declaró su amor.

3. Sustituya lo marcado en negrita por una de las siguientes expresiones.

> hacia (3) - bajo - excepto - durante - contra - entre

1. Iremos todos al teatro a verte **menos** Belén, que está enferma.   !____*Excepto*____!
2. Se fueron **en dirección a** la Plaza Mayor, a ver si te veían.   !_____!
3. Decidí ponerme **en medio de** los dos para evitar discusiones.   !_____!
4. **A lo largo de** los años que he vivido contigo he sido feliz.   !_____!
5. Se dio un golpe **con** la puerta y se le puso el ojo morado.   !_____!
6. Dijo que hoy venía **a eso de** las nueve.   !_____!
7. **Durante** la dictadura hubo represión y malestar social.   !_____!
8. Siento un enorme respeto **por** personas como tú.   !_____!

4. Sustituya las preposiciones en negrita por una de las siguientes expresiones.

con (2) - delante de - debajo de - salvo - a (3)

1. Como no sabía dónde sentarse a cenar, se puso **entre** nosotros.
   Como no sabía dónde sentarse a cenar, se puso con nosotros.
2. Miró **hacia** donde yo estaba y me sonrió.
3. Me he dado un golpe **contra** tu coche, lo siento.
4. Da un pastel a todos los invitados **excepto** a mi madre, que es diabética.
5. Se echó una buena siesta **bajo** los árboles.
6. Anoche volviste muy tarde a casa, **hacia** las cuatro.
7. Se quedó maravillado **ante** el cuadro de *Las Meninas*.
8. No, no vayas por ahí, que esa carretera va **hacia** Villaviciosa de Abajo.

5. Marque la opción correcta.

1. Adelante / Ante / Delante aquella situación no quedó más remedio que tomar una decisión rápida.
2. He puesto unos visillos muy bonitos adelante / ante / delante de la ventana del salón.
3. Adelante / Ante / Delante, chicos, un poco más y llegamos a la cima de la montaña.
4. No pongas nada adelante / ante / delante de las ventanas, que quita mucha luz.
5. Le tiene tanto miedo que adelante / ante / delante sus órdenes no se atreve a protestar.
6. Dio un paso adelante / ante / delante y se presentó como voluntario.

6. Marque la opción adecuada.

1. Mi tía María vive en el piso de abajo / bajo / debajo.
2. Abajo / Bajo / Debajo de mi casa han puesto una discoteca y hay mucho ruido.
3. Prohibido pisar el césped abajo / bajo / debajo multa de 100 euros.
4. Ignacio es el que está por abajo / bajo / debajo de Javier en la jerarquía de la empresa.
5. Abajo / Bajo / Debajo el reinado de Alfonso XIII se proclamó la Segunda República.
6. ¡Abajo! / ¡Bajo! / ¡Debajo!, gritó el profesor a los alumnos.

70. USOS DE *HASTA, INCLUSO, MEDIANTE, SEGÚN, SIN, SO, SOBRE, TRAS*

1. Relacione los contrarios.

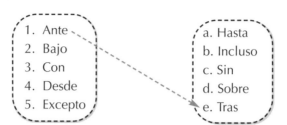

1. Ante
2. Bajo
3. Con
4. Desde
5. Excepto

a. Hasta
b. Incluso
c. Sin
d. Sobre
e. Tras

2. Complete las frases con una de las siguientes preposiciones.

> hasta (2) - incluso (2) - según (3) - sin - so - sobre (2) - tras

1. Bueno, !_____*hasta*_____! mañana. Buenas noches.
2. El conferenciante habló !_____! el consumo de pescado en España.
3. El profesor formó tres grupos !_____! el nivel de gramática de los alumnos.
4. Se ve la lluvia !_____! los cristales.
5. Invitó a todos a la fiesta de cumpleaños, !_____! al jefe de personal.
6. Por favor, hazlo !_____! pone en el prospecto.
7. Prohibido poner carteles !_____! pena de multa.
8. !_____! el Ministerio de Educación, el próximo año habrá más becas.
9. Te echo una carrera !_____! la esquina, a ver quién llega antes.
10. Tengo tanta hambre que me comería !_____! una piedra.
11. Volveré a casa !_____! las cinco y media.
12. Yo no puedo vivir !_____! ti. ¡Vuelve, por favor!

3. Marque la opción correcta.

1. Este autobús va desde Sol a /(hasta) Moncloa.
2. Sí, sí, el TALGO va de Sevilla a / hasta Cádiz.
3. Le estuve esperando de tres a / hasta cinco y no vino.
4. Yo trabajo desde las nueve a / hasta las dos y desde las tres a / hasta las siete.
5. Estoy a / hasta las narices de tanto ruido, baja la música, por favor.
6. De Madrid a / hasta Barcelona hay unos 600 kilómetros, más o menos.
7. Toma, corrige esto, por favor. No lo necesito a / hasta mañana por la tarde.
8. Desde la ciudad de Soria a / hasta Logroño no tardas más de dos horas.
9. Mira, a / hasta aquí hemos llegado. No te aguanto más. Haz el favor de irte.
10. La conferencia fue tan aburrida que se durmieron a / hasta las moscas.

4. Sustituya las expresiones marcadas utilizando una preposición.

1. Se fue haciendo *footing* **al** pantano.
   Se fue haciendo footing hasta el pantano.

2. Miguel opina, **acerca de** la inversión, que no es interesante.

3. Nos van a subir el sueldo a todos, **también** a los compañeros en prácticas.

4. Le despidieron **con** el pretexto de que la empresa iba a cerrar.

5. Le invitaron a la boda **por** un telegrama.

6. No vas a arreglar las cosas **con no** hacerlas frente.

7. Te espero **antes de** las tres. Si no has venido entonces, empiezo a comer.

8. **Para** Laura, Cuzco es el mejor destino, es el más interesante.

9. Mi madre me dijo que **a medida que** fuera cocinándose, se iría dorando.

5. Complete los diálogos con una de las siguientes expresiones.

> hasta ahora - hasta cuándo - hasta que (2) - sin embargo (2)

1. - Me voy a pasar una temporada a casa de Gemma.
   • Y, ¿ *hasta cuándo* te quedas?
   - No lo sé muy bien, hasta Navidad o así.

2. - Pablo y tú sois muy buenos amigos, ¿no?
   • Sí, y _____ nos vemos muy poco.

3. - ¿Has probado ya los tamales?
   • Pues _____ no, y creo que son deliciosos.

4. - ¿Os quedasteis mucho más tiempo en la biblioteca?
   • Pues sí, _____ la cerraron, a eso de las nueve de la noche.

5. - No me creo nada de lo que me estás contando.
   • Y, _____, es totalmente cierto.

6. - No me di cuenta de que me estaba engañando _____ me lo dijiste tú.
   • Suele pasar, el último en enterarse es el interesado.

71. ORACIONES COPULATIVAS, DISYUNTIVAS Y DISTRIBUTIVAS

1. Clasifique las conjunciones.

e - ni - o - u - y - ya sea

Copulativas
y

Disyuntivas y distributivas

2. Una las frases utilizando la conjunción apropiada.

1. ¿Qué hacemos esta tarde? ¿Nos quedamos en casa? ¿Salimos a cenar?
   ¿Qué hacemos esta tarde? ¿Nos quedamos en casa o salimos a cenar?

2. Este fin de semana, el sábado, vamos de excursión. El domingo vamos al teatro.

3. No me gusta hacer deporte. No me gusta ver deporte en la tele.

4. Estoy harto de estar en casa. ¿Vamos al cine? ¿Vamos al teatro? Tú eliges.

5. ¿Prefieres el té con leche? ¿Prefieres el té con limón? ¿Prefieres el té con menta?

6. Se fue de casa hace dos años. No ha escrito desde entonces.

7. ¿Vienes con nosotros? ¿Vas tú solo?

8. No podemos quedarnos parados. No podemos hacer nada.

3. Relacione.

1. Tengo mucho sueño y
2. Es una persona muy lista e
3. Tiene el perfil adecuado y
4. Le falta entusiasmo e
5. No sabía la respuesta. Hizo especulaciones e

a. estoy realmente cansado.
b. mucha experiencia en el sector.
c. hipótesis sin fundamento.
d. ilusión. Tiene depresión.
e. inteligente.

4. Reflexione y complete.

Se utiliza la conjunción _E_ cuando la siguiente palabra empieza por _____
o por _____. En los demás casos se utiliza la conjunción _____.

5. Marque la opción correcta.

1. Soy muy tímido. Me cuesta mucho hablar con desconocidos (e)/ y intimar con ellos.
2. Es difícil tener varias opciones e / y elegir la mejor.
3. Está claro que le gusta innovar e / y empezar cosas nuevas.
4. Creo que se entusiasma e / y ilusiona por todo.
5. Le insultó e / y hirió sus sentimientos.
6. Primero tengo que ir a la oficina e / y luego, al banco.

6. Relacione.

1. ¿Te lo dijeron u	a. eso parece.
2. Tiene mucha personalidad o	b. oculta algo.
3. ¿Me quedo aquí u	c. horticultura.
4. Está implicado u	d. os molesto?
5. Quiere hacer biología u	e. oíste rumores?

7. Reflexione y complete.

Se utiliza la conjunción !___*U*___! cuando la siguiente palabra empieza por !_____!
o por !_____!. En los demás casos se utiliza la conjunción !_____!.

8. Marque la opción correcta.

1. Alicia vive en el norte, en Gijón o /(u) Oviedo, ahora no me acuerdo.
2. Mi hermano César se va a licenciar en Económicas o / u en Empresariales.
3. Alejandro oye fatal, tiene que ir al médico, general o / u otorrino.
4. No sabían si llamarle Jorge o / u Óscar. Al final eligieron Jorge.
5. Imagino que saldrán el domingo o / u el lunes.
6. Va a un médico naturista o / u homeópata, que es casi lo mismo.

9. Transforme las frases como en el ejemplo.

1. Cómprate un coche grande o pequeño. !_*Cómprate un coche, ya sea grande o pequeño.*_!
2. Visita a un médico público o privado. !_____!
3. Ven a casa a comer o a cenar. !_____!
4. Escríbeme una carta o un correo electrónico. !_____!
5. Regálale a Marisa flores o bombones. !_____!

72. ORACIONES ADVERSATIVAS

1. Lea los ejemplos y clasifique las conjunciones y locuciones adversativas.

1. Todo ha salido correctamente. **Ahora bien**, ha costado mucho.
2. No estudió mucho. **Así y todo**, aprobó.
3. Fue el último en llegar. **Aun así** le dieron un premio.
4. Un hermano estudió ciencias. El otro, **en cambio**, se dedicó a las letras.
5. Le ofrecí el trabajo, **mas** no quiso.
6. Tú eres muy hablador, **mientras que** tu hermano es muy callado.
7. **No** fui yo el culpable, **antes bien** fui la víctima.
8. **No** se fueron de vacaciones el mes pasado, **sino** el anterior.
9. Eres muy complicado, **pero** te quiero.
10. La empresa tuvo beneficios. **Por el contrario**, la competencia tuvo un mal año.
11. Tiene muy mal carácter. **Sin embargo**, es muy fácil convivir con él.
12. Nunca he dicho eso, **sino** todo lo contrario.

Presentan una información que contrasta con otra anterior	Expresan que dos informaciones se contradicen	Corrigen una información
Ahora bien		

2. Una las frases utilizando *pero* o *sino (que)*.

1. No tiene mucho dinero. Se ha comprado un coche nuevo.

   No tiene mucho dinero, pero se ha comprado un coche nuevo.

2. No es muy derrochador. Le gusta vivir bien.

3. No me gusta mucho hacer deporte. Me encanta verlo en la televisión.

4. No tiene cinco hermanos. Tiene siete hermanos.

5. No vive en un chalé en las afueras. Vive en un piso en el centro de la ciudad.

6. La película era muy divertida. A mí me aburrió.

7. No tiene ganas de estar solo. Prefiere estar con amigos.

3. Relacione las frases.

1. No le invitaron a la fiesta.
2. No me contaron lo de Juan,
3. Tiene muchos problemas de salud,
4. Estaba muy nervioso.
5. Había estado hablando con él,
6. Te prometo que no fui yo.
7. Se fue sin despedirse,

a. pero se encuentra bien.
b. Es más, tengo pruebas.
c. Sin embargo, pudo controlarse en el examen.
d. pero tuvo que volver porque se olvidó las llaves.
e. sino que lo vi con mis propios ojos.
f. Sin embargo, fue con un regalo.
g. pero no se lo dijo a nadie, porque él se lo había pedido.

4. Marque la opción correcta.

1. Me tienes que devolver el libro, esto es / pero / antes bien, no hace falta que sea hoy.
2. Se enfadó muchísimo, mientras que / pero / sino no dijo nada.
3. Era muy respetado en la comunidad. Es más / Sin embargo / Sino, muchos querían que fuera el alcalde.
4. Eran muy diferentes, antes bien / pero / sino no se llevaban mal, eran muy amigos.
5. No me parece muy inteligente, la verdad, mas / pero / sino un tanto torpe.
6. No se conocían de nada. Es más / En cambio / Sin embargo, no se habían visto nunca.
7. No estaba seguro, antes bien / pero / sino sabía que tenía que actuar rápidamente.
8. Se puso a llover, ahora sí / es más / pero llegamos.

5. Sustituya la conjunción en negrita por otra similar.

1. Me gustaría ir contigo, **mas** no puedo.
   Me gustaría ir contigo, pero no puedo.
2. No me pidió nada, **antes bien**, me regaló este reloj.
3. Sabíamos que podría ocurrir algo grave, **mientras que** los demás lo desconocían.
4. Le pedimos un favor. **Por el contrario**, él se negó a hacerlo.
5. La invitaron personalmente. **Así y todo** rechazó la invitación y no fue.
6. No le salió bien a la primera, **mas** lo intentó.

▸ **Para saber más, vaya a las fichas 47, pág. 98, 75, pág. 154, 11, pág. 204 y 35, pág. 265.**

73. ORACIONES ILATIVAS

1. Lea los ejemplos y clasifique las locuciones ilativas.

1. He estado pensando en tu propuesta y, **bien mirado**, me parece interesante.
2. Bueno, por fin puedo contestar a tu carta de ayer. **Con respecto a** mi vida familiar, estamos todos muy bien, afortunadamente.
3. Te lo pido por favor. Esta música es insufrible, **conque** baja el volumen o apágala.
4. No nos han invitado a esa fiesta. **Entonces**, no vamos.
5. Este año vamos de vacaciones la primera quincena del mes. **Es decir**, salimos el 2 y volvemos el 14 ó el 15.
6. En la tienda de electrodomésticos nos han hecho muy buen precio. **Es más**, nos han dado un 10% de descuento extra.
7. Le han ofrecido muy buenas condiciones de trabajo para que se vaya a la delegación de Asturias. **Esto es**, una subida de sueldo, el coche y el alquiler del piso.
8. Es muy tarde, **luego** nos vamos.
9. Se hicieron muy buenos amigos, **más aún**, se enamoraron.
10. Se comunicaban por correo. **Mejor dicho**, por correo electrónico.
11. La oferta en principio no me interesó, pero, **mirándolo bien**, me parece buena.
12. Este año la subida es de un 5% mensual, **o sea**, 12 euros al mes.

Presentan una nueva opinión resultado del análisis	Se refieren a una información dada antes	Presentan una consecuencia
Bien mirado		
Aclaran lo que se acaba de expresar	**Confirman lo que se acaba de expresar** °	**Corrigen algo que se acaba de expresar o la forma de hacerlo**

2. Elija la opción adecuada.

1. Bien mirado / (Con respecto a) la propuesta que haces, la vamos a aceptar.
2. Los miembros del club estaban muy contentos con el presidente electo. Más aún / Mejor dicho, querían reelegirlo.
3. Les habían tratado con desprecio, luego / o sea no tenían por qué ser amables con ellos.
4. Se sentía muy bien con Elena, conque / es decir, estaba enamorado de ella.
5. La verdad, es decir / si se mira bien, esta oportunidad es única.
6. Tienes que elegir uno, esto es / luego, no te puedes quedar con los dos.
7. Salieron muy pronto. Entonces / O sea, llegaron también pronto.

3. Forme las frases con las locuciones en negrita haciendo los cambios necesarios.

1. Olvidar tú pagar la factura del teléfono. Cortar ellos el teléfono. **Conque.**
   ¡ Has olvidado pagar la factura del teléfono, conque te lo cortarán. ⌐

2. No venir mi compañero de trabajo. Hacer el trabajo yo solo. **Entonces**.

3. Tener nosotros que arreglar el coche. No poder ir de excursión este fin de semana. **Es decir**.

4. Estar ellos muy unidos. Ir a tener un hijo. **Es más**.

5. Teodora estar enferma. Tener ellos que ingresarla en una clínica. **Esto es**.

6. Tener tú razón. Estar yo de acuerdo contigo. **Luego**.

7. Ser ella muy antipática. No tener casi amigos. **Más aún**.

8. Abrir las tiendas a media tarde. Abrir a las cinco y media. **Mejor dicho**.

9. Parecer un coche bueno. Pero ser bastante malo. **Mirándolo bien**.

10. Llevarse ellos bien. Ser amigos íntimos. **O sea**.

11. Los expertos opinar que ser un Picasso. Verse que ser falso. **Si se mira bien**.

4. Complete las frases con *conque* o *con que*.

1. No hace falta que vayas a verla. ¡____*Con que*____⌐ la llames, es suficiente.

2. Salieron de viaje muy temprano, ¡_____⌐ no encontraron casi tráfico.

3. Ya he leído el libro que me prestaste, ¡_____⌐ aquí lo tienes.

4. ¡_____⌐ me lo pidas con amabilidad, no hay ningún problema.

5. Se está haciendo de noche, ¡_____⌐ vámonos ya.

6. Te prometo que iremos de excursión ¡_____⌐ haga un buen día.

7. Ya estamos en verano, ¡_____⌐ hace calor.

8. Tenemos muchos gastos, ¡_____⌐ no vamos a poder ahorrar nada.

9. Funciona ¡_____⌐ aprietes este botón.

10. Necesito tranquilidad, ¡_____⌐ baja la música, por favor.

74. ORACIONES CAUSALES

1. Relacione las frases.

1. Hace mucho calor.
2. Tuvo un accidente, pero no pasó nada grave.
3. No hace nada de deporte.
4. Te vas de paseo.
5. Nos han invitado a una fiesta.

a. Echa esta carta al buzón, por favor.
b. No tiene tiempo.
c. Nos quedamos en la ciudad el fin de semana.
d. Llevaba puesto el cinturón de seguridad.
e. Nos vamos a la piscina.

2. Ahora forme las frases utilizando *porque* o *como*.

1. *Como hace mucho calor, nos vamos a la piscina.*
2.
3.
4.
5.

3. Ordene los siguientes elementos y forme frases.

1. la publicidad del nuevo producto / tenemos que retrasar / **considerando que** el material no ha llegado
   Considerando que el material no ha llegado, tenemos que retrasar la publicidad del nuevo producto.
2. que está enferma / **ya que** vas a llamar a Daniela / pregúntale por su madre

3. ya es muy tarde / me voy a casa / **en vista de que**

4. porque acaba de divorciarse / no quiere salir / **lo que pasa es que** está triste

5. le concedieron un crédito / pudo comprarse la casa / **gracias a que**

4. Transforme las frases del ejercicio 2 utilizando un conector del ejercicio anterior.

1. *En vista de que hace mucho calor, nos vamos a la piscina.*
2.
3.
4.
5.

5. Marque la opción correcta.

1. ¡Ya has terminado! Pues, **gracias a que** / (ya que) estás libre, échame una mano.
2. Ha discutido con Marga. **Gracias a que** / **Lo que pasa es que** son muy diferentes.
3. **Considerando que** / **Lo que pasa es que** nosotros no podemos terminarlo y hay que hacerlo rápidamente, vamos a pedir ayuda.
4. Tiene muy mal genio, pero **gracias a que** / **en vista de que** sus hijas lo conocen muy bien, pudieron convencerlo para que fuera al médico.
5. La verdad, **en vista de que** / **ya que** hoy es mi día de descanso, no me parece que las ocho de la mañana sea la mejor hora para llamarme.

6. Relacione.

1. Considerando que
2. En vista de que
3. Gracias a que
4. Lo que pasa es que
5. Ya que

a. Como
b. Por culpa de
c. Porque afortunadamente
d. Puesto que
e. Teniendo en cuenta que

7. Sustituya las locuciones causales por otras similares.

1. **Ya que** no me crees, pregúntaselo a tu padre, a ver si te digo la verdad o no.
   Puesto que no me crees, pregúntaselo a tu padre, a ver si te digo la verdad o no.
2. El médico no le deja comer carne. **Lo que pasa es que** tiene el colesterol alto.
3. **Considerando que** el camino es largo y no vais a parar, llevaos unos bocadillos.
4. **En vista de que** hemos cobrado un trabajo, nos vamos de vacaciones a la playa.
5. Se pudo ir **gracias a que** le dieron una beca para estudiar en el extranjero.

8. Transforme las frases causales en finales.

1. Abre las persianas, que no hay casi luz. *Abre las persianas, que haya luz.*
2. Acércate, que no te veo tan lejos.
3. Escríbeme pronto, que me preocupo mucho por ti.
4. Vete a ver a tu abuelo, que está solo en el hospital.
5. Dime la verdad, que no te creo.

75. ORACIONES CONCESIVAS

1. Relacione las frases.

1. No tengo mucho tiempo libre.
2. No me gustan los animales.
3. Me encanta hacer deporte.
4. Trabaja mucho.
5. Lo han invitado a la fiesta.
6. Está muy enfadado con su hija.
7. Es muy tarde.
8. No tiene mucho dinero.
9. Le encanta el chocolate.
10. Habla cuatro idiomas.

a. Hace mucho que no voy al gimnasio.
b. No va a ir porque tiene una cena con Lucía.
c. Puedes llamarles por teléfono.
d. Es muy generoso. Siempre invita.
e. Quiere irse a Rusia a aprender ruso.
f. No le cunde el tiempo.
g. No puede comerlo.
h. Tengo un gato precioso.
i. Le permite ir de excursión.
j. Siempre busco un día para ir al cine.

2. Ahora forme las frases utilizando *aunque*.

1. *Aunque no tengo mucho tiempo libre, siempre busco un día para ir al cine.*
2.
3.
4.
5.
6.
7.
8.
9.
10.

3. Sustituya *aunque* por frases con *por más que* o *por mucho que*.

1. No aprobó la oposición, aunque estudió muchísimo.
   No aprobó la oposición por mucho que estudió.

2. No respondió a las preguntas, aunque sabía las respuestas.

3. Aunque trabajaron muchas horas, no acabaron el proyecto.

4. Aunque era muy inteligente, se confundía a menudo.

5. Cometía algunos errores, aunque hablaba muy bien.

4. Marque la opción correcta.

1. ¿Te vas ya? (Al menos) / Mal que podrías despedirte de los abuelos, ¿no?
2. Venderemos la casa **al menos / mal que** le pese a tu padre.
3. **A pesar de que / Contrariamente a lo** todos estábamos de acuerdo, no firmamos el contrato.
4. Se fue, **si bien es cierto que / y eso que** no por mucho tiempo.
5. La quería muchísimo, **al menos / y eso que** era bastante antipática con él.
6. **A pesar de que / Por mucho que** las cosas no le iban muy bien, siempre tenía una sonrisa.
7. En la reunión, **al menos / contrariamente a lo que** todos pensábamos, se tomó una decisión sorprendente.
8. Si no quieres llamarme, **al menos / y eso que** mándame una postal.
9. **Si bien es cierto que / Al menos** mi coche es más amplio que el tuyo, el tuyo corre más.
10. **Por mucho que / Y eso que** le preguntes, no te va a contestar.

5. Una las frases utilizando el conector marcado en negrita.

1. No nos invitó a la boda. Somos muy amigos. **Y eso que**.
   No nos invitó a la boda, y eso que somos muy amigos.
2. Le habíamos aconsejado. Se fue a vivir a esa ciudad. **Contrariamente a lo que**.
3. Estaba siempre enfadado. Todo le iba bien. **A pesar de que**.
4. Cómprame algo por mi cumpleaños. Una baratija. **Al menos**.
5. El cartero llamó insistentemente al timbre. No le oía. **Por mucho que**.
6. Le molesta el ruido. Su hijo toca la batería todas las mañanas. **Mal que**.
7. Yo suponía lo que iba a decidir. Se tomó otra decisión. **En contra de lo que**.
8. Son hermanos. Casi no se hablan. **Si bien es cierto que**.
9. Le preguntas. No contesta. **Por más que**.
10. No dice nada. Sabe la verdad. **Aunque**.

▸ **Para saber más, vaya a las fichas 47, pág. 98, 72, pág. 148, (11), pág. 204 y (35), pág. 265.**

76. ORACIONES COMPARATIVAS

1. Marque la opción correcta.

1. Es tan divitido (como) / que su hermano.
2. Tiene tantos primos **como** / que tú.
3. Habla más idiomas **como** / que yo.
4. Este paquete pesa menos **como** / que aquel.
5. Le molesta tanto el ruido **como** / que a mí.
6. Tú te pareces más a tu padre **como** / que a tu madre.
7. Parece tan cariñoso **como** / que su hijo, pero no lo es.
8. Es mucho menos rápido **como** / que el deportivo.
9. Hoy hay menos gente **como** / que ayer.
10. Yo trabajo tanto **como** / que tú, pero gano bastante menos **como** / que tú.

2. Observe la descripción de estas personas y formule frases comparativas con los datos que se indican.

Laura

Fecha de nacimiento: 12 de enero de 1983.
Altura: 1,75.
Peso: 65 kg.
Aficiones: música disco, deporte, ir de compras.
Hermanos: 2.
Estudios: licenciada.
Idiomas: inglés y francés.
Jornada laboral: 8 horas al día.
Días de vacaciones al año: 45.
Mascotas: un perro.

Nuria

Fecha de nacimiento: 20 de abril de 1984.
Altura: 1,74.
Peso: 63 kg.
Aficiones: música disco, deporte, ir de compras.
Hermanos: 3.
Estudios: licenciada.
Idiomas: alemán, italiano y portugués.
Jornada laboral: 7 horas al día.
Días de vacaciones al año: 45.
Mascotas: dos gatos y una tortuga.

1. **Años**: Laura tiene _más años que Nuria._
2. **Estatura**: Laura es _____
3. **Peso**: Laura pesa _____
4. **Aficiones**: Laura tiene _____
5. **Familia**: Laura tiene _____
6. **Nivel de estudios**: Laura tiene _____
7. **Idiomas**: Laura habla _____
8. **Horas de trabajo**: Laura trabaja _____
9. **Vacaciones**: Laura se va de vacaciones _____
10. **Animales de compañía**: Laura tiene _____

3. Complete los diálogos con una de las siguientes expresiones.

> como si - ni que - tan... como - tanto como

1. A nosotros nos gustó ⌐___*tanto como*___¬ el otro, pero el dependiente nos explicó que era de peor calidad.
2. Era muy soberbio. ⌐_____¬ fuera el hombre más importante del mundo.
3. Iñaqui es ⌐_____¬ alto ⌐_____¬ los otros jugadores de su equipo de baloncesto, pero es más ágil.
4. Le dolía ⌐_____¬ le dieran golpes.

4. Forme frases con *como si*.

1. Le duele la espalda. Le golpean con un martillo.
   ⌐*Le duele la espalda como si le golpearan con un martillo.*_____¬
2. Se siente mal. Todo le va mal.
   ⌐_____¬
3. Está muy contento. La vida es de color de rosa.
   ⌐_____¬
4. Está satisfecho. Ha comido mucho.
   ⌐_____¬
5. Se siente muy cansado. Ha trabajado tres días seguidos.
   ⌐_____¬

5. Relacione las frases.

1. Derrocha mucho dinero,	a. pero no es muy desgraciado.
2. Está muy triste,	b. pero no es nativo.
3. Se cree una persona muy importante,	c. pero no es un mendigo.
4. Tiene muy buena pronunciación,	d. pero no es rico.
5. Viste como un pordiosero,	e. pero no es famoso.

6. Escriba las frases del ejercicio anterior con *ni que*.

1. Derrocha mucho dinero. ⌐*Ni que fuera rico.*_____¬
2. Está muy triste. ⌐_____¬
3. Se cree una persona muy importante. ⌐_____¬
4. Tiene muy buena pronunciación. ⌐_____¬
5. Viste como un pordiosero. ⌐_____¬

▸ **Para saber más, vaya a las fichas 12, pág. 28, 13, pág. 30 y 31, pág. 254.**

77. ORACIONES CONDICIONALES

1. Escriba frases como en el ejemplo.

1. Es muy tímido / no va al karaoke.
   Si no fuera tan tímido, iría al karaoke.

2. No te vi / no te saludé.

3. Llegó tarde / se perdió la introducción.

4. La conocí / mi vida cambió.

5. Trabaja mucho / sale tarde.

6. Tiene problemas / está muy preocupado.

7. Su padre murió cuando era pequeño / no lo recuerda.

8. Encontró trabajo / se fue a vivir a otro país.

9. No lee / se aburre.

10. Se casó / dejó de trabajar.

2. Complete las siguientes frases con el tiempo apropiado.

1. Llámame si *tienes* (tener) tiempo.
2. Si _____ (tener) dinero, me compraría esa casa.
3. Si me hubieras avisado con tiempo, _____ (preparar) algo de comer.
4. Si llamas y no estoy, _____ (dejar) un recado.
5. Si te acostaras más temprano, no _____ (estar) tan cansado.
6. Si hablaras más despacio, _____ (entenderte) mejor.
7. Otro gallo nos cantaría si _____ (ser) más consecuente.
8. Te habrías evitado el disgusto si _____ (hacerme) caso.
9. Si _____ (ser) rico, seguro que no viviría aquí.
10. Te lo habría dicho si lo _____ (saber).
11. Si me lo hubieras preguntado, te lo _____ (contar).
12. Si yo _____ (ser) tú, no haría eso.
13. Si no sabes qué hacer, _____ (leer) un libro.
14. Si me _____ (pagar), te invito a cenar.

3. Subraye los nexos condicionales.

1. No llames *a menos que* sea estrictamente necesario.
2. Si fueran a Barcelona, lo harían en avión.
3. Si él lo dice, será verdad.
4. Como sigas comiendo, vas a explotar.
5. Se conecta automáticamente sólo con que apriete el interruptor.
6. Se negociará a condición de que cese la huelga.
7. Se arriesga a lo que sea con tal de obtener beneficios.
8. Con que apriete aquí, es suficiente para abrirlo.
9. Te dejaré el coche con tal de que me prometas cuidarlo.
10. No hace falta que nos mandes un certificado, sólo si nos das tu aprobación, es suficiente.

4. Complete con el tiempo apropiado.

1. Obtendrá su premio con que ¡____nos llame____¡ (llamarnos) por teléfono.
2. Déjame un mensaje en caso de que no ¡_____¡ (estar, yo).
3. Como ¡_____¡ (verlo) por aquí otra vez, llamo a la policía.
4. Tómese estas pastillas siempre que ¡_____¡ (tener, usted) dolor.
5. Lo conseguirás con que ¡_____¡ (tener, tú) un poco de paciencia.
6. Se firmará el convenio a menos que alguien ¡_____¡ (tener) algo en contra.

5. Sustituya las frases con *si* por *como*, *en caso de que* o *con tal de que*, haciendo los cambios necesarios.

1. Mira, si esta noche no llegas a las doce, no saldrás más.
   ¡ *Mira, como no llegues esta noche a las doce, no saldrás más.* ¡
2. Vendré a verte si me lo pides.
   ¡_____¡
3. Hable con mi secretaria y, si no está, deje un recado en el contestador automático.
   ¡_____¡
4. Estoy harto. Si vuelves a mentirme, dejaré de hablarte, te lo prometo.
   ¡_____¡
5. Si tuviera que marcharme el lunes, te avisaría, no te preocupes.
   ¡_____¡
6. Le daban la beca si aprobaba todas las asignaturas.
   ¡_____¡
7. El jefe le dijo que le guardaba el puesto de trabajo durante su ausencia si le mantenía informado de sus planes.
   ¡_____¡

78. ORACIONES CONSECUTIVAS

1. **Subraye los nexos consecutivos.**

1. Pienso, <u>luego</u> existo.
2. No había luz y por eso pensé que no había nadie en casa.
3. No hay acuerdo, por lo tanto, se levanta la sesión.
4. Hay huelga de transportes, así que tendremos que ir caminando.
5. Ya ha llegado el taxi, conque vamos bajando.
6. Habla de tal manera que da risa oírle.
7. Don Quijote leía tanto que se volvió loco.
8. No han cumplido con el contrato, por consiguiente, les denunciaré.
9. Ya conocen las reglas, así pues, actúen en consecuencia.

2. **Transforme las siguientes oraciones CAUSALES en CONSECUTIVAS, utilizando el nexo propuesto.**

1. No salgo porque está lloviendo. (por eso) ⌐__*Está lloviendo, por eso no salgo.*__¬
2. Me fui porque no vino nadie a la reunión. (así que) ⌐_____¬
3. Habla más bajo, que hay gente durmiendo. (conque) ⌐_____¬
4. Las tiendas están cerradas, ya que es domingo. (pues) ⌐_____¬
5. La inflación sube porque aumentan los precios. (por consiguiente) ⌐_____¬
   ⌐_____¬
6. No se le entiende porque habla muy rápido. (de modo que) ⌐_____¬
   ⌐_____¬
7. No puede pagar el alquiler, ya que no tiene dinero. (así que) ⌐_____¬
   ⌐_____¬
8. Suspendió porque no estudió lo suficiente. (por eso) ⌐_____¬

3. **Una las frases de ambas columnas.**

1. No trabajo,	a. hay sequía.
2. No llueve,	b. leo los anuncios del periódico.
3. Vienen pocos turistas,	c. voy en metro.
4. No estudia gramática,	d. le han ascendido.
5. No tengo coche,	e. comete muchos errores.
6. Busco piso,	f. tengo mucho tiempo libre.
7. Tiene muchos libros,	g. el negocio no funciona.
8. Es muy trabajador,	h. lee sin parar.
9. Quiere comprarse un piso,	i. ahorra todo lo que puede.

Y POR ESO

4. Marque la opción correcta.

1. Tiene dos trabajos, **por consiguiente** / por eso, no tiene tiempo para nada.
2. Ya es la hora, **por tanto** / **así que**, vámonos.
3. No ha llamado a la hora convenida, **pues** / **o sea, que** algo ha pasado.
4. Ya han llegado los invitados, **pues** / **así que** vamos a cenar.
5. Se han casado en secreto, **luego** / **por eso** algo ocultan.
6. Le dolía la cabeza y **por eso** / **así pues** se acostó un rato.
7. No conocía el camino, **luego** / **así que** le preguntó a una señora que pasaba.
8. Tengo un presupuesto muy ajustado, **de modo que** / **pues** tengo que controlar los gastos.
9. No fuimos capaces de ponernos de acuerdo en la reunión. **Por tanto** / **Pues**, no firmamos el contrato.
10. Se llevaban muy bien, **por eso** / **luego** abrieron la tienda juntos.

5. Escriba frases consecutivas como en el ejemplo.

1. Hablas muy deprisa / no te entiendo.
   Hablas tan deprisa que no te entiendo.
2. Come mucha carne / tiene el colesterol alto.
3. Es muy tímido / se pone colorado con frecuencia.
4. Tenía mucha sed / se bebió una jarra entera de agua.
5. Había muchos invitados / no cabían en el salón.
6. Es muy testarudo / nunca da su brazo a torcer.
7. Hace mucho calor / las plantas se secan.
8. Hace mucho tiempo que no nos vemos / no te reconozco.
9. Tengo mucha hambre / me duele la tripa.
10. Estaban muy cansados / no podían hacer nada.

1. **Relacione.**

1. Le compraron un helado al niño.
2. La llamó por teléfono.
3. Fueron al cine a ver una película.
4. Se tomó una tila antes de acostarse.
5. Su predecesor le dio un informe detallado del departamento.

a. Quería que estuviera tranquila.
b. Necesitaban estar tranquilos mientras comían.
c. Quería informarme de cómo funcionaba todo.
d. No querían aburrirse esa tarde.
e. Quería estar descansado para el examen del día siguiente.

2. **Escriba las frases del ejercicio anterior uniéndolas con *para* y realizando las transformaciones necesarias.**

1. *Le compraron un helado al niño para estar tranquilos mientras comían.*
2.
3.
4.
5.

3. **Observe los diálogos y marque si se trata de un sujeto (1) o de dos (2). Después subraye la forma verbal que acompaña a *para*.**

	1	2
1. - Y tú, ¿para qué le cuentas a Montse lo de la discusión? • Para <u>estar</u> seguro de la verdad.	✓	
2. - Yo que tú, iría en coche. • No, voy a ir andando para hacer un poco de ejercicio.		
3. - Voy a llamar al médico para que me dé hora para mañana. • ¿Estás enfermo?		
4. - ¡Cuánto dinero llevas! • Sí, me lo acaba de prestar María para que pague la letra del coche.		
5. - ¿Para qué necesitas un foto mía? • Para ponerla en el *dossier* de presentación de la empresa.		

4. **Reflexione y complete.**

Se utiliza PARA y un verbo en _____ cuando el sujeto de las dos oraciones es el mismo, y se utiliza PARA QUE y un verbo en _____ cuando el sujeto de las dos oraciones es distinto.

5. Complete las siguientes frases con *para que* y el verbo entre paréntesis en la forma correcta.

1. Ha escrito una carta al Ayuntamiento ¡____*para que conozcan*____¡ (conocer, ellos) el problema.
2. He dejado un mensaje en el contestador ¡_____¡ (saber, él) que le he llamado.
3. Abrió la puerta con mucho cuidado ¡_____¡ (no despertarse) su hijo.
4. Habla un poco más alto ¡_____¡ (oírte, yo).
5. Decía cosas horribles ¡_____¡ (sentirse, yo) culpable.
6. Cuando era pequeño, en casa me daban 25 pesetas ¡_____¡ (ir, yo) al cine.
7. En verano, los niños abrían los surtidores de la calle ¡_____¡ (refrescarles) el agua.

6. Complete las frases con la forma correcta del verbo entre paréntesis y con *para, para que* o *para qué*.

1. Te lo digo ¡____*para que sepas*____¡ (saber, tú) lo que pasó.
2. Oye, ¿¡_____¡ (querer, tú) que vaya a verte?
3. ¿¡_____¡ (querer, yo) una vajilla?
4. Guarda el dinero en un sobre ¡_____¡ (no perderlo).
5. He tirado los periódicos atrasados ¡_____¡ (tener) más espacio.
6. He tirado los periódicos atrasados ¡_____¡ (tener, nosotros) más espacio.
7. Abre la ventana ¡_____¡ (entrar) un poco de aire.
8. Te mando esta carta ¡_____¡ (saber, tú) que estoy bien.
9. Mis padres trabajaron toda su vida ¡_____¡ (no faltarnos) nada ni a mis hermanos ni a mí.

7. Marque la opción correcta.

1. Voy al dentista (a que)/ a fin de que me haga un empaste.
2. ¿Vienes a / a fin de verme o a que / a fin de que yo te vea?
3. Léelo aquí, a que / para que estés informado.
4. ¿A qué / Para qué vienen esos gritos?
5. Se han tomado medidas extraordinarias para / a paliar la sequía.
6. Te hablo claro para que / a que no quede ninguna duda.
7. ¿Para qué / A fin de qué necesitas tú un destornillador?
8. Les envío el informe a fin de que / a que tomen las medidas oportunas.
9. Ve a la farmacia a que / con el objeto de que te den la medicina que encargué ayer.
10. Estudia para que / a que seas un hombre de provecho.

80. ORACIONES MODALES

1. **Relacione las frases.**

1. Hizo todos los ejercicios bien.
2. Es una planta exótica. Hay que cuidarla mucho.
3. Ha aprendido a escribir relatos en un taller de escritura.
4. Hoy para comer voy a hacer una paella.
5. No hizo caso a nadie.
6. Para no olvidarse de nada ha escrito en un papel las recomendaciones que le dio el médico.
7. Puso todo en orden.
8. Todos los aparatos vienen con un folleto de instrucciones.

a. Él hizo las cosas a su manera.
b. El médico le aconsejó un régimen para adelgazar.
c. La gramática explicaba la forma de hacerlo.
d. El taller de creación propone una técnica de creación.
e. Los folletos explican cómo conectarlos.
f. Mi madre hace una paella muy buena.
g. Siguió el orden en el que estaban las cosas cuando llegó.
h. Tengo un libro que explica cómo tratar a las plantas exóticas.

2. **Ahora forme las frases, haciendo los cambios necesarios y utilizando *como*.**

1. *Hizo todos los ejercicios bien, como la gramática explicaba.*
2.
3.
4.
5.
6.
7.
8.

3. **Sustituya *como* o *cómo* por las expresiones *la manera en que* o *según*.**

1. **Como** dice Carlos, tienes que ser más prudente. | *Según* |
2. No me gusta **cómo** estás haciendo esto.
3. Consiguió hacer el armario siguiendo las instrucciones, **como** indicaba en el folleto.
4. Era muy obediente y siempre actuaba **como** le decían sus padres.
5. No sabe **cómo** tiene que abordar esta cuestión. ¿Le puedes ayudar?

4. Marque la opción correcta.

1. Intentó hacerlo según le (habían explicado) / **hubieron explicado**, pero no lo consiguió.
2. Hazlo como **quieres / quieras**.
3. Había tanta gente pendiente de él que le tuve que explicar la manera en que **debía / debiera** actuar en ese asunto.
4. Según le **dieran / dieron** los resultados fue sintiéndose mejor.
5. Mira, no sé lo que dice Juan, pero lo mejor es que lo hagas como **indique / indica** en las instrucciones.
6. Cuando estés en el extranjero, imita la manera en la que **actúan / actúen** los nativos. Así no tendrás problemas.
7. Durante el viaje, los monitores te dirán lo que tienes que hacer. Haz como te **dicen / digan**.
8. Era un hombre muy peculiar que, según le **caías / cayeras** cuando te conocía, así te trataba.
9. A mi abuelo no le importaba la manera en la que **hacíamos / hiciéramos** las cosas, sólo le importaban los resultados.
10. Era tan falso que respondía según **opinaban / opinaran** las personas que le preguntaban.

5. Una las frases utilizando el conector en negrita.

1. Tener un dinero ahorrado. Invertir. El director del banco aconsejarnos. **Según**.
   Tengo un dinero ahorrado que invertiré según nos aconseje el director del banco.
2. Hacer una tarta mañana. Elena preguntar a su madre. Hacerla. **Cómo**.
3. Tener que cambiar las luces del coche. Hacerlo. Indicar el folleto. **La manera en que**.
4. Los bomberos hacer una exhibición. Explicarnos. Evacuar el edificio en caso de incendio. **La manera en que**.
5. Tener mucha experiencia. Hacer las cosas. Él dice. **Como**.
6. Gustarme mucho. Mirarme. **La manera en la que**.
7. Elvira tener un problema grave. Nos explicar Vicente. **Según**.
8. Hacer tú tantos ejercicios. Creer conveniente. **Según**.
9. Desconocer los niños. Tener que comportarse en sociedad. **La manera en que**.

▶ **Para saber más, vaya a las fichas 50, pág. 104, 63, pág. 130 y ⑧, pág. 196.**

81. ORACIONES TEMPORALES

1. Clasifique las siguientes locuciones.

> a medida que - antes de que - apenas - así que - cada vez que - conforme - de aquí a que - desde que - después de que - en cuanto - hasta que - mientras - no bien - siempre que - tan pronto como - todas las veces que

Origen	Anterioridad	Posterioridad

Límite	Progresión	Simultaneidad
	A medida que	

2. Sustituya *cuando* por *conforme*, *siempre que* o *en cuanto*.

1. Nos damos muchos besos cuando nos vemos.
   Nos damos muchos besos siempre que nos vemos.

2. Mejoró de salud cuando le fueron haciendo efecto los medicamentos.

3. Se levantó cuando sonó el despertador.

4. Se fue acostumbrando a vivir en la ciudad cuando fueron pasando los días.

5. Nosotros, cuando tenemos unos días de vacaciones, nos vamos a la playa.

6. Le mandó un telegrama cuando supo la noticia.

7. Te contaré lo que ha pasado cuando vea a Luis.

8. Se enamoraron cuando se fueron conociendo mejor.

9. No lo puedo evitar, cuanto te veo, me parece ver a tu padre.

10. Me voy a la cama cuando termine la película.

3. Relacione las frases con *antes de que*.

1. Los de la agencia nos mandaron los billetes. Salimos de viaje.
   Los de la agencia nos mandaron los billetes antes de que saliéramos de viaje.

2. Volveremos a casa. Saldrá el sol.

3. No llores, volveré pronto. Darte cuenta.

4. Se fue de la sala. La conferencia no había terminado.

5. Se gastó su primer sueldo en un regalo. Todavía no había cobrado.

4. Marque la opción correcta.

1. Me voy **a medida en que** / (**antes de que**) se me haga muy tarde.
2. Estaba tan nervioso que te llamé **así que** / **después de que** pude.
3. Ha cambiado muchísimo. **Desde que** / **Tan pronto como** le operaron, está más amable.
4. No sé por qué, pero **hasta que** / **siempre que** le propongo salir, me pone excusas.
5. **A medida que** / **Mientras** fue hablando mejor, fue tomando confianza.
6. **Antes de** / **En cuanto** se montó en el taxi, se dio cuenta de que se había olvidado los billetes.
7. Lo mejor es que **conforme** / **mientras** estés aquí, aceptes ese trabajo.
8. Estoy harto, **así que** / **todas las veces que** salimos a cenar tienes que pagar tú.
9. Te prometo que **de aquí a que** / **conforme** me vaya, habré recogido la habitación.

5. Complete las frases con uno de los siguientes conectores.

> antes de que - de aquí a que - desde que - hasta que - mientras - no bien

1. Ya que vas al mercado, *antes de que* vuelvas, pasa por la panadería y compra dos barras, por favor.
2. No volveré a hablar con él _____ me pida perdón.
3. Él prometió que _____ volviéramos de vacaciones, nos daría el informe. Y lo cumplió.
4. Pon la mesa _____ yo hago la cena.
5. _____ te fuiste, te encuentro muy cansado.
6. Estoy seguro de que _____ termine el curso habremos acabado el libro.

▶ **Para saber más, vaya a las fichas 49, pág. 102, ❾ , pág. 199, ⑱, pág. 223, ⑲, pág. 225 y ⑳, pág. 227.**

1. **Relacione las siguientes expresiones referidas a una persona con *ser* o *estar*.**

> médico - contento - boliviano - alto - moreno - trabajando mucho
> - delgado - trabajador - Manuel - estudiante de francés - simpático -
> estudiando en una academia de idiomas

SER	ESTAR
médico	

2. **Con la información que tiene del ejercicio anterior, reconstruya este texto.**

El nombre de esta persona (1)‌___*es Manuel*___‌. (2)‌_____‌ de nacionalidad. Físicamente (3)‌_____‌ y de carácter (4)‌_____‌. Estos días (5)‌_____‌ porque (6)‌_____‌ en el hospital. Por las tardes (7)‌_____‌ y de inglés. (8)‌_____‌.

3. **Complete con el verbo *ser* o *estar* en la forma adecuada.**

1. Que sí, que te lo digo yo, que ahora ‌_____*está*_____‌ de jefe de enfermeros, aunque ‌_____‌ el enfermero más joven de la planta.
2. Mira, ‌_____‌ una persona muy aburrida. Pero últimamente ‌_____‌ mucho más aburrido e insoportable.
3. Hoy ‌_____‌ 21 de marzo. Por fin, ya ‌_____‌ en primavera.
4. Uy, que feo ‌_____‌ con ese traje tan antiguo.
5. Me sorprendería mucho que Miguel ‌_____‌ de vacaciones.
6. No sé quién ‌_____‌ el autor de este libro, porque la primera página ‌_____‌ cortada y no pone nada en la cubierta.
7. No ‌_____‌ en absoluto de acuerdo en que la fiesta ‌_____‌ en casa de Ernesto. ‌_____‌ bastante lejos del centro y, además ‌_____‌ muy pequeña.
8. Dice que ‌_____‌ muy cansado porque ‌_____‌ trabajando mucho.

4. Complete las frases con la preposición adecuada.

1. ¿Ya estamos ⌐___*en*___¬ Navidad? ¡Cómo pasa el tiempo!
2. Jesús está ⌐_____¬ coordinador mientras Merce está de baja.
3. ¡Todavía estás ⌐_____¬ arreglar! Date prisa, que vamos a llegar tarde.
4. No estoy en absoluto ⌐_____¬ acuerdo con tu propuesta.
5. Tú eres ⌐_____¬ Baracaldo, ¿verdad? Lo he notado por tu forma de hablar.
6. No, no. Esto no es mío. Debe de ser ⌐_____¬ Luis.
7. Hoy estamos ⌐_____¬ 29 de marzo. O sea, que mañana es mi cumpleaños.
8. La conferencia es ⌐_____¬ el Aula Magna.

5. Marque la opción correcta.

1. Según el encargado, **es** / está evidente que la situación económica de la empresa no es / está buena y, por ello, **es** / está obvio que hay que tomar medidas. Lo que no es / está tan claro es que las medidas adoptadas por la dirección **sean** / estén las correctas.

2. A mí me parece que es / está horrible que los países ricos derrochen los recursos naturales mientras que los pobres apenas pueden subsistir. Es / Está demostrado que las campañas de concienciación social son / están consiguiendo que nos demos cuenta de que es / está mal la forma de actuar que tenemos.

3. No es / está demostrado que una bajada de impuestos sea / esté bueno para la economía. Es / Está evidente que es / está una medida popular, pero no es / está tan claro que sea / esté lo que necesita la situación económica del país.

4. Yo no soy / estoy de acuerdo con que vayamos todos juntos de viaje. Es / Está claro que cada uno tiene sus gustos y me parece que es / está evidente que intentar homologar preferencias es / está imposible.

6. Transforme las frases con *ser* o con *estar*.

1. Hoy es 24 de junio. ⌐_*Hoy estamos a 24 de junio.*_____¬
2. Como estamos en agosto, nos vamos a la playa.
   ⌐_____¬
3. Los directivos están reunidos en la sala cinco.
   ⌐_____¬
4. La fiesta es en el salón de actos.
   ⌐_____¬
5. Me he comprado un jersey que está hecho de pura lana virgen.
   ⌐_____¬

83. USOS DE *SER* Y *ESTAR* (2)

1. **Relacione las frases con el significado del adjetivo. Después complételas con se**
o *estar* en la forma adecuada.

---

1. **Es muy bueno**, ya verás cómo te gusta Luis. - - - - - -
2. Esta paella **está muy buena**. ¿Cómo la haces?
3. Mi hijo por fin **está bueno**, después de dos meses de medicamentos.
4. Dicen que dormir la siesta **es bueno**.

    a. Sano.
    b. Rico, sabroso.
    c. Buena salud.
    d. Buena persona, amable.

---

5. ¡Qué bueno ¡_____ está _____¡ esto! Dame un poco más.
6. ¡_____¡ muy bueno conmigo, siempre me tratas con respeto.
7. El médico me ha dicho que ¡_____¡ bueno, que no me tengo que preocu par de nada.
8. ¡Qué asco! Esto ¡_____¡ malísimo.
9. Tomar tanto café no ¡_____¡ bueno, y tú lo sabes.
10. El señor González ¡_____¡ otra vez malo. No viene a trabajar.

---

11. Arturo **está cansado** de tanto trabajar.
12. **Es muy cansado** tener que estar siempre concentrado.
13. Mira, **estoy cansado** de tanto ruido. Me voy.

    a. Agotador.
    b. Harto.
    c. Fatigado.

---

14. ¡_____¡ cansado de tener que aguantar el mal humor de mi jefe.
15. ¿Cómo puedes trabajar con tanta presión? ¡_____¡ muy cansado trabajar as
16. Venga, déjalo, que ya sigo yo, que tú ¡_____¡ muy cansado.

---

17. Como **es tan nervioso**, lo pasa mal en los exámenes.
18. **Está muy nervioso** porque todavía no sabe la noticia.

    a. Impaciente.
    b. Intranquilo.

---

19. ¡_____¡ tan nervioso que no puede estar ni un minuto quieto.
20. ¿Por qué ¡_____¡ tan nervioso? ¿Qué te preocupa?

---

21. Ya es muy tarde, no podemos comprar nada. Las tiendas **están cerradas**.
22. Estás todo el día criticando a todo el mundo. **Eres muy cerrado**. No admites nada diferente.

    a. Intolerante.
    b. No abierto.

---

23. Ten cuidado con los compañeros del equipo, ¡_____¡ muy cerrados.
24. A estas horas todo ¡_____¡ cerrado.

2. Complete las frases con uno de los adjetivos del recuadro.

aburrido - alegre - atento - callado - claro - despierto - interesado

1. ¡Qué !_____*aburrido*_____! estoy! ¿Y si vamos al cine o hacemos algo?
2. ¿Qué, ya estás !_____! o sigues durmiendo?
3. A mí me parece que está !_____! que esto no puede continuar así.
4. Eres muy !_____!. Jamás quieres hacer nada. Con ver la tele eres feliz.
5. Es un empelado muy !_____!, enseguida aprende.
6. Es una persona !_____!, siempre está riéndose y de buen humor.
7. Estoy muy !_____! en que hablemos. ¿Podemos vernos?
8. Fermín es muy !_____!, siempre está pendiente de todo para agradar.
9. Está muy !_____! porque ha alquilado un piso precioso en el centro.
10. No te fíes. Es muy !_____! y sólo busca tu amistad para conseguir algo.
11. Su hijo es muy hablador, no puede estar !_____! ni cinco minutos.
12. Últimamente estás muy !_____!, no dices nada. ¿Qué te pasa?

3. Relacione las siguientes frases con su significado.

1. Esta fruta está muy verde.	a. Ecologista.
2. Este partido político es verde.	b. Erótica.
3. Es una película un poco verde, para mayores de 18 años.	c. Inmaduro.

4. Mi coche es negro.	a. De color negro.
5. El jefe está negro con el resultado de las ventas.	b. Enfadado.
6. Te recomiendo esta película. Es cine negro.	c. Moreno.
7. Después de un verano en la playa, estás negro.	d. Policíaco.

8. Estás muy blanco, ¿qué te pasa?	a. De raza blanca.
9. En Cuba, los blancos son una minoría.	b. Pálido.
10. Estoy en blanco, no sé qué contestarte.	c. Sin ideas.

4. Marque la opción correcta.

1. Estas peras (están) / son verdes, voy a comer un plátano.
2. Es / Está blanco, porque no se esperaba la noticia.
3. El jefe es / está negro por las reivindicaciones de los sindicalistas.
4. La revista que ha comprado es / está verde.
5. Es / Está una novela negra muy buena. Te la recomiendo.

▸ Para saber más, vaya a las fichas, 82, pág. 168, ❺❹, pág. 314 y ❺❺, pág. 316.

84. VERBOS DEFECTIVOS

1. Lea las frases y complete el cuadro.

1. A mí me gusta mucho viajar. ¿Y a ti?
2. Me molesta mucho el ruido. Baja la tele, por favor.
3. A mí estos libros me parecen muy interesantes.
4. Me pone nervioso viajar en avión.
5. A mi madre le gustan mucho los pasteles de crema. ¿Compramos un kilo?

> Verbos como *gustar, parecer, molestar*, etc., con los que se expresan sentimientos, se utilizan en !_____! persona del singular o del plural. Con sustantivos singulares y con verbos en !_____! se utilizan en !_____!.
> Con sustantivos !_____!, en plural. Además, estos verbos siempre llevan pronombres !_____!.

2. Complete las frases con la forma correcta del verbo y con los pronombres adecuados.

1. A mí no !_____*me gustan*____! (gustar) las fiestas muy ruidosas.
2. A Jesús y a Margarita !_____! (encantar) las discotecas.
3. A mí !_____! (poner) nervioso volar.
4. A Belén y a mí !_____! (divertir) las películas antiguas.
5. A mi profesora !_____! (gustar) la redacción que he hecho.
6. ¿A ti !_____! (parecer) bonitas estas fotos?
7. Odio la música *heavy*, !_____! (molestar) mucho.
8. A Celia !_____! (relajar) los días de lluvia.
9. A mi jefa !_____! (preocupar) mucho los resultados del año.

3. Complete las frases con uno de los verbos del recuadro en la forma correcta.

> caer - encantar - gustar (2) - molestar - parecer (3) - poner - preocupar - relajar

1. Me !_____*gusta*_____! mucho vivir en el campo, me !_____! muy sano.
2. Me !_____! mucho los ruidos, me !_____! muy nervioso.
3. A mí Eduardo me !_____! fatal, me !_____! muy soberbio.
4. A mí me !_____! mucho el rock duro, me !_____! y me ayuda a quitarme las tensiones.
5. A nosotros nos !_____! el estado de salud del abuelo. Nos !_____! que con la medicación no mejora.
6. A mis padres les !_____! los dulces.

4. Lea las frases y complete el cuadro.

1. A mí me gustan mucho las flores. Me encanta que me regalen flores.
2. Me molesta la impuntualidad: me molesta llegar tarde y que la gente se retrase.
3. Me encanta bailar y me gusta que bailes conmigo.
4. Me pone nervioso viajar en avión.
5. Me divierte que me hagan fiestas sorpresas. Gracias, chicos.

> En las expresiones de sentimiento, cuando nos referimos a una acción, el verbo va en infinitivo cuando el sujeto de las dos oraciones es !_____! y va con *que* y Subjuntivo cuando !_____!.

5. Complete las frases con uno de los siguientes verbos en la forma adecuada y con *que* en caso necesario.

> cenar - estar - ganar - hablar - ir - escuchar - poner - retrasarse - ser - vestir

1. No me gusta nada !_____*que vayas*_____! solo por la noche.
2. A mis padres les encanta !_____! en ese restaurante tan original.
3. ¿A ustedes no les preocupa !_____! el guía turístico? A mí, sí.
4. Me pone nervioso !_____! (vosotros) discutiendo todo el día con Alberto.
5. ¿Te molesta !_____! (nosotros) la tele? Hay un programa muy bueno.
6. Les encanta !_____! por teléfono.
7. Nos sorprende !_____! tan ordenado. Antes eras un desastre.
8. ¿A ti no te molesta !_____! todo el día ese ruido?
9. Me alegra !_____! tanto dinero, pero no entiendo por qué estás todo el día presumiendo de ello.
10. Le disgusta !_____! (tú) tan informal. No vengas a la oficina en vaqueros.

6. Elija la opción adecuada.

1. Me disgustó que no **vengas** /(**vinieras**) a mi fiesta. ¿Qué te pasó?
2. Le ha gustado que le **escribas** / **hayas escrito** esa carta tan bonita.
3. Nos divirtió mucho que mi hijo **hiciera** / **hubiera hecho** la cena para todos.
4. ¿Te molesta que me **ponga** / **pusiera** tu camisa nueva?
5. Me encantaría que me **regales** / **regalaras** ese disco. A ti no te gusta, ¿no?
6. Le sorprendió que ya **invitaras** / **hubieras invitado** a todo el mundo a la fiesta.
7. Me alegra que **decidas** / **hayas decidido** casarte. ¡Enhorabuena!
8. Me gustaría que **hayáis venido** / **vinierais** a cenar a casa.

ÍNDICE FUNCIONAL

1 Expresar causa

588	**Porque**	Es la expresión de la causa más general.
18	**A fuerza de**	Presenta la causa de algo como el resultado de una acción que implica esfuerzo, interés o intención.
63	**Al** + *infinitivo*	Indica la causa de un acontecimiento conocido por el interlocutor.
135 319	**Como** **En vista de**	Expresan la causa como la situación previa a un acontecimiento.
231	**De puro**	Presenta la causa de algo como consecuencia de una característica o actitud repetida.
233	**De tanto**	Presenta la causa de algo como el resultado de la insistencia de una acción.
234	**De tanto/a/os/as**	Presenta una causa como la cantidad de algo.
245	**Debido a**	Presenta una causa como *porque*, pero sólo se utiliza en registros cultos.
289	**El hecho de que**	Indica que un acontecimiento presentado previamente no es la causa de algo.
334	**Es que**	Presenta una causa como pretexto o justificación.
376	**Gracias a**	Presenta la causa como algo bien aceptado.
439	**Lo que pasa es que**	Presenta la causa de un problema.
555	**Por**	Expresa la causa o el motivo de algo con un matiz negativo.
570	**Por culpa de**	Presenta la causa como algo mal aceptado.
595 796	**Puesto que** **Ya que**	Expresan que lo dicho por quien escucha es la causa de algo.

1. ● Relacione las causas y las consecuencias.

1. No tengo tiempo.
2. Voy a ir al hospital.
3. Los niños se quedan a dormir en casa de los abuelos.
4. Hace muchísimo frío.
5. Esta noche es la fiesta de Elena.
6. Está muy disgustado.
7. Ya se han ido a dormir.
8. Alfonso está muy cansado.
9. No vamos a ir a la boda de Sonia.
10. Habla cuatro idiomas.

a. Ayer no durmió nada.
b. Esta noche podemos salir a cenar.
c. Le ha sido fácil encontrar trabajo.
d. Le han despedido del trabajo.
e. Mañana tienen que levantarse pronto.
f. Tienen que hacerme unos análisis.
g. No nos ha invitado.
h. No voy a salir a la calle.
i. Tengo que comprarle un regalo.
j. Terminaré el trabajo mañana.

2. Escriba las frases del ejercicio anterior utilizando *como* o *porque*.

1. *Como no tengo tiempo, terminaré el trabajo mañana.*
2.
3.
4.
5.
6.
7.
8.
9.
10.

3. Relacione la causa con su significado.

1. Aprobó la oposición porque estudió muchísimo.
2. Todo el mundo le tenía manía porque era muy soberbio.
3. Como me llamó muchas veces, consiguió convencerme para ir a su casa.
4. Se arruinó porque tenía muchos gastos.

a. La causa es el esfuerzo y el interés.
b. La causa es la cantidad de algo.
c. La causa es una acción realizada muchas veces.
d. La causa es una cualidad, una forma de ser.

4. Sustituya el *porque* o el *como* de las frases anteriores por *a fuerza de, de puro* o *de tanto/os*.

1. *Aprobó la oposición a fuerza de estudiar.*
2.
3.
4.

5. Marque la opción correcta.

1. Le despidieron a fuerza de / de puro / de tanto impuntual.
2. Conseguirá lo que quiera en la vida a fuerza de / de puro / de tanta tesón y esfuerzo.
3. A fuerza de / De puro / De tanto pesado que se puso, tuve que ir a cenar.
4. No sabe qué ponerse para la fiesta, a fuerza de / de puro / de tanta ropa como tiene.
5. Todo lo que tengo lo he conseguido a fuerza de / de puro / de tantos trabajar.
6. Se sentía mal a fuerza de / de puro / de tanto como comió.
7. Era siempre el centro de atención de las reuniones, a fuerza / de puro / de tanto simpático.
8. Se inundó el campo a fuerza de / de puro / de tanta lluvia.
9. Ya sé todos los verbos a fuerza de / de puro / de tantos repasarlos.

6. Complete con *el hecho de que, es que, gracias a, lo que pasa es que, por culpa de, ya que.*

1. Pues no, no estoy muy bien en el trabajo. ⌐_____*Lo que pasa es que*_____¬ tenemos un nuevo director y no está muy capacitado.
2. Este año no habrá subida ⌐_____¬ la bajada de las ventas.
3. ¿Que vas a casa de Pepe? Oye, pues ⌐_____¬ vas, llévale esto.
4. Pues sí, encontré un buen trabajo ⌐_____¬ que hablaba bien español.
5. ⌐_____¬ entiendas una regla, no significa que la domines.
6. No he hecho los ejercicios. ⌐_____¬ ayer tenía trabajo.
7. Le han castigado ⌐_____¬ las travesuras que hace en el colegio.
8. Está disgustado. ⌐_____¬ últimamente tiene problemas.
9. La reunión fue un éxito, ⌐_____¬ que todos hicimos lo posible para llegar a un acuerdo.
10. - No, mamá, no tengo deberes, así que voy a ver la tele.
    • Pues, ⌐_____¬ no tienes nada que hacer, ayúdame con esto.

7. Una estas frases en un solo párrafo utilizando los conectores que se indican.

1. Sino que / No porque / Sino porque

Hablar no es suficiente.	⌐*Hablar no es suficiente, sino que hay que*¬
Hay que hablar correctamente.	*hablar correctamente. Es importante*
Es importante participar en cursos de español.	*participar en cursos de español, no porque*
No es imprescindible, es más fácil.	*sea imprescindible, sino porque es más fácil.*

2. Puesto que / Sino que / No porque / Sino porque

El presidente es elegido democráticamente.

No puede hacer lo que quiera.

Tiene que consultar a los demás delegados.

No es su obligación, es su deber moral.

3. No por / Sino por / Es que / De puro

Conseguí un buen trabajo.

No por enchufe, por mi currículum.

Había estudiado mucho.

Soy muy constante.

4. Debido a / No es que / Sino que

Se fueron a vivir al centro de la ciudad y dejaron el chalet de las afueras.

Julia no tenía coche.

No tenían problemas económicos.

No tenía carné de conducir.

8. Complete las frases con la expresión causal más adecuada.

> a fuerza de - al - en vista de que - de puro - de tanta - el hecho de que - es que - gracias a - lo que pasa es que - por - por culpa de - puesto que

1. ¡___*El hecho de que*___! seas tú el presidente de la junta no te da derecho a decidir por los demás.
2. Consiguió lo que se propuso ¡_____! estudiar y prepararse para el futuro.
3. Es una persona muy querida ¡_____! bueno.
4. Hemos decidido no salir de vacaciones este año. ¡_____! mi suegra está enferma y no podemos dejarla sola.
5. Le llamaron la atención ¡_____! su impuntualidad.
6. No consiguió el puesto de trabajo ¡_____! las numerosas faltas de ortografía que tenía.
7. Se pudo solucionar el problema ¡_____! sus conocimientos de informática.
8. Sé que no te llevas bien con él y, ¡_____! no quieres verlo, iré yo.
9. ¡_____! los dos estaban solos, decidieron compartir un piso.
10. Siento llegar tan tarde, ¡_____! el tráfico estaba fatal.
11. Todos sabían que estaba incómodo en el departamento y, ¡_____! saberlo todo el mundo, fue cuestión de tiempo que saliera de él.
12. Tuvieron que hacer la conferencia en el aula magna ¡_____! gente como vino.

9. Marque la opción más adecuada.

1. - ¿Cómo es que / (Por qué) no vamos al cine esta tarde?
   - Vale, me parece una buena idea.
2. - ¿Es que / Por qué no viniste a la cena ayer? Te esperábamos.
   - Lo siento, salí muy tarde de trabajar.
3. - No te he traído el libro.
   - ¿Cómo es que / Por qué?
   - Pues, porque se lo he dejado a Virginia.
4. - María José y Jesús se van a casar.
   - Ah, ¿sí? ¿Y cómo es que / es que no me han dicho nada?
   - No sé, será porque lo han decidido hace poco.
5. - Uy, ¿es que / por qué llevas una escayola?
   - Es que me rompí la pierna esquiando.
   - ¡Qué mala suerte!
6. - ¿Cómo es que / Es que sabes tanto de este asunto?
   - Porque lo acabo de leer en el periódico.

▶ Para saber más, vaya a las fichas 45, pág. 94 y 74, pág. 152.

2 Expresar consecuencia

99	**Así (es) que**		Expresa la consecuencia de algo.
169	**Conque**		Expresa la consecuencia negativa de algo.
227	**De modo que**		Presentan las consecuencias finales de un razonamiento.
744	**Total, que**		
327	**Entonces**	*Indicativo*	Expresa una consecuencia que se considera como una información nueva, no implícita.
446	**Luego**		Presenta una deducción lógica.
518	**O sea, que**		Expresa la consecuencia implícita de algo.
572	**Por eso**		Expresa en un razonamiento la consecuencia de algo.
578	**Por (lo) tanto**		Se utiliza para hacer énfasis en la relación causa - efecto.
221	**De ahí**	*Subjuntivo*	Presenta una información como explicación de otra.

1. Relacione las frases.

1. Le tocó la lotería,
2. Le han trasladado a Bolivia,
3. Se acostó muy tarde,
4. El niño está enfermo, la niñera no puede venir hoy y estamos cansados.
5. Mi coche es muy pequeño.
6. Dicen que está nevando en la sierra.
7. La operación fue muy bien y,
8. Los políticos afirmaron que la ley estaba obsoleta y,
9. Hizo un trabajo estupendo,

a. **Total, que** no vamos a ir a la fiesta.
b. **por eso**, la anularon.
c. **así que** dejó el trabajo y ahora se dedica a las finanzas.
d. **de ahí que** se fuera a vivir a La Paz.
e. **por lo tanto**, le dieron el alta al día siguiente.
f. **luego** todavía estará durmiendo.
g. **O sea, que** no cabemos todos.
h. **Entonces**, no vamos a ir.
i. **de modo que** recibió un premio.

2. Marque la opción adecuada.

1. Tardó mucho en llegar, luego / total que / por eso se fueron todos.
2. No es verdad que estuvieras enfermo. Luego / Total, que / Por eso, has mentido.
3. Estaba lloviendo muchísimo, de ahí que / o sea, que / entonces fuera a recogerte.
4. Ella le pidió que se casaran; él estaba enamorado. De ahí / Entonces / Total, que dijo que sí.
5. Le ofrecieron un puesto de responsabilidad, de ahí que / de modo que / por eso, no pudo negarse.
6. A Juan le gustó el barrio, así que / entonces / total, que decidió buscar un piso aquí.
7. Se aburría en casa. Entonces / O sea, que / Total, que, se compró un perro.

3. Transforme estas frases causales en consecutivas utilizando los conectores indicados.

1. Tuvo que dimitir porque los periodistas destaparon el escándalo.
   ASÍ QUE *Los periodistas destaparon el escándalo, así que tuvo que dimitir.*

2. Hacía mucho calor, el aire acondicionado no funcionaba y no tenían mucho trabajo, decidieron cerrar la empresa unos días.
   POR ESO

3. Se enfadó mucho con nosotros porque no le habíamos invitado a la fiesta.
   DE AHÍ QUE

4. No voy a poder ir de excursión con vosotros. Mi suegra está enferma y mi mujer no se quiere quedar este fin de semana sola con ella.
   TOTAL, QUE

5. Hicimos lo que nos pidió porque no teníamos otra posibilidad.
   O SEA, QUE

6. Conseguirá un buen puesto de trabajo dado que tiene un buen currículum.
   LUEGO

7. Se puso muy nervioso porque tenía muchas posibilidades de conseguir el premio.
   ENTONCES

8. Es muy famoso porque es un buen músico, da muchos conciertos y se entrega al público.
   DE MODO QUE

9. Como estuvo lloviendo todo el día, hacía mucho frío y en la tele había una película muy buena, nos quedamos en casa.
   TOTAL, QUE

4. Forme una única frase con *de ahí que*.

1.	La casa les gustaba mucho. Era muy cara. Decidieron no comprarla.	*Aunque la casa les gustaba mucho, era muy cara, de ahí que decidieran no comprarla.*
2.	Quería irse de vacaciones. La empresa necesitaba los informes. Decidió no irse.	sin embargo
3.	Ella no se sentía muy bien. Hacía un día estupendo. Decidieron no salir a dar un paseo.	a pesar de que
4.	Tenía muy mal genio. Prefirieron no decirle la verdad. Se enfadó cuando lo supo.	Como
5.	Les ofrecieron un contrato interesante. Optaron por comprar más material.	

▶ Para saber más, vaya a la ficha 78, pág. 160.

3 Expresar condiciones

681	**Si** + *Presente de Indicativo*	Expresa condiciones reales.
	Si + *Imperfecto de Subjuntivo*	Expresa condiciones irreales o poco posibles.
	Si + *Pluscuamperfecto de Subjuntivo*	Expresa condiciones imposibles.
211	**De** + *infinitivo*	Expresa una condición irreal.

1. Relacione las frases.

1. Normalmente, si tengo tiempo,
2. Este verano, si consigo un vuelo barato,
3. Por favor, si ves a Ismael,
4. Miguel, si hace frío,
5. Si voy a la fiesta,
6. En diciembre, si no hay mucho trabajo,
7. Si no sabes qué hacer,
8. En general, si es fin de semana,
9. En mi trabajo, si no funciona la conexión a Internet,
10. Si quieres,

a. dile que me llame.
b. iré a México.
c. iré mañana a verte.
d. voy unos días a esquiar.
e. llama a tus amigos y queda con ellos.
f. no salgas a la calle.
g. no puedo trabajar.
h. preparé ese postre que tanto te gusta.
i. suelo salir a pasear por el campo.
j. voy al gimnasio a hacer ejercicio.

2. Subraye los tiempos verbales de las frases anteriores y complete el cuadro.

Para expresar condiciones reales se utiliza *SI* + ⌐_____⌐ y después hay tres posibilidades:
- Con ⌐_____⌐ para referirse a acciones habituales.
- Con ⌐_____⌐ para referirse a planes futuros.
- Con ⌐_____⌐ para dar consejos u órdenes.

3. Complete las frases con los verbos entre paréntesis en la forma adecuada.

1. Si quieres saber que pasó, ⌐___*pregunta*___⌐ (preguntar) a Lucía. Ella te lo explicará.
2. Si tengo que estudiar, ⌐_____⌐ (preferir) hacerlo por la noche. Me concentro más.
3. Si no sabes dónde ir, ⌐_____⌐ (consultar) la *Guía del Ocio*. Hay muchas ofertas.
4. Si tenéis tiempo, ⌐_____⌐ (venir) a verme al hospital. Estoy muy aburrido.
5. Mira, si está enfermo, ⌐_____⌐ (querer) estar solo. No le molestes.
6. Si mi coche se estropea, ⌐_____⌐ (soler) llevarlo al taller de Paco.
7. Si no haces las cosas por las buenas, las ⌐_____⌐ (hacer) por las malas.
8. En esta época del año, si no te abrigas, te ⌐_____⌐ (enfriar). Ponte un jersey.

4. Transforme las frases como en el ejemplo.

1. Me gustaría ir contigo, pero no puedo. *Si pudiera, iría contigo*
2. Me encantaría comprarme ese libro, pero no tengo suficiente dinero.
3. Me haría mucha ilusión ir a tu exposición, pero tengo otro compromiso.
4. Daríamos un paseo con vosotros, pero tenemos que salir de viaje.
5. Es buena idea invitarle a la fiesta, pero no sé su número de teléfono.
6. Me gustaría quedarme, pero me esperan en casa.
7. No se ha enfadado, porque no se lo he notado.

5. Relacione las frases con las situaciones.

1. Si tuviera tiempo, iría a verte después del trabajo.
2. Si hubiera tenido tiempo, habría ido a verte, pero me fue imposible.
3. Si te hubieras abrigado al salir de casa, no te habrías resfriado.
4. Si te hubieras abrigado al salir de casa, ahora no estarías enfermo.
5. Si me dijeras lo que quieres, te lo compraría.
6. Si me hubieras dicho lo que querías, te lo habría comprado.

a. No fui a verte.
b. Tal vez iré, pero no creo.
c. Pero estás enfermo.
d. Pero te has constipado.
e. Me gustaría comprártelo, pero no dices nada.
f. No te lo he comprado, porque no me has dicho nada.

6. Reflexione, relacione y complete.

1. Se utiliza *SI* + Imperfecto de Subjuntivo para referirse a...	a. Condiciones imposibles, porque no se han producido en el pasado.
2. Se utiliza *SI* + Pluscuamperfecto de Subjuntivo para referirse a...	b. Condiciones presentes o futuras posibles, pero poco probables.

Con *SI* + Imperfecto de Subjuntivo, la consecuencia puede ir en _____ para referir-se a lo que podría pasar ahora si se hubiera cumplido la condición, y con _____ para referirse a lo que podía haber pasado entonces si se hubiera cumplido la condición.

7. Complete las frases con los verbos entre paréntesis en la forma adecuada.

1. Si hoy no ⌐___*hiciera*___¬ (hacer) tanto frío, ⌐_____¬ (ir, nosotros) a la montaña.
2. Si ayer ⌐_____¬ (repasar) la gramática, hoy te ⌐_____¬ (saber) los verbos.
3. Si me lo ⌐_____¬ (decir, tú) antes, te ⌐_____¬ (ayudar). Ahora es tarde.
4. Si me ⌐_____¬ (querer, tú) como dices, no me ⌐_____¬ (hacer) estas cosas.
5. Si ⌐_____¬ (saber, nosotros) que estabas solo, te ⌐_____¬ (invitar).
6. Si ⌐_____¬ (poder, yo) venir antes, lo ⌐_____¬ (hacer), de verdad.
7. Si yo ⌐_____¬ (ser) tú, no ⌐_____¬ (elegir) esa opción, no me gusta.
8. Si tú ⌐_____¬ (querer), ⌐_____¬ (poder) hacerlo.
9. Estoy seguro de que, si la ⌐_____¬ (invitar), ⌐_____¬ (venir) mañana.
10. Nos dieron un premio. Si no nos ⌐_____¬ (esforzar), no nos lo ⌐_____¬ (dar), seguro.

8. Exprese arrepentimiento ante estas situaciones.

1. Has ido a una fiesta a la que no querías ir y te estás aburriendo.
   ⌐*Si no hubiera venido, no me estaría aburriendo.*_____¬
2. Has suspendido un examen porque no has estudiado mucho.
   ⌐_____¬
3. Un amigo se ha enfadado contigo porque te has olvidado de felicitarle por su cumpleaños.
   ⌐_____¬
4. Estás muy cansado porque has hecho una mudanza tú solo.
   ⌐_____¬
5. Estás en el supermercado y no puedes comprar lo que quieres porque no has traído suficiente dinero.
   ⌐_____¬
6. Tienes que pasar el fin de semana limpiando la casa porque te vas de viaje el lunes.
   ⌐_____¬

9. Relacione las frases.

1. Si me lo hubieras pedido, te lo habría dado.	a. De querer, lo podrías hacer.
2. Si hubieras querido, lo habrías hecho.	b. De haber querido, lo habrías hecho.
3. Si estuviera en tu lugar, no lo haría.	c. De ser verdad lo que dices, no estarías tan tranquilo.
4. Si fuera verdad lo que dices, no estarías tan tranquilo.	d. De habérmelo pedido, te lo habría dado.
5. Si quisieras, lo podrías hacer.	e. De estar en tu lugar, yo no lo haría.

▸ Para saber más, vaya a las fichas 33, pág. 70, 34, pág. 72, 46, pág. 96, 77, pág. 158 y **4**, pág. 185.

4 Expresar condiciones especiales

34	A poder ser	*Infinitivo*	Expresa una posibilidad.
136	**Como**		Expresa una condición como una advertencia o amenaza.
158	**Con que**	*Subjuntivo*	
162	**Con tal de que**		Expresan una condición que se considera mínima.
695	**Siempre que**		
711	**Sólo si**	*Indicativo / Subjuntivo*	
161	**Con sólo**	*Infinitivo*	Expresan una condición única y suficiente.
710	**Sólo con**		
304	**En caso de que**		Presenta una posibilidad remota de que algo ocurra.
468	**Mientras**		Presenta una condición simultánea.
29	**A menos que**	*Subjuntivo*	
31	**A no ser que**		Expresan lo único que podría ocurrir para que no se produzca algo.
364	**Excepto que**		
637	**Salvo que**		

1. Sustituya la expresión señalada por *siempre que*, *a menos que* o *sólo con*.

1. Te dejo mi ordenador **con tal de que** me lo devuelvas mañana. | _Siempre que_ |
2. Haré los ejercicios luego, **excepto que** me quede dormido. | |
3. Le devolveremos el dinero **con sólo** traer el *ticket* de compra. | |
4. **Con que** me digas dónde está, es suficiente. | |
5. **Salvo que** le renueven, volverá en verano. | |
6. Dejará de molestarte **con sólo** pedírselo. | |
7. Se casarán en noviembre **a no ser que** surja un imprevisto. | |

2. Relacione las dos partes del diálogo.

1. ¿Me dejas tu cámara de fotos para llevármela de viaje?
2. ¿Puedo llevarme tu coche? El mío está en el taller.
3. ¿Puedo pasar a verte ahora mismo a tu despacho?
4. ¿Le compramos este libro a Carlos?
5. ¿Vamos a cenar a casa de mis padres?

a. Bueno, pero no te pongas a discutir de política con tu padre como siempre.
b. Vale, pero infórmate antes de si no lo tiene ya.
c. Sí, diez minutos, tengo una reunión dentro de media hora.
d. Sí, pero devuélvemelo esta noche, que lo necesito para ir a ver a María.
e. Sí, pero tienes que cuidarla mucho. Es un regalo.

3. Ahora escriba frases con los diálogos del ejercicio anterior utilizando *con tal de que*.

1. *Te dejo mi cámara de fotos para el viaje con tal de que la cuides mucho. Es un regalo.*
2.
3.
4.
5.

4. Una las frases con *a no ser que*.

1. Saldremos con vosotros.
   Pero, si llueve, no.

   Saldremos con vosotros a no ser que llueva.

2. No quiere cambiarse de empresa.
   Pero, si no le cambian el horario, sí.

3. Vamos a comprar esa casa.
   Pero, si suben el precio, no.

4. Iremos de vacaciones.
   Pero si no encontramos una oferta, no.

5. Te llevaré al aeropuerto.
   Pero si el vuelo sale pronto, no.

5. Transforme las frases con *en caso de que*.

1. Mañana nos vamos de excursión. Tal vez lloverá. Dormiremos en un albergue.
   Mañana nos vamos de excursión y, en caso de que llueva, dormiremos en un albergue.

2. Yo os llevaré al aeropuerto. Quizá salga tarde de trabajar. Os llevará mi mujer.

3. Tengo todo el dinero ahorrado para comprar la moto. Es posible que sea más cara. Mis padres me prestarán el resto.

4. Llegaré a tiempo a la reunión porque el avión aterriza a las diez. Quizá se retrase. Esperadme.

5. Volveré pronto. Si llego más tarde, te llamaré para avisarte.

6. Elija la opción adecuada.

1. Mira, **con tal de que** / (mientras) estés en mi casa, harás lo que yo diga.
2. Te ayudaré siempre, **excepto que** / **sólo con** llamarme, estaré a tu lado.
3. Ven a buscarme al aeropuerto, por favor, y **en caso de que** / **siempre que** no puedas, díselo a Asunción. Llevo muchas maletas.
4. Es muy fácil, **como** / **con que** pongas un poco de atención, te saldrá perfectamente.
5. No le molestes **a menos que** / **con que** no te quede otra alternativa, está reunido.
6. Por favor, arrégleme el coche, **a poder ser** / **siempre que** para mañana.
7. **A no ser que** / **Con tal de que** el avión se retrase, estarán aquí a las doce.
8. Te dejaré mi diccionario **como** / **con tal de que** me lo devuelvas el martes.
9. Es muy amable y servicial, **en caso de que** / **siempre que** le pido algo, lo hace.
10. Esta película va a ser todo un éxito **salvo que** / **sólo si** hagan una mala promoción.

7. Complete con el verbo entre paréntesis en la forma adecuada.

1. Te escribiré siempre que tú también me ⌐___*escribas*___¬ (escribir).
2. Te espero para comer sólo si ⌐_____¬ (ir) a venir pronto.
3. Se cambian de apartamento a menos que les ⌐_____¬ (dejar) hacer obras.
4. Mira, como no ⌐_____¬ (cambiar) de actitud, vas a tener problemas.
5. En caso de que ⌐_____¬ (querer) verlo, está alojado en ese hotel.
6. Es fácil de utilizar. Con sólo ⌐_____¬ (apretar) el botón, funciona.
7. Te perdono, siempre que ⌐_____¬ (prometerme) no volver a engañarme.
8. Te llamaré esta tarde, a no ser que ⌐_____¬ (conseguir) la pieza antes.

8. Transforme las frases anteriores de acuerdo al nuevo contexto.

1. Me prometió que ⌐_*me escribiría, siempre que yo también le escribiera.*_¬
   Le escribí y no me contestó.
2. Me dijo que ⌐_____¬,
   pero llegué pronto y ya había comido.
3. Juraron que ⌐_____¬,
   pero al final decidieron quedarse.
4. Le advirtió de que ⌐_____¬.
   Como no cambió, las cosas le fueron mal.
5. Me aseguró que ⌐_____¬, pero
   no era verdad.
6. Me explicó que ⌐_____¬,
   pero no lo pude poner en marcha.
7. Le digo siempre la verdad porque me dijo que ⌐_____¬
8. Me dijo que ⌐_____¬, pero no la consiguió.

▸ Para saber más, vaya a las fichas 33, pág. 70, 34, pág. 72, 46, pág. 96, 77, pág. 158 y ③, pág. 182.

5 Expresar sentimientos

69	**Alegrarse**		Expresa satisfacción por algo que le sucede a otra persona.
70	**Alegrarse de**	*Infinitivo* *Que + Subjuntivo*	Indica satisfacción por lo que hace uno mismo o por lo que hace otra persona.
148	**Con** + *alguien / algo*		Expresa un sentimiento o una sensación que se tiene en relación a algo o alguien.
198	**Dar**		Expresa una reacción ante algo.
320	**Encantarle**	*Infinitivo* *Que + Subjuntivo*	Expresa que algo gusta muchísimo.
378	**Gustarle**		Expresa gustos.
552	**Ponerse**		Se refiere a un cambio rápido e instantáneo y de poca duración experimentado por una persona.
395	**Hacia** + *persona*		Expresa el destinatario de un sentimiento.
554	**Por** + *algo / alguien*		Indica el causante de un sentimiento, actitud o estado mental.
609	**¡Qué bien!**		Expresa satisfacción o alegría.
613	**Qué pena** **Qué raro** **Qué suerte**	*Que + Subjuntivo*	Expresan una reacción con sorpresa, mostrando un sentimiento.
649	**Sentir**		Expresa una sensación o un sentimiento ante algo.

1. Lea las frases y subraye el verbo.

1. Me <u>gustan</u> mucho estos pasteles.
2. No me gusta nada vivir en la ciudad.
3. Me encanta el chocolate.
4. No nos gusta la carne muy hecha.
5. Les encantan los churros.
6. ¿Os gusta esquiar?
7. No me gustan mucho las discotecas.
8. A mis padres les encanta veranear en la costa.
9. Me alegra la música moderna.
10. Me dan pena los niños que lloran.

2. Complete el cuadro.

Los verbos de sentimientos y gustos, como *gustarle*, *encantarle*, etc., se utilizan en tercera persona de singular cuando van con ⌐_____⌐ singulares y con ⌐_____⌐. Van en plural con ⌐_____⌐.

3. Relacione.

1. Me gusta   2. Me gustan

a. la música clásica.
b. las motos.
c. jugar al fútbol
d. los domingos
e. el deporte
f. comer bien

4. Relacione las dos partes del diálogo.

1. Nos vamos a casar.
2. No voy a poder ir a tu fiesta.
3. Me ha tocado la lotería.
4. No ha venido Teresa.
5. Mi abuelo está muy enfermo.
6. Hay una conferencia sobre filosofía.
7. Mi madre no me deja salir.
8. Ha estado cinco horas hablando de sí mismo.
9. Mira, hay payasos en la tele.

a. ¡Qué aburrido!
b. ¡Lo siento mucho!
c. ¡Qué raro!
d. ¡Qué interesante!
e. ¡Qué bien!
f. ¡Qué divertido!
g. ¡Qué suerte!
h. ¡Qué pena!
i. ¡Qué pesado!

5. Escriba las frases del ejercicio anterior.

1. *¡Qué bien que os vayáis a casar.*
2.
3.
4.
5.
6.
7.
8.
9.

6. Relacione con *poner* o con *dar*.

miedo   de mal humor
nervioso   triste
rojo   igual
pena   enfermo
vergüenza   histérico

Poner		Dar	
-	-	- *miedo*	-
-	-	-	-
-	-		

7. Complete con *poner* o *dar* en la forma adecuada.

1. Siento haber estado tan torpe. Es que me ⌐_____ *he puesto* _____¬ muy nervioso.
2. No voy a ir a esa fiesta. Me ⌐_____¬ vergüenza ir a una fiesta donde no conozco a nadie.
3. Se ⌐_____¬ de muy mal humor cuando supo que no íbamos.
4. ¿Tú no te ⌐_____¬ colorado cuando te regañan?
5. Cuando era pequeño, le ⌐_____¬ pena ver a los gatos abandonados. Por eso tenía tantos en casa.
6. Me ⌐_____¬ mucha rabia enterarme de la noticia por otros.
7. Se ⌐_____¬ tristes cuando vieron que ya no estabas en casa.

8. Transforme las frases como en el ejemplo.

1. Me pongo muy contento si veo mucha gente en casa.
   ⌐ *Me pone muy contento ver mucha gente en casa.* _____¬
2. Se pone triste si no hay ruido en casa.
   ⌐_____¬
3. Se ponen muy nerviosos si no les damos la razón.
   ⌐_____¬
4. Me ponía muy enfermo si no saludaban.
   ⌐_____¬

9. Elija la opción adecuada.

1. Sentí mucho que no **hayas venido** / **vinieras** / (**hubieras venido**) a mi fiesta.
2. Me da mucha pena que **seas** / **fueras** / **hubieras sido** tan poco formal. Tienes que cambiar.
3. Me pone nervioso que siempre **llegues** / **hayas llegado** / **llegaras** tarde.
4. Me puso de muy mal humor que Carlos **diga** / **haya dicho** / **dijera** eso de nosotros.
5. Me sorprendió que no me **haya llamado** / **llamara** / **hubiera llamado** con antelación.
6. Me encanta que te **acuerdes** / **hayas acordado** / **hubieras acordado** de mi cumpleaños.
7. Me alegró que **vengas** / **vinieras** / **hubieras venido** a mi boda.
8. Me hubiera gustado que no **ocurra** / **ocurriera** / **hubieran ocurrido** así las cosas, pero ya es tarde para cambiarlas.

▶ **Para saber más, vaya a las fichas 42, pág. 88, 36, pág. 268, 48, pág. 298 y 49, pág. 301.**

6 Expresar deseos

36	**A ver si**	*Indicativo*	Expresa una invitación para hacer algo, un reto que cumplir.
98	**Así**		Expresa un deseo negativo o una maldición.
340	**Esperar**		Expresa esperanza o deseo.
520	**Ojalá**	*Subjuntivo*	Expresa un deseo que no es fácil que se produzca.
600	**Que**		Expresa deseos en situaciones determinadas y establecidas culturalmente.
623	**¡Quién!**		Expresa una amargura por algo que no se tiene o no se es.

1. Relacione las situaciones con los diálogos.

1. Para empezar el día.
2. Antes de salir de viaje.
3. Antes de empezar a comer.
4. A alguien enfermo.
5. Antes de irse a dormir.
6. A alguien que comienza algo.
7. A alguien con quien no se desea continuar hablando.
8. Para despedirse.

a. Que tengas suerte.
b. Que te mejores.
c. Que me dejes en paz.
d. Que tengas un buen día.
e. Que aproveche.
f. Que descanses.
g. Que te vaya bien.
h. Que tengas buen viaje.

2. Complete con el verbo entre paréntesis y marque el tipo de deseo que expresa.

	Buen deseo (Bendición)	Mal deseo (Maldición)
1. Así ¡_____te estrelles_____! (estrellarse, tú).		✓
2. Ojalá que te ¡_____! (ir) bonito.		
3. Espero que ¡_____! (saber) tomar la mejor decisión.		
4. "Ojalá que ¡_____! (llover) café en el campo".		
5. Así ¡_____! (partirte) un rayo.		
6. Ojalá ¡_____! (pasar) algo que te haga cambiar.		
7. Espero que todo ¡_____! (salir) bien.		
8. Deseo que ¡_____! (tener, vosotros) una feliz salida y entrada de año.		
9. Así ¡_____! (hacer, ellos) lo mismo contigo.		
10. Deseo que ¡_____! (pasar, vosotros) unas felices fiestas.		

3. Complete con el verbo apropiado en Pretérito Imperfecto de Subjuntivo.

> estar - tener - saber - poder - llevar

1. ¡Quién !____llevara____! un buen abrigo ahora que hace tanto frío!
2. ¡Quién !_____! veinte años de nuevo!
3. ¡Quién !_____! amar con sinceridad!
4. ¡Quién !_____! volar!
5. ¡Quién !_____! allí ahora!

4. Complete con el tiempo apropiado de los verbos entre paréntesis incluyendo *que* en los casos necesarios.

1. Espero !____que tengas____! (tener, tú) razón.
2. Espero !_____! (tener, yo) razón.
3. Deseo tanto !_____! (acabar) todo esto.
4. Espero !_____! (aprobar) el examen y poder irme de vacaciones.
5. Espero !_____! (escribirme, tú) pronto.
6. Espero !_____! (terminar, yo) esto antes del mediodía.
7. Que !_____! (pasar) un feliz cumpleaños.
8. Deseo que todos mis bienes !_____! (pasar) a mi esposa.
9. No deseo sino !_____! (estar, yo) tranquilo.
10. Les deseo !_____! (pasar) unas felices Pascuas.

5. Relacione la situación con el deseo.

1. Quieres ir de vacaciones, pero no puedes hasta que no termines un trabajo importante que estás haciendo.

2. Un familiar tiene que ir al médico porque no se encuentra muy bien.

3. Un amigo está pasando un mal momento personal y tú no puedes hacer nada para ayudarle.

4. Has tenido un pequeño accidente con el coche de un compañero y se ha estropeado.

5. Estás trabajando cuando se te estropea el ordenador casi cuando estás terminando.

a. Ojalá me cunda el tiempo y acabe este trabajo pronto.

b. Ojalá no sea muy cara la reparación.

c. Ojalá no sea nada importante.

d. Ojalá pudiera hacer algo por él.

e. Ojalá supiera arreglar estos aparatos.

▶ Para saber más, vaya a la ficha 44, pág. 92.

7 Expresar finalidad

17 **A fin de**	
154 **Con el objeto de**	Expresan finalidad.
163 **Con vistas a**	
526 **Para**	
532 **¿Para qué?**	Pregunta por la finalidad de algo.
557 **Por**	Indica el motivo que provoca una acción.
601 **Que**	Expresa la finalidad de una petición.

1. **Observe estos diálogos y subraye la preposición *para*.**

Mira lo que he comprado. Esto es <u>para</u> mí. Lo he comprado para la boda de Braulio, para ir bien guapa. Esto es para Miguel, para que se lo lleve a la excursión.

¿Y para mí no hay nada?

Claro que sí. Toma, esto es para ti.

2. **Complete el cuadro.**

Para indicar el destinatario de una acción o de algo, se utiliza la preposición *para* con ⌐_____¬ o con ⌐_____¬.

Para indicar la finalidad podemos utilizar un ⌐_____¬ o un verbo. El verbo va en ⌐_____¬ cuando el sujeto de las dos oraciones es la misma persona. Si el sujeto de las dos oraciones es diferente, se utiliza *para* seguido de ⌐_____¬ y el verbo en ⌐_____¬.

3. **Complete con *para* o *para que* con los verbos entre paréntesis.**

1. El médico me ha mandando estas pastillas ⌐*para que me baje*¬ (bajarme) la fiebre.
2. Tómate este calmante ⌐_____¬ (poder, tú) dormir mejor.
3. Quiere irse a Mallorca unos días ⌐_____¬ (descansar). Está muy estresado.
4. Quiere venir con nosotros a Mallorca ⌐_____¬ (costarle) menos el alquiler.
5. He comprado este disco ⌐_____¬ (ponerlo) en tu fiesta de cumpleaños.
6. Te he comprado este disco ⌐_____¬ (bailar, tú).
7. Me ha llamado por teléfono ⌐_____¬ (decir) la verdad de lo que ocurrió.
8. Me ha llamado ⌐_____¬ (contarme) lo que pasó.
9. Voy a mandarle un correo electrónico ⌐_____¬ (saber) cómo está.
10. Voy a mandarle un correo electrónico ⌐_____¬ (saber) cómo estoy.

4. Complete con el verbo en Presente o en Imperfecto de Subjuntivo.

1. Le pedí un informe para que no !_____*hubiera*_____! (haber) duda de lo sucedido.
2. Me han dado una beca para que !_____! (poder) estudiar en el extranjero.
3. Me avisó con tiempo para que !_____! (saber) lo que tenía que hacer.
4. Toma, esto es para ti, para que te lo !_____! (llevar) a París.
5. Te llamé para que me !_____! (confirmar) la cita, pero ya no estabas.
6. Te voy a dejar mi coche para que !_____! (llevar) a la abuela a su casa.
7. No quiero decir nada para que no !_____! (enfadarse, él) conmigo.
8. Hizo una carta de protesta para que le !_____! (devolver) el dinero.
9. He dejado de llamarle para que no !_____! (creer) que lo estoy presionando
10. Pidió disculpas para que !_____! (creer, ellos) que había sido él el culpable

5. Complete las frases con *por* o *para*.

1. Esto lo he hecho !____*por*____! ti.
2. Toma, esto es !_____! ti. Feliz aniversario.
3. Es una organización que lucha !_____! la paz y la justicia en el mundo
   !_____! denunciar las injusticias que ocurren.
4. Es una empresa beneficiosa !_____! la comunidad. Da muchos puestos de trabajo
5. Esta comisión trabaja !_____! los derechos de las mujeres, !_____! que no
   haya desigualdades.
6. !_____! Raúl, todo lo que hace Marta es !_____! el bien de todos.

6. Elija la opción adecuada.

1. Y esto, ¿**para que** / (**para qué**) sirve?
2. **Para que** / **Para qué** lo sepas, me voy a vivir al mar.
3. No sé **para que** / **para qué** sirve esto, pero es muy bonito.
4. Tengo ganas de verlo de nuevo y decirle lo mucho que lo quiero, **para que** / **para qué**
   sepa que lo he echado de menos.
5. Le preguntó que **para que** / **para qué** quería eso, pero no supo contestarle.

7. Complete las expresiones con las preposiciones adecuadas.

1. Se reunirá la directiva !_____*a*_____! fin !_____*de*_____! dar una solución al conflicto.
2. El sindicato convocó la huelga !_____! el objeto de reclamar una subida salarial.
3. El alcalde trabajó mucho !_____! vistas !_____! que su ciudad fuera sede olímpica
4. Te mando esta tarde los documentos !_____! fin !_____! que puedas preparar e
   informe.
5. Le regaló un reloj !_____! vistas !_____! la boda.

8. Relacione las preguntas con las respuestas.

1. ¿Para qué es este aparato?
2. ¿Para qué me has llamado esta mañana?
3. ¿Para qué me traes esto?
4. ¿Por qué fuiste a verle?
5. ¿Por qué salís tan pronto?
6. ¿Para qué quieres el periódico de ayer?

a. ¡Cómo que para qué! Pues para que te lo comas, ¿para qué va a ser?
b. Para abrir botellas. Me lo ha regalado Begoña.
c. Para evitar el tráfico. A esas horas casi no hay coches en la carretera.
d. Para que mi hija recorte unas fotos, que las necesita para el colegio.
e. Para que no estuviera solo, me daba pena.
f. Porque pensaba que te habías dormido, para despertarte.

9. Lea estas frases e indique si expresan causa (C) o finalidad (F).

		C	F
1.	Compra un poco de pan, que casi no nos queda para cenar.	✓	
2.	Pon ese jarrón en el armario, que no se rompa.		
3.	Mira antes de cruzar, que pasan muchos coches por esta calle.		
4.	Ve a ver al niño, que no esté solo mucho tiempo.		
5.	Sujétame la escalera, que no se mueva.		
6.	Dame un vaso de agua, por favor, que tengo mucha sed.		

10. Reflexione y complete el cuadro.

Con expresiones de petición u orden se utiliza *que* + Indicativo para expresar _____ y *que* + Subjuntivo para expresar _____.

11. Complete las frases con el verbo en la forma adecuada.

1. Compra detergente, que no ⌐___*hay*___⌐ (haber) más en casa.
2. Ponle un poco más de comida a Toby, que no se ⌐_____⌐ (quedar) con hambre.
3. Visita al oftalmólogo, que te ⌐_____⌐ (graduar) la vista.
4. Escríbeme pronto, que ⌐_____⌐ (querer, yo) saber de ti.
5. Mírame a los ojos, que ⌐_____⌐ (ver, yo) que no me estás mintiendo.
6. Termina ya de escribir, que no ⌐_____⌐ (haber) más papel.

▶ Para saber más, vaya a la ficha 79, pág. 162.

8 Expresar modo

20	**A la**	*Adjetivo*	Expresa el modo de hacer algo comparándol con cómo se supone que se hace en una cultur
21	**A lo**	*Nombre* *Adjetivo*	Expresa el modo de hacer algo comparándolo con algo.
97	**Así**		
225	**De esta manera**		Indican el modo de hacer algo.
419	**La manera en que**	*Indicativo / Subjuntivo*	
137	**Como**		
166	**Conforme**		Expresan la manera de realizarse algo.
644	**Según**		
139	**Como si**	*Subjuntivo*	Describe una sensación comparándola con otra similar.
489	**Ni que**		Compara algo con una situación extrema.
698	**Sin**	*Infinitivo* *Que + Subjuntivo*	Indica el modo de hacer algo por la ausencia d una actividad.

1. Observe estas frases y relaciónelas con su significado.

1. Hice el mueble como indicaban las instrucciones.
2. Lo haré como indiquen las instrucciones.
3. Lo haremos según nos has pedido, no te preocupes.
4. Normalmente hago los deberes según lo pide el profesor.
5. Se sentirá muchísimo mejor conforme le vayan haciendo efecto las medicinas.
6. Se sintió mejor conforme, le había dicho el doctor.
7. No me gustó la manera en que me habló.
8. Cuando lo conozcas, te encantará la manera en que te habla.

a. De una manera conocida, experimentada.
b. De una manera que toda- vía no es conocida, futura.

2. Subraye en las frases anteriores los verbos que van después de la expresión modal y complete el cuadro.

Se utilizan las expresiones modales con ⌊_____⌋ cuando se refieren a una manera de realizar la acción habitual. Se utilizan con ⌊_____⌋ cuando es una manera ya realizada, conocida y experimentada. En cambio, se utilizan con ⌊_____⌋ cuando es una manera no conocida, futura.

3. Complete las frases con la forma apropiada de Indicativo o Subjuntivo del verbo entre paréntesis.

1. No te preocupes por el dinero, me lo devolverás como !_____puedas_____! (poder).
2. Fueron entrando según !_____! (ir) llegando.
3. Es aconsejable borrar los mensajes de correo electrónico conforme !_____! (irse) leyendo.
4. Se examinarán del práctico conforme !_____! (aprobar) el teórico.
5. Se informará a la población conforme !_____! (recibirse) noticias.
6. La investigación avanzaba a buen ritmo, según !_____! (descubrirse) nuevas informaciones.
7. Lo sabrás según !_____! (hacerse) mayor.
8. Te acostumbrarás conforme !_____! (pasar) el tiempo.
9. Reía con más fuerza según !_____! (recordar) los detalles.
10. Los ánimos se caldeaban conforme !_____! (avanzar) el partido.

4. Complete los diálogos, utilizando el Presente de Subjuntivo de los verbos del recuadro.

> ser (2) - tener - dar - poder - saber - parecer - querer - gustar - resultar

1. - ¿Cómo arreglo la impresora?
   • Como !_____sea_____! más rápido.
2. - ¿Cómo limpio el pescado?
   • Como usted !_____! por costumbre.
3. - ¿Cómo se lo digo?
   • Díselo como !_____!.
4. - ¿Cómo preparo la cena?
   • No importa cómo. Hazlo como te !_____! la gana.
5. - ¿Cómo coloco los platos?
   • Como mejor te !_____!.
6. - ¿Cómo ordeno las facturas?
   • Como le !_____! más cómodo.
7. - ¿Cómo lo organizo?
   • Como !_____!.
8. - ¿Cómo le envío los documentos?
   • Como le !_____! más barato.
9. - ¿Lo pinto de verde o de naranja?
   • Como más te !_____!.
10. - ¿Cómo salgo de este lío?
    • Como mejor !_____!.

5. Elija la opción adecuada.

1. De verdad que hicimos las cosas de así /(la manera en que) nos habías explicado.
2. Haz el pastel así / de esta manera, como pone en este libro de cocina.
3. Es mejor ser prudentes, de esta manera / la manera en que nos aseguramos de que no pase nada.
4. Puedes hacerlo tú solo o con ayuda, pero en compañía todo parece más fácil y, además, de este modo / la manera en que no tienes que hacer tú todo el esfuerzo.
5. No se hace así / este modo. ¿Es que no lo ves?

6. Complete las frases utilizando un elemento del recuadro.

chita callando - francesa - baja - boloñesa - Marilyn Monroe - Elvis Presley - argentina - italiana - tonto - loco

1. Al final de la boda los novios se despidieron a la !_____ *francesa* _____!.
2. Esta semana el peso se cotiza a la !_____!.
3. No se debe conducir sin precaución, a lo !_____!.
4. El modelo llevaba un peinado a lo !_____!.
5. ¿La pizza es a la !_____! o a la !_____!?
6. Esta salsa a la !_____! está deliciosa.
7. A lo !_____! está consiguiendo todos sus propósitos.
8. Está de moda otra vez el rubio platino a lo !_____!.
9. Hay que ser sigiloso y actuar a la !_____!.

7. Elija la opción correcta.

1. Me duele mucho la espalda, como si me dan /(dieran)/ darían golpes.
2. Me molesta mucho que me trates como si soy / fuera / hubiera sido tonto.
3. Vino con la ropa completamente sucia, como si estuviera / hubiera estado / estaría er una obra.
4. No hables en ese tono, ni que eres / seas / fueras el Primer Ministro.
5. No sé de dónde saca el dinero, pero gasta muchísimo. Ni que le ha tocado / tocara , hubiera tocado la lotería.
6. Me siento como si fuera / hubiera sido / sería el hombre más feliz de la tierra.
7. Le trataron muy mal. Ni que sea / fuera / haya sido un ogro.
8. Sintió como si tiene / tenga / tuviera alas y pudiera volar.
9. Nos cruzamos por los pasillos, pero ni me saludó. Como si seamos / éramos / fuéramo unos perfectos desconocidos.

8. Complete las frases con *ni* o *sin*.

1. Se dio cuenta de lo que pasaba !_____ *sin* _____! que le dijéramos nada. Es muy perspicaz
2. No se molestó en contestar a nuestras preguntas. !_____! que le hubiéramos pedi do un imposible.
3. Estaba tan preocupado por lo de Araceli que me fui !_____! que me hubierar entregado el sobre.
4. Sólo piensa en sí mismo y en sus líos. !_____! que los demás no tuviéramos proble mas.
5. Se puso tan colérico que nadie se atrevió a decirle nada y lo dejamos en la sala !_____! que nadie le hiciera un reproche.

▶ **Para saber más, vaya a las fichas 50, pág. 104 y 63, pág. 130.**

❾ Expresar tiempo:
Acciones progresivas y contemporáneas

186	**Cuando**	Son las expresiones más generales para expresar tiempo.
62	**Al** + *infinitivo*	
330	**Entretanto**	
467	**Mientras**	Presentan un acontecimiento como simultáneo a otro.
470	**Mientras tanto**	
27	**A medida que**	
165	**Conforme**	Presentan dos acontecimientos como progresivos y paralelos.
646	**Según**	
125	**Cada vez que**	
694	**Siempre que**	Indican que dos acciones son contemporáneas.
737	**Todas las veces que**	

1. Relacione las frases e indique si son habituales en el presente (H), indican un hábito pasado (HP), presentan un acontecimiento pasado en un cierto momen- to (MP) o describen una acción cuando ocurrió otra (PP).

1. Cuando estaba en Perú
2. Cuando me dieron la beca
3. Cuando estoy muy cansado
4. Cuando dormías
5. Cuando tenía 18 años
6. Cuando me casé
7. Cuando termino de trabajar
8. Cuando estudiaba
9. Cuando la vi
10. Cuando estaba en la ducha

a. salgo a correr por el parque.
b. lo celebré con mis amigos.
c. me cambié de ciudad.
d. me saqué el carné de conducir.
e. participaba en un grupo de teatro.
f. suelo ir a un balneario para relajarme.
g. te llamé. Espero no haberte despertado.
h. vivía en un barrio residencial de Lima.   *H*
i. llamaron por teléfono.
j. supe que era la mujer de mi vida.

2. Fíjese en los tiempos verbales de las frases anteriores y complete el esquema con Presente, Imperfecto o Indefinido.

1. Se utiliza *cuando* + ⌐ *Presente* ¬ y ⌐ ¬ cuando nos refe- rimos a acciones habituales del presente.

2. Se utiliza *cuando* + ⌐ ¬ e ⌐ ¬ cuando nos refe- rimos a épocas y acciones habituales del pasado.

3. Se utiliza *cuando* + ⌐ ¬ e ⌐ ¬ cuando nos refe- rimos a la situación en la que ocurrió una acción pasada.

4. Se utiliza *cuando* + ⌐ ¬ e ⌐ ¬ cuando nos refe- rimos a una acción pasada contemporánea a otra.

3. Transforme estas frases con *cuando* en otras equivalentes con *al* + infinitivo.

1. Cuando salí de casa, me di cuenta de que había olvidado las llaves.
   Al salir de casa, me di cuenta de que había olvidado las llaves.

2. Susi, cuando llega a casa, se quita los zapatos.

3. Cuando termine la carrera, Ana se irá a vivir al extranjero.

4. Normalmente, cuando iba a la escuela, Elena se ponía a llorar.

5. Cuando acuesta a los niños, Marisa se prepara un café y se relaja.

6. Cuando anochezca, nos iremos a casa.

4. Complete las frases con *mientras, mientras tanto, según* y *siempre que,* y ponga el verbo entre paréntesis en la forma adecuada.

1. Tome estas pastillas y verá cómo *según pase* (pasar) el tiempo, mejora.
2. Yo voy preparando la cena y _____ (ir, tú) poniendo la mesa.
3. Luis, _____ (verme), me pregunta lo mismo.
4. Voy a viajar tres meses, _____ (estar) fuera, ocúpate tú del correo.
5. No creo que puedas terminar el informe. Yo voy buscando la información que falta _____ tú lo _____ (terminar).
6. Al principio no me gustaba mucho esta ciudad, pero _____ (ir) pasando el tiempo, fui acostumbrándome y ahora me encanta vivir aquí.
7. María se dedicó a preparar la mudanza. _____ Celia _____ (contratar) la luz, el agua y el teléfono.
8. _____ (verse) me acuerdo de cuando nos conocimos.
9. Me sorprende mucho que _____ Daniel _____ (proponer) algo, Antonio se opone.

5. Relacione los elementos de cada columna, utilizando *mientras* o *mientras tanto*

1. Siempre cose
2. Voy a vivir a Buenos Aires
3. Mírame a los ojos
4. Salía con Margarita y
5. Bébete el café tranquila,
6. Viviremos en un hotel
7. Tiene la costumbre de cantar
8. Estudia oposiciones y
9. Todo se arreglará,

MIENTRAS

MIENTRAS TANTO

a. se escribía con Inés.
b. te hablo, por favor.
c. nos arreglan la casa.
d. se ducha.
e. trabaja como camarero.
f. ten un poco de paciencia.
g. ve la tele.
h. aprendo español.
i. me lo cuentas más despacio.

▶ Para saber más, vaya a las fichas 49, pág. 102 y 81, pág. 166.

10 Expresar hipótesis, posibilidad y probabilidad

244	**Deber de**	*Infinitivo*	Expresan una hipótesis probable.
647	**Seguro que / Seguramente**		
407	**Igual**		Expresa una hipótesis de algo que se considera posible, pero, que de ser cierta, sería una sorpresa.
22	**A lo mejor**	*Indicativo*	Expresan una hipótesis posible.
627	**Quizá(s)**		
718	**Tal vez**		
627	**Quizá(s)**		Expresan una posibilidad remota, una conjetura, sin tener datos objetivos.
718	**Tal vez**		
550	**Poder ser que**	*Subjuntivo*	
589	**Posiblemente**		
591	**Probablemente**		
549	**Poder incluso que**		Presenta una hipótesis como remota.

1. Transforme estas frases utilizando *deber de* o *seguramente*.

1. Son las tres de la tarde. _Deben de ser las tres / Seguramente son las tres._
2. Miguel tiene ya veinte años. _____
3. Yo creo que es médico. _____
4. Carlos gana 2.000 euros al mes. _____
5. Está muy cansado. _____

2. Marque la opción correcta.

1. No ha venido a trabajar Borja. (Debe) / Seguramente / Seguro de estar enfermo, porque ayer tenía mala cara.
2. Ana está muy contenta. Debe / Seguramente / Seguro le han subido el sueldo.
3. Nuria está reunida con la directora. Debe / Seguramente / Seguro que están hablando de su próximo proyecto.
4. No me ha saludado. Debe / Seguramente / Seguro que no me ha visto.
5. Carolina me ha dejado tres mensajes en el contestador. Debe / Seguramente / Seguro que tiene algún problema.
6. Ayer no vino a la cita. Debe / Seguramente / Seguro de haberse olvidado. Tiene muchas cosas en la cabeza.
7. No hay nadie. Debe / Seguramente / Seguro han ido a comprar y ahora vuelven.
8. Encarnación González se ha comprado un coche. Debe / Seguramente / Seguro que le ha tocado la lotería.
9. Isabel está preocupada. Debe / Seguramente / Seguro de tener mucho trabajo.
10. Asunción no viene a trabajar en toda la semana. Debe / Seguramente / Seguro que está de vacaciones.

3. Relacione las situaciones con las hipótesis.

1. ¡Qué raro! Todavía no ha llegado.	a. Quizá no te habrá visto.
2. Ha ido al médico.	b. A lo mejor tendrá mucho trabajo y se ha quedado en la oficina.
3. No va a ir de vacaciones.	c. Habrá ido a una revisión rutinaria.
4. Se ha ido a estudiar al extranjero.	d. Igual le habrán dado una beca.
5. Al final dice que no se casa.	e. Habrán discutido, quizás.
6. Es muy extraño. No me ha saludado.	f. Quizás estará ahorrando para comprarse un piso.
7. No abren la puerta.	g. ¿Habrán cancelado la reunión?
8. Estoy acatarrado.	h. ¿Me habré equivocado de piso?
9. Le han cortado el teléfono.	i. Habré cogido frío.
10. Aquí no hay nadie.	j. Tal vez no habrá pagado la factura.

4. En el ejercicio anterior, fíjese cuándo se utiliza el Futuro Imperfecto y el Futur Perfecto y complete el esquema.

Cuando hacemos hipótesis sobre el presente, utilizamos el !_____!. En cambio, cuando hacemos hipótesis sobre el pasado, utilizamos el !_____!.

5. Complete la respuesta como en el ejemplo.

1. - ¿Qué hora es?
   • No sé, !_____serán_____! las cinco, más o menos.
2. - ¿Cuántos años tiene Mateo?
   • Pues yo calculo que !_____! unos veinticinco, ¿no?
3. - Y eso, ¿cuánto cuesta?
   • No sé, !_____! unos 14 euros más o menos.
4. - ¿A qué hora llega Ramón?
   • Seguramente !_____! antes de las tres.
5. - ¿Por qué se va a vivir al extranjero?
   • Porque !_____! mejor que aquí.
6. - Esta noche no he oído llegar a Ana. ¿A qué hora ha llegado?
   • Pues no lo sé muy bien, pero !_____! a eso de la una.

6. Haga hipótesis con los verbos en la forma adecuada.

1. Llevar unos días sin trabajar. Quizás estar enfermo y no decirlo.
   Lleva unos días sin trabajar. Quizás está enfermo y no lo dice.

2. Este año el jefe estar muy contento. Posiblemente nombrarme empleado del año.

3. Ya tener nosotros tres hijos y estar muy contentos. Puede incluso que tener otro más.

4. Pilar no tener ganas de salir. Posiblemente anular su fiesta de cumpleaños. Estar deprimida.

5. No encuentra trabajo. Probablemente no tener más remedio que pedir un préstamo.

6. Estar llamando a casa de la abuela y no contestar. Tal vez no oírnos. Es un poco sorda.

7. El profesor no ha llegado a clase y los alumnos se preguntan por qué. Complete las hipótesis con el verbo entre paréntesis en el tiempo adecuado del Subjuntivo.

1. Quizá _se haya dormido_ (dormirse). Es muy puntual.

2. Posiblemente _____ (estar) viniendo en este momento.

3. Tal vez ayer _____ (irse) de juerga y hoy no se ha podido levantar.

4. Puede incluso que _____ (tener) un accidente.

5. Probablemente _____ (olvidarse) de que hoy hay clase, es muy despistado.

8. Formule hipótesis en estas situaciones con una de los siguientes frases.

> comprar algo para sorprenderte - darse un golpe - estar de vacaciones - estar enferma - haber mucho tráfico - olvidarse de la cita - pelearse con alguien - ser un regalo para ti

1. Tu profesor llega a clase con un ojo morado.
   a. Quizá _se ha dado un golpe._
   b. Puede incluso que _____

2. Tu vecina tiene últimamente las persianas bajadas.
   a. A lo mejor _____
   b. Puede ser que _____

3. Un amigo no viene a una cita.
   a. Seguro que _____
   b. Tal vez _____

4. Has visto un paquete en el armario de tu novio.
   a. Igual _____
   b. Posiblemente _____

▶ Para saber más, vaya a la ficha 59, pág. 122.

11 Expresar oposición

Expresiones adversativas	Expresan una información que contrasta con la idea principal.		
539 449	**Pero** **Mas**		Presentan un elemento nuevo que contrasta con otro anterior.
303 469 571 699	**En cambio** **Mientras que** **Por el contrario** **Sin embargo**	*Indicativo*	Presentan una oposición a una información expresada anteriormente.
508 494	**No..., sino (que)** **No... antes bien**		Sustituyen un elemento por otro.
87	**Antes bien**		Corrige una información errónea.
700	**Sino**		Corrige una información anterior.
60 101 106 338	**Ahora bien** **Así y todo** **Aun así** **Eso sí**		Presentan un segundo argumento que contrasta con el primero.

Expresiones concesivas	Expresan que un acontecimiento ocurre aunque hay un impedimento para ello.		
104	**Aun**	*Gerundio*	Presentan un impedimento para la realización de un acontecimiento, que finalmente tiene lugar.
107	**Aunque**	*Indicativo* *Subjuntivo*	
33	**A pesar de**	*Infinitivo*	
542	**Pese a**		
447 685 786	**Mal que** **Si bien es cierto que** **Y eso que**	*Subjuntivo* *Indicativo*	
67	**Al menos**	*Indicativo*	Sugiere hacer algo como lo mínimo que se puede hacer en una situación.
175 306	**Contrariamente a lo** **En contra de lo que**		Presentan una información como opuesta a otra.
580 { 581	**Por más que** **Por mucho que** **Por muy... que**	*Subjuntivo*	Expresan que un acontecimiento no se produce aunque se insista en ello.
151	**Con**	*Infinitivo*	Predice que no se va a producir un acontecimiento futuro por hacer algo.

Relacione las frases utilizando *pero* y *porque*, como en el ejemplo.

1. Tengo muchas cosas que hacer. Me voy a dar una vuelta. Estoy muy cansado.
   Tengo muchas cosas que hacer, pero me voy a dar una vuelta porque estoy muy cansado.

2. Gana mucho dinero. Gasta poco. Está ahorrando para comprarse un piso.

3. Tiene muchos amigos. Sale poco. Tiene que estudiar mucho.

4. Le han dado una beca para estudiar en el extranjero. No va a ir. No habla idiomas.

5. Me casé. Me divorcié. No nos entendíamos.

6. Es millonario. Vive en una casa de 30 metros cuadrados. Es muy tacaño.

7. Mi casa tenía dos entradas. Cerré una. "Casa con dos puertas, mala es de guardar".

8. Es abogado. Trabaja de camarero. No encuentra nada mejor.

9. Tenía reservado un hotel en la costa. No fue de vacaciones. Operaban a su padre.

10. Era el cumpleaños de su novia. No la felicitó. Se olvidó de la fecha.

Ahora transforme las frases anteriores utilizando *aunque*.

1. *Aunque tengo muchas cosas que hacer, me voy a dar una vuelta porque estoy muy cansado.*
2.
3.
4.
5.
6.
7.
8.
9.
10.

3. Marque la opción correcta.

1. No tengo mucho tiempo libre. Aunque / Pero /(Sin embargo)/ Sino, voy a ir contigo
   esa reunión.
2. Dicen que, aunque / pero / sin embargo / sino el Ministro ha prometido no subir lo
   impuestos, va a haber un aumento importante.
3. No quiero ir contigo, aunque / pero / sin embargo / sino con Esperanza.
4. Es un poco pesado, aunque / pero / sin embargo / sino es muy buena persona.
5. Aunque / Pero / Sin embargo / Sino no lleva mucho tiempo en la empresa, está muy bie
   considerado.
6. No vamos de vacaciones a Mallorca, aunque / pero / sin embargo / sino a Cancún.
7. No toca el piano, aunque / pero / sin embargo / sino que toca el violín y, además, mu
   bien. Es un virtuoso.
8. Todos los veranos va a casa de sus cuñados. Aunque / Pero / Sin embargo / Sino, no l
   gusta nada.
9. Me encanta la paella, aunque / pero / sin embargo / sino no voy a comer más.

4. Complete los diálogos. Use *pero* o *sino*.

1. Isabel: Paco y yo nos casamos el 28 de septiembre de 1995.
   Paco: No, *no nos casamos en el 95, sino* _____ en el 96.
2. Paco: Me acuerdo de que cuando te conocí llevabas un vestido verde muy bonito.
   Isabel: Es verdad que _____ azul.
3. Paco: A nuestro primer hijo le pusimos el nombre de tu padre.
   Isabel: _____ el de mi abuelo.
4. Paco: Cuando empezamos a salir tú vivías cerca de la Plaza Mayor con unas amiga
            de la universidad.
   Isabel: Sí, es verdad que _____ del trabajo
5. Isabel: Me acuerdo de que durante la luna de miel me regalaste un anillo.
   Paco: No fue en la luna de miel, _____ l
            petición de mano.
   Isabel: ¡Qué va! Si no hicimos petición de mano.
6. Isabel: ¿Y te acuerdas de que en la boda se cayó a la piscina tu hermano Lucas?
   Paco: No fue _____ mi primo Abelardo.
7. Isabel: Desde que nos casamos hemos vivido siempre en la misma casa, en ésta.
            Llevamos ya ocho años.
   Paco: Sí, siempre _____ más años.

5. Complete con el verbo entre paréntesis en Indicativo o en Subjuntivo.

1. Aunque ¡_____hago_____! (hacer) mucha rehabilitación, todavía no puedo andar.
2. Ya sé que hoy es lunes. Pero, aunque ¡_____! (ser) lunes, no madrugo.
3. A pesar de que ¡_____! (hablar) cuatro idiomas, no encuentra trabajo.
4. Por mucho que ¡_____! (hablar), no conseguirás convencernos.
5. "Aunque la mona ¡_____! (vestirse) de seda, mona se queda".
6. Ni aunque me la ¡_____! (regalar), me pondría yo esa falda. Es horrorosa.
7. Aunque ¡_____! (tener) que suplicar de rodillas, insistiré hasta conseguirlo.
8. Por mucho que lo ¡_____! (buscar), no lo vas a encontrar.

6. Una las frases y forme una sola oración.

1. | Es muy vago. | ¡Por muy vago que sea, no sólo no suspende, sino que saca |
   | No suspende. | muy buenas notas. |
   | Saca muy buenas notas. | |

2. | Es multimillonario. | |
   | Vive de forma muy humilde. | |
   | Vive de forma muy digna. | |

3. | No creo que le den el trabajo. | |
   | No porque no esté preparado. | |
   | Porque es muy joven. | |

4. | Está muy cansado. | |
No se irá de vacaciones.	
No porque no tenga ganas.	
Porque tiene mucho trabajo.	

7. Relacione.

1. Nos vamos todos a la playa.
2. Le pedimos que no se fuera a vivir tan lejos.
3. Se fue bastante enfadado.
4. No pienso pedirle perdón.
5. Es bastante hipócrita.
6. Decidió no volver a esa ciudad.

a. Eso sí, antes de irse se despidió educadamente de todo el mundo.
b. Ahora bien, si no queréis ir, os podéis quedar en casa.
c. Y eso que en ella había pasado los mejores años de su vida.
d. Actuó contrariamente a lo que decía.
e. Mal que le pese. Él ha sido un grosero conmigo.
f. Así y todo, se fue.

▸ Para saber más, vaya a las fichas 47, pág. 98, 72, pág. 148, 75 pág. 154 y 35, pág. 265.

12 Dar consejos

44 **Aconsejar**		Dan un consejo.
630 **Recomendar**	*Infinitivo*	
714 **Sugerir**	*Que + Subjuntivo*	Indica una propuesta.
669 **Ser mejor**		Da un consejo de forma impersonal.
315 **En tu lugar / En su lugar**	*Condicional*	Expresan una recomendación o consejo poniéndose en el lugar del otro.
496 **No dejes de**	*Infinitivo*	
688 **Si estuviera en tu / su lugar**		
692 **Si yo fuera tú / usted**	*Condicional*	
799 **Yo que tú / usted**		

1. Observe estas frases, fíjese en la persona que da consejo y a quién se lo da, y marque la forma verbal que se utiliza: infinitivo o Subjuntivo.

	Quién da el consejo	A quién	Inf.	Sub.
1. El director aconseja reunir a todos para discutir la oferta.	El director	General	✓	
2. El director me sugiere que reúna a todos y discutamos esto.				
3. El director me recomendó que los reuniera, y lo hice.				
4. Esta guía recomienda visitar ese museo.				
5. Pues yo te aconsejo que no vayas, no es muy interesante.				
6. Yo le aconsejé que no fuera y no me hizo caso.				
7. Te sugiero que tomes unos días de vacaciones.				
8. Os sugiero que os vayáis de vacaciones unos días.				
9. Os sugerí que fuerais de vacaciones, ¿por qué no me hicisteis caso?				
10. Se recomienda usar cadenas por la nieve.				

2. Complete el cuadro.

Con verbos de consejo, como *aconsejar*, *recomendar*, *sugerir*, se utiliza el !_____! cuando se expresan consejos generales, sin especificar a quién van dirigidos.
Se utilizan con *que +* !_____! cuando se especifica a quién van dirigidos, son personalizados. Se utilizan con !_____! de Subjuntivo cuando son consejos para el !_____!, y con !_____! de Subjuntivo cuando son !_____!.

3. Complete las frases con uno de los verbos del recuadro en infinitivo o *que* + Subjuntivo.

> conducir - hacerse - leer - reservar - dar - estudiar -
> correr - vacunarse - volver - visitar

1. El profesor nos recomendó ⌐ *que leyéramos* ⌐ este libro para el examen.
2. La Dirección General de Tráfico recomienda ⌐_____⌐ con precaución.
3. Te aconsejo ⌐_____⌐ solo. Si no, te va a ser difícil concentrarte.
4. El médico sugiere ⌐_____⌐ unos análisis todos los años.
5. Las autoridades sanitarias aconsejan ⌐_____⌐ contra la gripe.
6. Le aconsejo ⌐_____⌐ una mesa antes de ir a ese restaurante.
7. En el zoo, se aconseja no ⌐_____⌐ de comer a los animales.
8. Te aconsejo ⌐_____⌐ si no quieres perder el autobús.
9. Si vas a Granada, te recomiendo ⌐_____⌐ la Alhambra a última hora de la tarde.
10. El guía nos recomendó ⌐_____⌐ al día siguiente porque ese día había mucha gente.

4. Transforme las siguientes frases utilizando *si yo fuera tú / usted*.

1. Te aconsejo que hagas los ejercicios. Te ayudarán mucho.
   ⌐ *Si yo fuera tú, haría los ejercicios, te ayudarán mucho.*_____⌐
2. Le recomiendo que visite la exposición de Miró. Es realmente interesante.
   ⌐_____⌐
3. Le aconsejo que practique mucho español.
   ⌐_____⌐
4. Te recomiendo que veas esta película, es muy buena.
   ⌐_____⌐
5. Te aconsejo que no pidas ese plato, está muy picante.
   ⌐_____⌐
6. Le aconsejo que venga pronto, la reunión es muy importante.
   ⌐_____⌐
7. Te recomiendo que viajes mucho.
   ⌐_____⌐
8. Le sugiero que salga de aquí inmediatamente.
   ⌐_____⌐
9. Le aconsejo que se lleve un jersey, por la noche refresca.
   ⌐_____⌐
10. Te recomiendo que en este restaurante pidas pisto manchego, es riquísimo.
    ⌐_____⌐

5. Relacione las frases.

1. Quiero ir a España.
2. Tengo que comprar un regalo a Luis.
3. Quiero leer un libro en español.
4. No conozco a nadie en esta ciudad.
5. Voy a ir de excursión al campo.
6. Me voy a comprar un coche.
7. Tengo un dinero ahorrado.
8. Me han puesto una multa de tráfico.

a. Tú que eres de aquí...
b. Tú que has estado tantas veces...
c. Tú que has visto las noticias y sabes qué tiempo va a hacer...
d. Tú que lo conoces tan bien...
e. Tú que sabes tanto de literatura...
f. Tú que sabes tanto de mecánica...
g. Tú que trabajas en un banco...
h. Tú que trabajas en seguros de coches...

I. ¿Cómo crees que podría hacer amigos?
II. ¿Dónde crees que es mejor invertir?
III. ¿Qué ciudad me recomiendas?
IV. ¿Qué libro me aconsejas?
V. ¿Qué me aconsejas que le regale?
VI. ¿Qué modelo me aconsejas?
VII. ¿Qué ropa crees que me debo poner?
VIII. ¿La recurrirías?

6. Relacione las frases.

1. Vamos a ir a Granada.
2. Queremos comer en un restaurante peruano.
3. Esta noche salimos de viaje a Cancún.
4. A lo mejor la semana que viene vamos a tu ciudad.
5. Me han invitado a la inauguración de una exposición de Picasso.
6. Este año pasaré las vacaciones en Lanzarote.

a. Compra el catálogo, merece la pena.
b. Haz una excursión al Timanfaya, te va a sorprender el paisaje volcánico.
c. Llamadme y os la enseñaré.
d. Id a ver las ruinas mayas, son algo único.
e. Probad el chupe, es un plato de pescado delicioso.
f. Visitad la Alhambra, es preciosa.

7. Ahora transforme las frases utilizando *no dejar de*.

1. *Si vais a Granada, no dejéis de visitar la Alhambra, es preciosa.*
2.
3.
4.
5.
6.

▶ Para saber más, vaya a la ficha 33, pág. 70.

13 Hacer sugerencias y propuestas y expresar acuerdo o desacuerdo

36	**A ver si**		Expresa la intención de hacer algo.
584	**¿Por qué no?**	*Indicativo*	Proponen una actividad.
789	**¿Y si?**		
164	**Conforme**		
219	**De acuerdo**		
353	**Estar de acuerdo**	*Indicativo Subjuntivo*	Expresan acuerdo ante una propuesta.
678	**Sí, quizás sí**		
733	**Tener razón**		
766	**Vale**		
133	**Claro que no**		
224	**De eso ni hablar**		
265	**Desde luego que no**		Rechazan una propuesta, un plan o una petición.
487	**Ni hablar**		
490	**Ni se te ocurra**		
334	**Es que**	*Indicativo*	Presenta una causa como pretexto o justificación.
684	**Si acaso**	*Indicativo*	Propone una solución por si se produce un problema inesperado.

1. Lea este diálogo y subraye las expresiones del cuadro.

- Oye, Alfredo, a ver si nos vemos un día. Es que tengo que hablar contigo sobre lo de las acciones de papá.
- Sí, sí, cuando quieras.
- ¿Por qué no vienes el sábado a cenar a casa y hablamos?
- El sábado no puedo. Pero creo que deberíamos vender las acciones.
- De eso ni hablar.
- Al menos vendamos la mitad y nos quedamos con las otras.
- No estoy de acuerdo contigo en que haya que venderlas. Dicen los expertos que la Bolsa va a subir.
- Si acaso, vendemos unas pocas. Sabes que necesito el dinero...
- Conforme. ¿Y si voy a verte a tu oficina y lo decidimos?
- Muy bien, de acuerdo. ¿Por qué no vienes ahora mismo?
- Es que estoy muy ocupado. Mejor dentro de una hora.
- De acuerdo. Te espero.
- Vale, hasta ahora.

2. Marque la opción correcta.

1. ¿Estás de acuerdo conmigo en que vamos / (vayamos) a cenar a casa de mis padres?
2. No me gusta mucho la casa. Estoy de acuerdo en que es / sea barata, pero nada más.
3. ¿Por qué no vamos / vayamos al cine? No me apetece mucho ir de compras.
4. Esa tienda es buena, es verdad. Pero, ¿por qué no vamos / vayamos a otra más barata?
5. No estoy de acuerdo en que la política es / sea aburrida.
6. Estamos de acuerdo en que hacemos / hagamos la fiesta en casa de Juan.
7. Estoy de acuerdo contigo en que Juan es / sea una persona muy simpática.
8. ¿Y si solicitamos / solicitemos un crédito para reformar la casa?

3. Forme frases con *si acaso*.

	1. está lloviendo,	a. no le abras la puerta.
	2. hay un cortocircuito,	b. añada un poco de agua.
	3. se levanta viento,	c. corte el interruptor general.
	4. no te atienden bien,	d. llévate el paraguas.
Si acaso	5. vienes a verme,	e. no dejes de reclamar.
	6. me pasa algo,	f. abre este sobre.
	7. tiene tos,	g. tómese estas pastillas.
	8. la mezcla se reseca,	h. recoge el toldo.
	9. viene,	i. pregunta por mí en recepción.

4. Complete los diálogos con una de la siguientes expresiones.

conforme - de eso ni hablar - desde luego que no - ni se te ocurra - sí, quizás - tienes razón

1. - Mamá, me voy a la calle a jugar con mis amigos.
   - ¡_____Ni se te ocurra_____! ¿Tú has visto cómo está lloviendo?
2. - Bueno, entonces nos dividimos el mercado. Tú promocionas Europa y yo América.
   - ¡_____!.
3. - Déjame el coche, que lo necesito.
   - ¡_____!. La última vez que te lo dejé la reparación costó mucho.
4. - Al final no os vais a quedar con el piso, ¿no?
   - ¡_____!. Está muy mal y arreglarlo costaría mucho dinero.
5. - ¿No crees que es mejor este jarrón que esa lámpara?
   - ¡_____!, pero me parece que es más práctica la lámpara.
6. - A mí me parece que no debemos meternos en este asunto.
   - ¡_____!. No es cosa nuestra.

14 Dar órdenes e instrucciones

5	**¡A!**	*Infinitivo* *Sustantivo*	Expresa una orden en situaciones familiares.
243	**Deber**		Expresan la obligación o necesidad de hacer algo.
382	**Haber que**		
732	**Tener que**	*Infinitivo*	
381	**Haber de**		Expresa una instrucción para hacer algo de forma impersonal.
617	**Quedar por / sin**		Presenta la necesidad de hacer algo que está pendiente.
602	**Que**	*Subjuntivo*	Repite una orden, sugerencia o petición que se ha dicho antes.
252	**Dejarse de**	*Infinitivo*	Indica una petición para que alguien no haga algo que molesta o irrita.
189	**¡Cuándo + ir a!**		Rechaza una idea expresada por otra persona por falta de tiempo.

1. Escriba las frases siguiendo el modelo y utilizando el verbo entre paréntesis.

1. Los niños se tienen que acostar. (dormir) ¡_____*¡Niños, a acostar / a dormir!*_____!
2. La comida ya está preparada. (comer) ¡Vamos, ¡_____!!
3. Todavía no han hecho los deberes. (hacer) ¡_____!
4. Tienen las manos sucias. (lavarse) ¡_____!
5. Van a salir a la calle y hace frío. (ponerse) ¡_____! los abrigos!
6. Van a empezar a comer y la mesa no está puesta. (poner) ¡_____!
7. Ya es hora de levantarse para ir al colegio. (levantarse) ¡_____!

2. Complete los diálogos reaccionado en contra de lo que se pide y utilizando *dejarse de*.

1. - ¿Y si salimos esta noche a cenar fuera?
   • ¡_____*Déjate de cenas*_____!. No me encuentro muy bien.
2. - ¿Ponemos un disco?
   • ¡_____!, que es muy tarde y los vecinos están durmiendo.
3. - ¿Y si le organizamos una fiesta sorpresa por su cumpleaños?
   • ¡_____!, que no está de humor.
4. - Mira qué coche más bonito. Nos lo podríamos comprar.
   • ¡_____!, que el nuestro está muy bien.
5. - ¿Y si le hacemos una tarta? Le encantan los dulces.
   • ¡_____!, que está a régimen.

3. Sustituya la frase en Imperativo por otra con *a* + infinitivo, *dejarse de*, *tener que* + infinitivo o *que* + Subjuntivo.

1. No toques más la batería, me duele la cabeza. ¡*Déjate de tocar la batería.*_____¡
2. Venid a comer, ya está el gazpacho. ¡_____¡
3. Sé más puntual, si no el jefe se va a enfadar contigo. ¡_____¡
4. ¿Te lo repito otra vez? Llama a la puerta antes de entrar. ¡_____¡
5. No juegues al fútbol en el pasillo, que puedes romper algo. ¡_____¡
6. No puedes ir andando, está lejos. Ve en autobús. ¡_____¡
7. Paco dice: "compra el pan". ¡_____¡

4. Relacione las órdenes con las respuestas negativas.

1. Cómprame el periódico, por favor.
2. Vente con nosotros de excursión un día.
3. Pon las noticias, a ver qué ha pasado en el mundo.
4. Anda, prepara algo de comer.
5. Cómprale algo a Jesús por su cumpleaños.

a. ¡Cuándo lo voy a preparar, si antes hay que ir a comprar al supermercado!
b. ¡Cuándo se lo voy a comprar, si estoy todo el día liado!
c. ¡Cuándo te lo voy a comprar, si el quiosco está cerrado!
d. ¡Cuándo voy a ir, si esta semana tengo muchos exámenes!
e. ¡Cuándo voy a ponerlas si hace media hora que han terminado!

5. Elija la opción correcta.

1. Para aprender bien español tienes que / debí practicar mucho.
2. Sabes mucha gramática, pero tienes poca fluidez. Yo creo que tenéis que / debes hablar más. ¿Por qué no haces un intercambio?
3. Tienes que / Debes que hacer fichas de vocabulario para aprender palabras.
4. Para memorizar el vocabulario, tienes / debes escribirlas y practicarlas en todas las situaciones.
5. Para conocer la cultura, tengo que / debes buscarte amigos nativos y hablar de tu país y del suyo.
6. Tienes muchos estereotipos sobre los españoles. Tienes que / Debes que ser más abierto y hablar de las costumbres de los dos países con amigos españoles.
7. Si quieres tener fluidez, tú que no has estado nunca en un país de habla hispana, tienes que / debes que hacer un curso de inmersión.
8. Para tener fluidez, tienes / debes ir a un país de habla hispana y vivir allí una temporada.
9. Es muy importante leer. Tienes que / Debes que buscar libros que te gusten y leerlos.
10. Yo creo que tú no aprendes muchas palabras porque no lees. Tienes / Debes leer más y anotar las palabras nuevas que encuentres.

15 Expresar la hora

16	**A eso de la(s)**	Expresa una hora aproximada.
19	**A la(s)**	Sitúa un acontecimiento con respecto a una hora.
80	**Alrededor de**	Sitúa un acontecimiento en una hora o fecha aproximada.
216	**De** + *parte del día*	Sitúa una hora con respecto a una parte del día.
314	**En punto**	Indica exactamente una hora.
396	**Hacia el / la(s)**	Indica un día de la semana o una hora aproximados.
706	**Sobre** + *tiempo*	Indica una hora aproximada o la duración (cantidad de tiempo) aproximada.

1. Relacione las dos columnas.

1. Es la una y cinco.
2. Son las siete y cuarto.
3. Son las doce en punto.
4. Son las cuatro y media.
5. Son las siete menos veinticinco.
6. Es la una menos cuarto.
7. Son las tres en punto.
8. Son las cinco menos veinticinco.
9. Son las dos y diez.
10. Es la una menos cinco.

a. 12:00
b. 2:10
c. 6:35
d. 13:05
e. 12:55
f. 12:45
g. 7:15
h. 15:00
i. 16:30
j. 4:35

2. Escriba la hora que marcan estos relojes.

`1:35` 1. *Son las dos menos veinticinco.*

`5:55` 2.

`9:20` 3.

`7:05` 4.

`2:00` 5.

`6:30` 6.

3. Escriba la hora seguida de *de la mañana, de la tarde,* o *de la noche.*

1. **07:20** *Son las siete y veinte de la mañana.*
2. **14:15**
3. **22:45**
4. **10:20**
5. **13:30**
6. **23:50**
7. **09:45**
8. **02:00**
9. **11:15**
10. **19:30**

4. Ordene las palabras y forme frases.

1. alrededor de las / volvió / Miguel / de la tarde / a casa / tres
   Miguel volvió a casa alrededor de las tres de la tarde.
2. tan temprano / a eso de las / levantado / me sorprendió / seis de la mañana / verte
3. sobre las / vendrán / verás / cuatro / ya lo
4. como tú dices / no a las cinco / alrededor de las / estoy seguro de que / siete / ocurrió
5. en punto / estaré / a las doce / en tu casa
6. sobre las / iré / al aeropuerto / a mis padres / a buscar / siete
7. en la esquina / hacia las / espérame / de la calle / cuatro / España
8. pero no estabas / fui a / a eso de la / verte / a tu despacho / una

5. Complete las frases con las palabras que faltan.

1. Me llamó por teléfono a *la* una _____ la madrugada para decirme una tontería.
2. Los hechos ocurrieron alrededor _____ _____ tres de la tarde.
3. Los viernes salimos del trabajo a _____ dos de la tarde.
4. Esta noche voy a venir un poco tarde, sobre _____ diez o así.
5. El portero dice que la ha visto entrar _____ eso _____ _____ once _____ la noche.

16 Expresar una fecha

58	**Ahí por / Allá por**	Sitúa un acontecimiento en una fecha determinada.
80	**Alrededor de**	Sitúa un acontecimiento en una hora o fecha aproximada.
206	**De** + *año / mes*	Indica el año o el mes de una fecha.
396	**Hacia el / la(s)**	Indica un día de la semana o una hora aproximados.
556	**Por** + *fecha*	Indica el tiempo aproximado en que se produce un acontecimiento.
561	**Por** + *parte del día*	Sitúa un acontecimiento en una parte aproximada del día.

1. Complete con *del* y con *el.*

1. Espero volver del viaje alrededor ¡___*del*___¡ jueves.
2. Volveré del viaje hacia ¡_____¡ viernes.
3. Se marchó alrededor ¡_____¡ martes.
4. Hacia ¡_____¡ domingo, iremos a pasar el día al campo.
5. Pues sí, me voy y no vuelvo hasta finales del mes, alrededor ¡_____¡ treinta.
6. Imagino que vendrá alrededor ¡_____¡ fin de semana, como siempre.

2. Ordene las palabras y forme frases.

1. mes / me / cese / su / hacia / el / pasado / notificó / del / once
   ¡ *Me notificó su cese hacia el once del mes pasado.* _____¡
2. volveré / viernes / no / el / esperes / hacia / me
3. ahí / casaron / marzo / se / por / en / o
4. La Patagonia / Navidad / por / viaje / un / a / haré
5. estoy / volverá / de / que / diciembre / seguro / por
6. allá / enero / muchísimo / nevó / por
7. marzo / empezarán / construir / alrededor / a / de / casa / la
8. se / por / mes / allá / noviembre / marchó / el / de
9. tendrá / hacia / coche / su / quince / arreglado / el
10. volvió / enero / o / de / misión / la / febrero / por

3. Elija la opción correcta.

1. Me escribió una postal a eso de /(por) diciembre, pero no le contesté.
2. Creo que se conocieron a eso de / sobre Navidad.
3. A eso de / Por las mañanas voy a correr por el parque.
4. Es verdad que en invierno, a eso de / por las tardes, a eso de las seis, ya es de noche.
5. En España casi todo el mundo se va de vacaciones hacia las / alrededor de agosto.
6. Se volverán a ver a eso de / por Fin de Año.
7. Empezó a llover a eso de / por octubre y todavía no ha parado.
8. Me parece que su cumpleaños es a eso de / por marzo, ¿no?
9. Te mandaré el paquete hacia / por mediados de semana, yo creo.
10. Se fueron a vivir juntos a eso de / por junio.

4. Indique la fecha.

1. Sábado, 14-03-1998
2. Lunes, 03-12-1999
3. Viernes, 07-08-2001
4. Martes, 30-10-2003
5. Domingo, 28-02-1963

Sábado, 14 de marzo de 1998.

5. Marque la opción adecuada.

Normalmente me levanto (1) (a)/ de / por las siete los días (2) a / de / por diario, pero los fines de semana duermo más. (3) A / De / Por las mañanas trabajo y (4) a / de / por las tardes voy a la biblioteca. Necesito descansar (5) a / de / por mediodía, y voy a comer (6) a / de / por las dos o dos y media. (7) A / De / Por media tarde doy una vuelta y (8) a / de / por la noche voy al cine. Ceno (9) a / de / por las diez y me acuesto (10) a / de / por doce (11) a / de / por doce y media.

6. Complete con el artículo adecuado, en caso necesario.

1. No sé cuándo vuelve de vacaciones, creo que hacia !__el__! tres o !_____! cuatro.
2. No sé dónde está Antonio, pero lo he visto en la oficina hacia !_____! cuatro o cuatro y cuarto. Quizá está en el almacén.
3. Este año tenemos muchos compromisos y hacia !_____! febrero firmaremos el contrato.
4. Te mandaré el informe alrededor de !_____! diciembre.
5. Se van de vacaciones alrededor !_____! martes. ¡Qué suerte!
6. Se citaron alrededor !_____! mediodía, sobre !_____! una.
7. ¿Terminaste el proyecto en septiembre de !_____! 2005?
8. La fiesta fue allá por !_____! mayo.

17 Expresar un momento indeterminado

84	**Antaño**	Se refiere a una época lejana e indeterminada del pasado.
86	**Antes**	Se refiere al pasado, sin especificar el momento exacto.
105	**Aún**	Se refieren a momentos anteriores al momento en que se está hablando.
738	**Todavía**	
267	**Después**	Se refieren a un tiempo posterior, sin especificar el momento exacto.
445	**Luego**	
300	**En +** *tiempo*	Sitúa un acontecimiento en un espacio temporal amplio.
302	**En aquella época**	Se refieren al momento del cual se está hablando.
328	**Entonces**	
401	**Hasta ahora**	Se refiere a momentos anteriores al instante en que se está hablando.
753	**Un (buen) día**	Presenta un acontecimiento como repentino sin especificar el momento exacto en que ocurre.
761	**Una vez**	Presenta un acontecimiento pasado sin especificar el momento exacto en que ocurre.
792	**Ya +** *pasado*	Se refiere a un tiempo anterior al que se habla.

1. **Busque y escriba en la sopa de letras nueve exponentes de los arriba indicados.**

D	A	Ñ	O	A	L	D	E	T	A
E	N	T	O	N	C	E	S	R	C
Ñ	T	O	M	T	I	S	U	A	K
D	E	D	U	A	S	P	C	U	O
L	S	A	E	Ñ	G	U	O	N	S
P	E	V	R	O	D	E	E	D	O
R	E	I	S	V	U	S	E	L	V
I	Y	A	B	L	U	E	G	O	N
T	R	E	E	N	T	U	I	L	A
T	O	D	D	E	S	I	U	X	S

1. _____Antes_____
2. _____
3. _____
4. _____
5. _____
6. _____
7. _____
8. _____
9. _____

2. Elija la opción adecuada.

1. - (Todavía)/ Ya no he visto la última película de Almodóvar. ¿Qué tal es?
   - Pues yo todavía / ya la he visto y me ha gustado.
2. - Todavía / Ya he encontrado trabajo. Empiezo mañana.
   - ¡Qué suerte! Yo todavía / ya sigo buscando.
3. - ¿Todavía / Ya no te sabes las reglas? Ven, que te las explico.
   - No, no, si todavía / ya me las sé. Pero todavía / ya me cuesta aplicarlas.
4. - ¿Todavía / Ya sabes que nos cambian de profesor?
   - Sí, claro que lo sé. Lo que no nos han dicho todavía / ya es quién va a ser el nuevo.
5. - ¿Has terminado todavía / ya los ejercicios?
   - No, todavía / ya me quedan unos pocos.
6. - Pero, ¿todavía / ya estás sin vestir? Si la fiesta empieza ya.
   - Sí, todavía / ya voy, enseguida termino.
7. - Todavía / Ya sé la respuesta al problema que nos plantearon ayer.
   - Pues yo todavía / ya no he conseguido resolverlo. Explícamelo.

3. Observe estas frases y relaciónelas con el momento indicado por *ya*.

1. Ya he terminado los ejercicios, me voy a dar una vuelta.
2. Ya había salido el tren cuando llegué a la estación.
3. Ya sé hablar dos idiomas.
4. Ya sabía hablar bien inglés cuando empecé a estudiar español.

a. Describe una situación presente.
b. Describe una situación pasada.
c. Describe un momento anterior al presente.
d. Describe un momento anterior al pasado.

4. Relacione las frases.

1. Ya tengo 18 años
2. Ya hemos cenado
3. Ya lo conocía
4. Ya había visto esa obra,
5. Ya he ido a Toledo,
6. Ya era licenciado
7. Ya habían avisado
8. Ya estoy preparado
9. Ya he visto la película,
10. Sí, sí, ya lo sabía,

a. cuando me lo presentaron.
b. prefiero ver otra ciudad.
c. y nos vamos a dormir.
d. cuando empecé a trabajar con ellos.
e. de que ese día había una prueba.
f. para hacer el examen.
g. y voy a sacarme el carné de conducir.
h. y, por eso, no fui con ellos al teatro.
i. me lo ha dicho César.
j. por eso no voy con vosotros al cine.

5. Complete el esquema con *Presente, Pretérito Perfecto, Pretérito Imperfecto* o *Pretérito Pluscuamperfecto*.

1. Se utiliza *ya* + !_____! cuando nos referimos a una situación presente.
2. Se utiliza *ya* + !_____! cuando nos referimos a una situación pasada.
3. Se utiliza *ya* + !_____! cuando nos referimos a un momento anterior en el presente.
4. Se utiliza *ya* + !_____! cuando nos referimos a una situación pasada anterior a otra también pasada.

6. Complete con la forma verbal adecuada del verbo entre paréntesis.

1. No, no voy a ir con vosotros. Ya !___*he estado*___! (estar) en esa ciudad.
2. María está muy mayor. Ya !_____! (cumplir) dieciocho años.
3. Ya le !_____! (dar) la carta de despido. En quince días tiene que abandonar la empresa.
4. Se lo iba a explicar, pero ya lo !_____! (saber).
5. Cuando llegué al mercado, ya no !_____! (tener) dinero. Por eso no compré nada. Esta tarde voy a hacer la compra.
6. Creo que ya !_____! (romper) con su antigua novia cuando conoció a Eva.
7. ¿Sabes? Yo ya !_____! (ser) mayor de edad y sé lo que hago.
8. Ya !_____! (hacer, yo) este ejercicio y creo que ya !_____! (saber, yo) cómo funciona.
9. Ella ya !_____! (saber) la verdad cuando nos preguntó.
10. Creo que ya !_____! (estudiar) mucho. Vamos a descansar un poco.

7. Elija la opción adecuada.

(1) (Antaño) / Todavía las cosas eran muy diferentes a ahora. Yo recuerdo que cuando me casé, (2) **después / en aquella época**, casi todos los matrimonios eran religiosos. Hoy hay civiles y religiosos. Pero (3) **antes / luego** España era un país católico. (4) **Antes / Después** todos éramos católicos porque así lo decía la ley, hoy cada uno tiene sus propias creencias. Ya (5) **luego / entonces** cada uno pensaba diferente, claro, pero (6) **en aquella época / todavía** no se podía expresar la opinión y mucho menos discrepar de la norma oficial. La dictadura no sólo se reflejaba en la religión, sino en todos los aspectos de la vida. (7) **En aquella época / Luego** uno se sentía completamente vigilado.

8. Complete las frases con una de las expresiones siguientes.

> antaño - antes - aún - después - luego - en - en aquella época - entonces - hasta ahora - un buen día - una vez - ya

1. *Antes* las cosas se hacían de otra forma, pero ahora todo ha cambiado mucho.
2. ¿_____ sigues pensando que quieres ir con esos chicos tan raros a vivir? No sé si es lo más adecuado, la verdad.
3. Anteayer estuve con unos amigos de la universidad cenando en un restaurante mexicano. _____ fuimos a tomar un café a la Plaza Mayor.
4. Me voy, que es muy tarde. Nos vemos esta tarde después del concierto. Hasta _____.
5. De pequeño solía pasar las vacaciones en casa de mis abuelos, en el pueblo. _____ todo eran risas y juegos.
6. Desde que me fui, sólo _____ me he acordado de lo bien que se estaba en casa. Me he acostumbrado a estas tierras.
7. Me confirmó que _____ julio les dieron la casa y que desde entonces están viviendo allí.
8. Mi madre y yo hemos ido a las rebajas a ver si me compraba un traje, pero _____ no he visto nada que merezca la pena.
9. Mi mujer se vino a vivir a la capital después de terminar sus estudios en 1980. _____ no había muchas oportunidades en el pueblo y sí en la ciudad.
10. No, no voy a ir con vosotros al cine. _____ he visto esa película y, la verdad, no me ha gustado tanto como para volverla a ver.
11. Siempre soñó con irse al extranjero y _____, sin decir nada a nadie, recogió sus cosas y se fue a América.
12. Yo recuerdo que _____ en esta misma plaza había una taberna que tenía unos pinchos y unas raciones muy buenas.

9. Elija la opción correcta.

1. (Antes) / Después, para llegar al pueblo tardábamos siete horas. Ahora en cuatro horas estamos allí.
2. No sé qué me pasó. Un buen día / Una vez me desperté y decidí que iba a cambiar de vida. Y me fui a vivir a Australia.
3. Todavía / Ya he terminado el informe. Te lo mando por correo electrónico ahora mismo.
4. Estuvimos viendo la exposición por la tarde. Antes / Después fuimos a cenar.
5. Hasta ahora / Entonces he cumplido con los objetivos fijados para este año.

18 Indicar un momento en el que se realizó una acción

25	**A los** + nº + tiempo (de edad)	Expresa una edad de la vida en la que se hizo algo.
88	**Antes de** + fecha	Marca una referencia temporal anterior pasada.
209	**De** + etapa de la vida	Sitúa un acontecimiento con relación a un periodo.
269	**Después de** + fecha	Marca una referencia temporal posterior pasada.
300	**En** + tiempo	Sitúa un acontecimiento en un momento temporal.
385	**Hace**	Sitúa temporalmente un acontecimiento pasado indicando el tiempo que ha transcurrido desde que ocurrió.

1. Transforme las frases como en el ejemplo.

1. Mi hija Ana, cuando tenía tres años, hablaba perfectamente.
   Mi hija Ana, a los tres años, hablaba perfectamente.

2. Cuando cumplí veintidós años, me fui a vivir al extranjero una temporada.

3. Mis padres, cuando tenían veinticinco años, ya estaban casados.

4. Me sorprende que muchos españoles, con más de veinte años, siguen viviendo con sus padres.

5. Cuando llevábamos quince años viviendo en Barcelona, nos compramos la casa.

2. Indique la fecha a la que se refiere teniendo en cuenta el momento presente.

1. Hace dos días.
2. Hace quince años.
3. Hace un par de horas.
4. Hace doscientos años.
5. Hace tres meses.

3. Elija la opción adecuada.

1. Mis primas se casaron muy jóvenes, a los / antes de / hace veintiún años.
2. Pepe, no me hables así, que tú y yo nos conocemos a los / antes de / hace mucho tiempo y sabemos cómo somos cada uno.
3. Te lo di a los / antes de / hace salir de casa.
4. Volvió a la oficina a los / antes de / hace las tres, como había dicho, pero se volvió a ir.
5. Tuvo un accidente a los / antes de / hace diecisiete años, cuando tenía dos años, pero no le dejó secuelas.
6. Dicen que a los / antes / hace cuarenta años hay un cambio de vida.

4. Transforme las frases como en el ejemplo.

1. Cuando era estudiante en la universidad, empecé a trabajar.
   De estudiante, en la universidad, empecé a trabajar.

2. Cuando era pequeño, aprendí a nadar.

3. Cuando era profesor, conocí a gente muy interesante.

4. Cuando era joven, me saqué el carné de conducir.

5. Cuando era soldado en la mili, hice prácticas de tiro.

5. Observe el cuadro de la vida de Mauricio López y escriba las frases.

	Años	Actividad
1	3 años	Colegio público.
2	Joven	Escuela.
3	16	Trabajar en una fábrica.
4	Adulto	Estudiar por las tardes.
5	40	Licenciarse en derecho.
6	41	Trabajar en un bufete de abogados.

A los tres años empezó a estudiar en un colegio público.
De joven...

6. Complete las frases con una preposición.

1. _En_ agosto se marchó de la ciudad.
2. _____ los veinticinco años decidió que era hora de empezar a trabajar.
3. _____ joven, pensaba que todo era muy fácil.
4. Mi hermana se casó _____ primavera, hace ya dos meses.
5. Yo antes era camarero y, la verdad, _____ camarero, me divertí mucho.
6. Es lógico que _____ los veinte años Beatriz quiera independizarse.
7. Nos conocimos _____ estudiantes.

7. Elija la opción correcta.

1. Se encontraron a la salida de la escuela, antes /(después) de las clases.
2. Pidió el postre antes / después de pedir la cuenta y el camarero no puso buena cara.
3. Se fueron a Santo Domingo antes / después de fin de año, el veintinueve de diciembre.
4. Se compró un coche y tuvo un accidente justo antes / después.
5. Lo terminaré todo antes / después del viernes, no te preocupes.

▸ **Para saber más, vaya a las fichas 62, pág. 128 y 81, pág. 166.**

19 Indicar el comienzo de una actividad

258	**Desde**	Indica el origen temporal de un acontecimiento.
262	**Desde hace**	Indica el origen temporal de un acontecimiento actual.
266	**Desde que**	Señala un acontecimiento como origen de algo.
385	**Hace**	Sitúan temporalmente un acontecimiento pasado indicando el
386	**Hace... que**	tiempo que ha transcurrido desde que ocurrió.
429	**Llevar** + *gerundio*	Indica el tiempo que dura una situación o una actividad.

1. Relacione.

1. ¿Desde cuándo trabajas en esa empresa?
2. ¿Cuándo será el congreso?
3. ¿Ya no sales con Manuel?
4. ¿Cuándo vas a venir a verme?
5. ¿Desde cuándo estás en paro?

a. En realidad hace tres años que no trabajo.
b. Desde el miércoles hasta el martes.
c. Desde que me echaron de la anterior.
d. No, desde hace dos años.
e. Fui a tu casa hace dos días.

2. Relacione de nuevo.

1. Hace
2. Desde
3. Desde que
4. Desde hace
5. Hace... que

a. Cantidad de tiempo.
b. Fecha.
c. Una acción.

3. Complete las frases con *desde, desde hace* o *desde que*.

1. ___Desde que___ vine a trabajar a la ciudad, no he vuelto a mi pueblo.
2. No sé nada de Josefina _____ tres años. ¿Qué habrá sido de ella?
3. _____ mañana voy a hacer dieta.
4. _____ te vi, supe que eras la mujer de mi vida. Fue un auténtico flechazo.
5. Vivo con Juan _____ marzo, y nos va muy bien.
6. _____ primavera estoy yendo a un gimnasio que hay cerca de casa.
7. Estoy trabajando en este proyecto _____ tres o cuatro años.
8. _____ tuvimos esa discusión sobre política, no me ha vuelto a hablar.
9. _____ los acuerdos de paz, Gibraltar es una colonia británica.
10. Trabajo en esta oficina _____ poco, y aún no sé muy bien cómo funcionan las cosas aquí.

4. Elija la opción adecuada.

1. Aprendí español desde que / (hace) / hace que mucho tiempo en Argentina.
2. Se casaron desde que / desde hace / hace por lo menos diez años.
3. Desde que / Hace / Hace que tuvieron a la niña, no salen nunca con los amigos, está siempre en casa.
4. Tienes razón. Hace / Desde hace / Desde que ya dos meses que no hablamos. A ver s vienes a casa un día.
5. Desde / Desde hace / Hace los quince años colecciono sellos.
6. Desde hace / Hace / Hace que dos días no puedo dormir.
7. Desde que / Hace / Hace que unos meses conocí a una chica muy especial.
8. No sé cuánto tiempo desde que / hace / hace que nos conocemos, pero hace bastante la verdad.
9. Es muy arrogante. Desde hace / Desde que / Hace le nombraron director no hay quie lo aguante.
10. O mucho me equivoco o desde hace / hace / hace que tres años que Luis y Merche s separaron.

5. Transforme las frases con *hace... que* o con *llevar* + gerundio.

1. Hace tres años que vivo en Bogotá.
   Llevo tres años viviendo en Bogotá.

2. Llevo estudiando español más de cuatro años, y cada vez lo hablo mejor.

3. Miguel lleva mucho tiempo viviendo en Tarragona.

4. Hace cinco meses que salgo con Asunción. Es una chica encantadora.

5. ¿Cuánto tiempo llevas viviendo en esta casa?

6. ¿Cuánto tiempo hace que no ves a Antonio?

7. Mi hija hace quince años que trabaja en la ONU, es traductora.

8. Llevamos muchos años yendo de vacaciones al mismo lugar. Es hora de cambiar.

9. Hace tres días que no duermo bien, no sé qué me pasa.

10. Te lo voy a contar. Llevo un par de noches soñando contigo.

▶ Para saber más, vaya a las fichas 62, pág. 128 y 81, pág. 166.

20 Indicar el comienzo de una actividad futura

32	**A partir de**	Indica el inicio temporal de un acontecimiento futuro.
89	**Antes de** + *hora / fecha*	Marca el plazo para que se produzca un acontecimiento.
220	**De aquí a**	Marca un plazo para que se cumpla un acontecimiento insistiendo en el periodo.
257	**Dentro de**	Indica el tiempo que tiene que transcurrir para que ocurra un acontecimiento.
295	**En** + *fecha futura*	Indica el momento en que se realizará un acontecimiento o finalizará una actividad.
525	**Para** + *fecha*	Señala el plazo en el que se tiene que producir un acontecimiento futuro.

1. Responda a las propuestas utilizando *dentro de*.

1. Son las cuatro, ¿por qué no nos vemos hoy a las siete?
   A las nueve ¦ *No, a las siete no puedo, mejor dentro de cinco horas.* ¦
2. ¿Qué tal si vamos al teatro esta semana?
   Dos semanas más ¦_____¦
3. ¿Y si nos reunimos después de comer?
   En diez minutos ¦_____¦
4. ¿Podemos cenar mañana?
   Dos días más ¦_____¦
5. Me gustaría hablar contigo ahora.
   Una hora más tarde ¦_____¦

2. Marque la opción correcta.

1. Según el pronóstico meteorológico, (dentro de) / en dos días lloverá.
2. Me ha prometido que dentro de / en Navidad vendrá a vernos.
3. Yo creo que dentro de / en poco se convocará un reunión general para solucionar la crisis y habrá cambios, estoy seguro.
4. Te prometo que, a más tardar dentro de / en tres días, te daré la respuesta definitiva.
5. Se supone que dentro de / en 2010 la fusión de las dos empresas del mismo grupo estará terminada, ¿no?
6. Ahora no puedo hablar contigo, estoy reunido. Llámame dentro de / en quince minutos, por favor.
7. Él calcula que dentro de / en diciembre habrá podido ahorrar todo el dinero.
8. Te lo digo en serio, dentro de / en veinte minutos quiero el informe encima de mi mesa y sin un error.
9. Dentro de / En mayo se espera una gran tormenta.
10. Yo creo que se la podrá localizar dentro de / en dos horas en su despacho. Son las tres y ella suele empezar a las cinco.

3. Relacione.

1. Te he dicho mil veces que llames antes de entrar.
2. No te cuidas nada, por eso tienes tantos problemas de salud.
3. Eres un imbécil.
4. No seas tan rencoroso. Llámale y arreglad vuestros problemas.
5. No le llames más "Pipo". Me dijo que ya no le gustaba que le llamáramos así.

a. ¿Ah, sí? Pues a partir de ahora dejamos de ser amigos.
b. A partir de ahora no entraré en tu despacho sin tu permiso.
c. Te prometo que a partir del instante en que me pida perdón, le perdonaré. Mientras tanto, no.
d. Tienes razón. A partir de mañana me apunto a un gimnasio.
e. Vale, pues a partir de ahora le llamaré Ángel.

4. Señale la opción adecuada.

1. Hoy mismo me pongo con tu traducción, pero antes de / (de aquí a) / para que la term ne van a pasar unos días, no creas que se hace en un santiamén.
2. Lo necesito antes del / de aquí a / para viernes, el domingo me voy de viaje. ¿Es pos ble que lo tengas preparado?
3. Por favor, ven a verme antes de / de aquí a / para las tres. Después vienen los agente comerciales.
4. El mecánico me ha dicho que antes de / de aquí a / para el lunes el coche estará arreglad
5. Me han dicho que antes de / de aquí a / para el día uno tiene que estar el libro.
6. Volverá antes de / de aquí a / para Navidad, estoy seguro, es muy familiar.

5. Complete las frases con una de las expresiones siguientes.

a partir de - dentro de - antes de (2) - de aquí al - en - para (2)

1. Me he puesto a régimen. ___A partir de___ hoy no voy a comer ni grasas ni cosas qu engorden.
2. Nos vemos !_____! un par de horas.
3. Tendríamos que haber terminado esto !_____! las cinco y son las ocho.
4. !_____! mes que viene habrán cambiado mucho las cosas, ya lo verás.
5. Nos volveremos a ver !_____! verano, en agosto.
6. !_____! el 15 de septiembre el proyecto tiene que estar terminado, ni un día má
7. Nos presentaremos a esos puestos de trabajo !_____! la próxima convocatori
8. El jefe nos ha exigido que tengamos todo arreglado !_____! el viernes nuev y estamos a siete. Vamos a empezar.

▶ Para saber más, vaya a las fichas 62, pág. 128 y 81, pág. 16

21 Expresar la duración de una actividad

172	**Continuar** + *gerundio*	Expresan la continuidad de una acción.
541	**Seguir** + *gerundio*	
282	**Durante**	Sitúa temporalmente un acontecimiento en un espacio de tiempo amplio.
300	**En** + *tiempo*	Sitúa temporalmente un acontecimiento.
386	**Hace... que**	Indica el tiempo que dura una situación o una actividad.
411	**Ir** + *gerundio*	Presenta una acción como progresiva.
429	**Llevar** + *gerundio*	Expresa el tiempo que dura una actividad.
431	**Llevar sin** + *infinitivo*	Indica el tiempo que ha transcurrido sin realizar una acción.
771	**Venir** + *gerundio*	Expresa que una acción se produce de forma progresiva.

1. ● **Complete con *en* o *durante*.**

1. Estuvo con nosotros ⌐_____*en*_____¬ Semana Santa.
2. Se vino a pasar unos días con nosotros ⌐_____¬ las vacaciones de invierno.
3. La reunión fue muy larga y violenta. ⌐_____¬ las tres horas que duró, se oyó de todo. Al final llegamos a un acuerdo.
4. A María José se le olvidó sacar el pan ⌐_____¬ la cena, hasta que se lo pedimos.
5. Por favor, hijo, pórtate bien ⌐_____¬ toda la ceremonia.
6. Estoy agotado porque ⌐_____¬ todo el verano no he tenido ni un minuto de descanso, excepto en vacaciones.
7. Se quedarán a dormir en casa de sus padres ⌐_____¬ diciembre, mientras les arreglan su casa.
8. Decretaron el estado de emergencia y, ⌐_____¬ los tres días que duró, no se podía salir por la noche.

2. ● **Transforme las frases utilizando el verbo *llevar*.**

1. Fernando está enfermo y **no come desde hace** tres días.
   ⌐ *Fernando está enfermo, lleva sin comer tres días.* _____¬
2. Hay sequía, **no ha llovido** ni una gota **durante** estos seis meses.
   ⌐_____¬
3. **Hace** doce horas **que duerme**.
   ⌐_____¬
4. **No nos vemos desde hace** diez años, por lo menos.
   ⌐_____¬
5. **Hace** cinco años que **trabajo en esta empresa**.
   ⌐_____¬
6. Estoy agotado, **no me tomo unas buenas vacaciones desde enero**.
   ⌐_____¬

3. Formule la pregunta para completar los diálogos.

1. - Pues yo estudio español desde hace ññññññññññññ años.
   - • *¡Perdón! ¿Cuántos años hace que estudias español?*
   - - Cinco años, llevo estudiando español cinco años.

2. - Llevo trabajando en esta empresa más de ññññññññññññ años.
   - • ¿Cómo?
   - - Más de tres años.

3. - Llevo ññññññññññññ meses sin comerme una paella.
   - • ¿Eh?
   - - Seis meses, y es mi comida favorita.

4. - Estoy agotado. Llevo ññññññññññññ días sin dormir bien.
   - • ¡Perdón!
   - - Cuatro, cuatro días.

5. - Yo no lo soporto a mi lado. Lleva hablando de sí mismo ññññññññññññ horas.
   - • ¡Cómo?
   - - Dos horas, de verdad, no exagero. Es insoportable.

6. - Desde hace ññññññññññññ años vivo en este piso tan pequeño.
   - • ¿Qué?
   - - Siete años. Es increíble, ¿verdad?

4. Complete las frases con los verbos *seguir, ir, venir* o *llevar* en la forma adecuada.

1. A pesar de sus múltiples discusiones, Pepe y Federico *siguen* siend
   buenos amigos.
2. En los últimos días yo _____ notando una atmósfera rara en el grup
3. Javier y Laura _____ saliendo juntos más de dos años. Yo creo que es
   acaba en boda.
4. La reunión se _____ alargando cada vez que alguno de los participa
   tes proponía algo nuevo.
5. ¿De verdad _____ pensando que no te quiere después de lo que te
   dicho?
6. Gracias a los adelantos científicos la vida _____ siendo más cómod
7. Es tan creído que _____ presumiendo de dinero y de puesto de trab
   jo. No tiene remedio.
8. ¡Por fin! _____ soñando con este momento mucho tiempo.
9. _____ trabajando quince años en esta empresa.
10. Manuel _____ durmiendo. Esta noche ha tenido pesadillas.

▶ Para saber más, vaya a la ficha 56, pág. 11

22 Relacionar acciones en el pasado

15	**Al / A la + siguiente**	Sitúa temporalmente un acontecimiento con relación a otro presentado previamente.
24	**A los / A las +** *tiempo*	Expresan la distancia temporal entre dos acontecimientos pasados.
64	**Al cabo de**	
67	**Después**	Señala un tiempo posterior sin especificar el momento exacto.
68	**Después de**	Presenta un acontecimiento como posterior a otro.
•96	**Siguiente**	Se refiere a una unidad de tiempo posterior.
•45	**Luego**	Expresa un tiempo posterior que los interlocutores saben cuál es.
•54	**Más tarde**	Indica un tiempo posterior específico.
•46	**Tras**	Expresa posterioridad en el espacio o en el tiempo físico o figurado.

● **Indique la fecha exacta.**

1. Se casaron el sábado 12 de agosto y al día siguiente, el ⌐___*domingo 13 de agosto*___¬, se fueron de viaje de luna de miel.
2. Empezó a trabajar en 1999 y al año siguiente, en ⌐_____¬, le ascendieron.
3. En marzo le dieron la hipoteca y al mes siguiente, en ⌐_____¬, ya vivía en su nueva casa.
4. Me llamó a las cuatro de la mañana y al cabo de una hora, a las ⌐_____¬, me volvió a llamar.
5. Anteayer me preguntó que en qué trabajaba y al día siguiente, ⌐_____¬, me lo volvió a preguntar.

● **Relacione los dos acontecimientos utilizando *a los/las* y *al cabo de*.**

1. El martes decidió ir de vacaciones a Cancún. El viernes compró los billetes.
   a. ⌐*El martes decidió ir de vacaciones a Cancún y a los tres días compró los billetes.*___¬
   b. ⌐*El martes decidió ir de vacaciones a Cancún y al cabo de tres días compró los billetes.*___¬
2. A las diez de la mañana hizo la entrevista. A las cinco de la tarde firmó el contrato.
   a. ⌐_____¬
   b. ⌐_____¬
3. Recibió un correo electrónico a las ocho cuarenta y cinco. A las ocho cuarenta y siete respondió al correo.
   a. ⌐_____¬
   b. ⌐_____¬
4. El jueves, el día de su cumpleaños, le regalé un libro. El domingo ya lo había leído.
   a. ⌐_____¬
   b. ⌐_____¬
5. Le pagaron a las siete. Ese mismo día a las diez ya se lo había gastado.
   a. ⌐_____¬
   b. ⌐_____¬

3. Complete con la preposición *a* cuando sea necesario.

1. La primera vez que los vi me parecieron muy simpáticos, pero |____Ø____| en siguiente ocasión me di cuenta de que eran un par de tontos.
2. Le escribió para que viniera a verle y |_____| la semana siguiente ya estaba allí.
3. Toñi, |_____| los cinco meses de salir con su novio, decidió casarse con él.
4. Al principio la ciudad no me gustaba, pero |_____| los cinco meses ya estaba mu a gusto y tenía muchos amigos.
5. En la asamblea extraordinaria del lunes decidieron una serie de medidas por unanimida pero |_____| la reunión siguiente fue un desastre.
6. En la primera reunión se presentaron todos con nuevas ideas y |_____| la reunió siguiente no vino nadie.

4. Complete las frases con una de las siguientes expresiones.

> después - tras - luego - más tarde

1. Estaba tan enfadado que pegó un grito y |____*después*____| dio un portazo.
2. |_____| los penosos acontecimientos del domingo el presidente declaró lu nacional.
3. Ahora no puedo hablar contigo, te llamo |_____|.
4. Él negó todos los hechos, pero |_____| reconoció su culpabilidad.
5. Bueno, entonces quedamos a eso de las siete. Pues hasta |_____|.
6. Voy una reunión. Dame los informes |_____|, cuando tengas tiempo.
7. Nos insultó a todos, y |_____| se arrepintió, pero ya no sabía cómo solucionarl
8. Los atletas, |_____| los campeonatos, abandonaron el estadio.

5. Marque la opción correcta.

1. Le pedí los documentos del abogado y siguiente /(al cabo de)/ después dos minutos l tenía encima de la mesa.
2. Dijo que se casaba y al mes después / luego / siguiente se casó. Siempre que toma un decisión la realiza rápidamente.
3. No sé si voy a poder verte porque tengo una reunión y al cabo de / después / siguient cita con el dentista.
4. Después / Luego / Tras los actos en honor a los invitados se inició el congreso.
5. Se compró una casa muy bonita al cabo de / después de / más tarde haber vendido piso que tenía en el centro.
6. Llámame tras / más tarde / siguiente.

23 Expresar la frecuencia

30	**A menudo / A veces**	
222	**De cuando en cuando**	Expresan la frecuencia con la que se hace una actividad.
241	**De vez en cuando**	
593	**Siempre**	
155	**Con frecuencia**	Expresan la amplia frecuencia con la que se realiza una actividad.
368	**Frecuentemente**	
415	**Jamás**	Indican la nula frecuencia de una actividad o de un aconteci-
515	**Nunca**	miento.
91	**Apenas**	
28	**Casi nunca**	Expresan la escasa frecuencia con la que se realiza una actividad.
528	**Raramente**	
312	**En la vida**	Indica que algo no se ha hecho todavía o no se va a hacer nunca.
767	**Varias veces**	Expresa la repetición de una acción.
774	**Vez al/a la, veces al/a la**	Indica la frecuencia o periodicidad con la que se realiza algo.

Complete con vocales los siguientes exponentes y búsquelos en la sopa de letras.

J A M Á S
S I E M P R E
N U N C A
F R E C U E N T E M E N T E
R A R A M E N T E
D E V E Z E N C U A N D O

7. A P E N A S
8. V A R I A S V E C E S
9. C O N F R E C U E N C I A
10. C A S I N U N C A
11. A M E N U D O
12. E N L A V I D A

```
A P E C J A M E S E M P R E Ñ
M S G A A P E N A S T R A S D
E A S S M U M C A V A Z R Z E
N T Y I A Z X F R E C U A T N
U N A N S I E M P R E A M A L
D I A U G L R Y I S C O E R A
O Y U N T G S A P O T E N X V
F R E C U E N T E M E N T E I
N U N A J A M O O S A U E X D
B U C O N F R E C U E N C I A
E N O V A N O N C A Z C V A S
K I D E V E Z E N C U A N D O
E N M I B J O R D I A F R E C
V A R I A S V E C E S N T E S
```

2. Clasifique las expresiones de frecuencia del cuadro de la página anterior.

Mucha frecuencia	Frecuencia media	Escasa frecuencia
Siempre		

3. Complete los diálogos con *frecuentemente, de cuando en cuando, casi nunca* o *jamás*.

1. -Tú haces mucho deporte, ¿no?
   • Sí, muy ¡__*frecuentemente*__¡ voy al gimnasio, como mínimo cuatro veces a la semana.

2. - ¿No juegas a las cartas?
   • No, ¡_____¡, no me gusta. Prefiero otros juegos.

3. - ¿Te gusta el cine?
   • Sí, bastante, pero voy ¡_____¡, cuando tengo tiempo.

4. - Yo ¡_____¡ como fuera de casa.
   • ¿No? Pues yo sí, me gusta comer cosa diferentes.

5. - Dicen que ¡_____¡ viajas solo, muy pocas veces.
   • No, muy poca veces no, ¡_____. Me da miedo.

6. - Y tú, ¿vas ¡_____¡ al teat
   • No mucho, tres o cuatro veces al año

4. Exprese en palabras la frecuencia indicada en cifras.

1. `3 x día.` ¡_*Tres veces al día.*_____
2. `1 x semana.` ¡_____
3. `5 x año.` ¡_____
4. `7 x hora.` ¡_____
5. `10 x mes.` ¡_____

5. Complete estas frases con las expresiones del ejercicio anterior y formule la frases.

1. Llevo una mañana terrible, no paran de llamarme. Me han llamado ¡*siete veces a la ho*
2. Tiene que tomar una medicina ¡_____¡, una en cada comida.
3. A mí me gusta mucho el cine y suelo ir ¡_____¡, normalmente los miércol
4. Tengo un abono del gimnasio que me permite ir ¡_____¡ por 20 euros.
5. Nos reunimos con relativa frecuencia, ¡_____¡, siempre en mi casa.

Marque la opción que signifique lo mismo.

1. **Nunca** he ido a ver una corrida de toros, no me gustan.
   - ☐ a. Apenas.
   - ☐ b. Casi nunca.
   - ☒ c. En la vida.

2. **De cuando en cuando** me gusta salir fuera de la ciudad.
   - ☐ a. De vez en cuando.
   - ☐ b. Frecuentemente.
   - ☐ c. A menudo.

3. **Raramente** salgo de casa sin el móvil
   - ☐ a. Nunca.
   - ☐ b. Apenas.
   - ☐ c. A veces.

4. No pienso volver a montar en globo **en mi vida**.
   - ☐ a. Una vez.
   - ☐ b. Nunca.
   - ☐ c. A menudo.

5. Yo voy **frecuentemente** al cine, me gusta.
   - ☐ a. De cuando en cuando.
   - ☐ b. Nunca.
   - ☐ c. A menudo.

Señale la expresión de frecuencia de cada serie que no corresponde.

1. Apenas • Raramente • Casi nunca • (Con frecuencia)
2. De vez en cuando • A veces • Jamás • De cuando en cuando
3. A menudo • De cuando en cuando • Frecuentemente • Con frecuencia
4. Nunca • Apenas • Jamás • En la vida

Complete las frases con *siempre, nunca, de vez en cuando* o *vez al/a la, veces al/a la*.

1. Dos !_____*veces a la*_____! semana voy a clase de inglés de ocho a nueve.
2. Esta noche voy a comer tamales en casa de Inés. !_____! los he probado.
3. !_____! que voy a Granada visito la Alhambra.
4. !_____! voy a buscar setas con mi padre. Unas dos !_____! año más o menos.
5. Los expertos recomiendan ir al dentista una !_____! semestre.
6. Chico, !_____! que te veo, me parece ver a tu padre. ¡Cómo os parecéis!
7. La juventud de hoy en día no lee periódicos ni libros !_____!. Es preocupante. Deberían fomentar el hábito de leer.
8. Como no tienen obligaciones, !_____! se van de viaje. Lo harán tres o cuatro !_____! año.
9. Como tenemos un sueldo bajito, mi familia y yo sólo podemos salir de vacaciones una !_____! año.
10. Estoy preocupado. Mi hijo Juan, !_____! que cambia el tiempo, se pone enfermo de la garganta.

24 Expresar acciones habituales

707	**Soler**	Indica que una actividad es habitual.
372	**Generalmente**	Se refieren a una actividad habitual o que se produce regular-
575	**Por lo general**	mente.

1. Conjugue el verbo *soler* en Presente y en Imperfecto de Indicativo.

	Presente	Imperfecto
Yo	*suelo*	
Tú		
Él, ella, usted		
Nosotros, nosotras		
Vosotros, vosotras		
Ellos, ellas, ustedes		

2. Complete los diálogos con la forma correcta del verbo *soler*.

1. - ¿Tú qué !_____*sueles*_____! hacer los domingos?
   • Pues !_____! levantarme tarde y salir a tomar el aperitivo.

2. - Los argentinos !_____! comer antes que los españoles.
   • ¡Ah, sí? ¿A qué hora?

3. - Cuando era pequeño, !_____! ir al colegio en tranvía.
   • ¿Todavía había tranvías?

4. - Mi mujer y yo antes no !_____! salir por la noche, por las niñas. Pero aho
   que son más mayores !_____! dar un paseíto después de cenar.
   • ¡Qué bien!

5. - ¿Qué vais a hacer este verano?
   • Pues, como mis padres !_____! alquilar una casa en la costa, nos vamos
   ir con ellos.

6. - De pequeño, ¿no !_____! jugar en la calle?
   • Sí, sí. En cambio hoy los niños no salen de casa.

7. - Me acuerdo de que en Navidad mis abuelos !_____! venir a cenar co
   nosotros y !_____! traernos dulces.
   • ¡Ah!, ¿sí? Pues nosotros éramos los que !_____! ir a casa de mis abuelos

8. - Mi padre dice que, al entrar en la escuela, !_____! formar y cantar el himr
   nacional antes de empezar las clases.
   • Claro, eso es porque era justo después de la Guerra Civil.

3. Elija la opción correcta.

1. En Francia (generalmente)/ suelen cierran los comercios a las seis de la tarde.
2. En África del Oeste generalmente / suelen cocinar con aceite de palma.
3. En Inglaterra generalmente / suelen se toma el té a las cinco.
4. En Marruecos generalmente / suelen comer couscous todos los días.
5. En España sólo los bebés y los ancianos generalmente / suelen echarse la siesta.
6. En muchas empresas generalmente / suelen se tiene una hora o menos para comer.
7. En Argentina generalmente / suelen tomar mate cuando están en casa.
8. En México generalmente / suelen puedes comprarte un taco en los puestos de la calle por unos pesos.

4. Observe el gráfico y escriba las observaciones generales, como en el ejemplo.

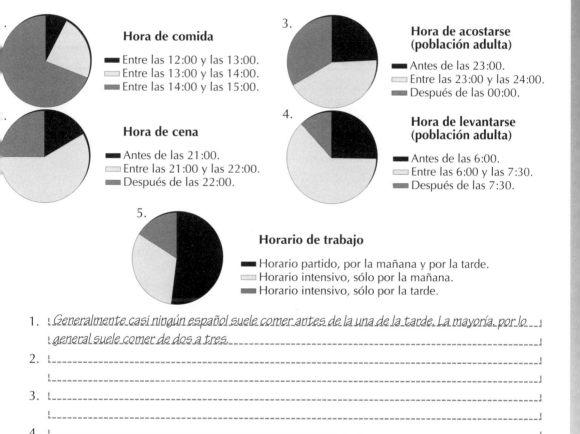

Hora de comida
- Entre las 12:00 y las 13:00.
- Entre las 13:00 y las 14:00.
- Entre las 14:00 y las 15:00.

3. **Hora de acostarse (población adulta)**
- Antes de las 23:00.
- Entre las 23:00 y las 24:00.
- Después de las 00:00.

Hora de cena
- Antes de las 21:00.
- Entre las 21:00 y las 22:00.
- Después de las 22:00.

4. **Hora de levantarse (población adulta)**
- Antes de las 6:00.
- Entre las 6:00 y las 7:30.
- Después de las 7:30.

5. **Horario de trabajo**
- Horario partido, por la mañana y por la tarde.
- Horario intensivo, sólo por la mañana.
- Horario intensivo, sólo por la tarde.

1. *Generalmente casi ningún español suele comer antes de la una de la tarde. La mayoría, por lo general suele comer de dos a tres.*

2.

3.

4.

5.

25 Expresar la impersonalidad

640	**Se**	Presenta una información como general.
373	**Gente**	Se refieren a las personas en general, excluyendo a quien habla
741	**Todo el mundo**	y a quien escucha.

1. Relacione.

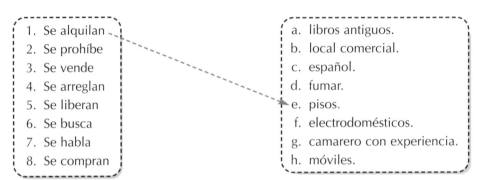

1. Se alquilan
2. Se prohíbe
3. Se vende
4. Se arreglan
5. Se liberan
6. Se busca
7. Se habla
8. Se compran

a. libros antiguos.
b. local comercial.
c. español.
d. fumar.
e. pisos.
f. electrodomésticos.
g. camarero con experiencia.
h. móviles.

2. Complete con los verbos del recuadro en forma impersonal.

hablar (2) - vender (2) - alquilar - venir - permitir - prohibir - comprar - reparar

1. En mi edificio ⌐___*se vende*___¬ un piso exterior muy bonito.
2. ⌐_____¬ fumar en toda la red de metro.
3. Restaurante Lucho. ⌐_____¬ español.
4. En el sur de Brasil ⌐_____¬ español con acento argentino.
5. ⌐_____¬ piso. Razón, portería.
6. En el zoo, no ⌐_____¬ dar de comer a los animales.
7. "Ni ⌐_____¬ ni ⌐_____¬ el cariño verdadero".
8. ⌐_____¬ muñecas antiguas.
9. Aquí ⌐_____¬ a trabajar.

3. Señale la opción correcta.

1. La gente dice / dicen que es un buen actor.
2. En el hotel, todo el mundo **lleva** / **llevan** uniforme.
3. En la cena **se contó** / **se contaron** chistes muy divertidos.
4. **Había** / **Habían** muchísima gente en el estreno.
5. Todo el mundo **se tutean** / **se tuta** en mi empresa.
6. Antes todo el mundo **llevaba** / **llevaron** sombrero.
7. **Se necesita** / **Se necesitan** nuevos valores.
8. Todo el mundo **tiene** / **tienen** derecho a un trabajo digno.

4. Sustituya la palabra *gente* por uno de los sustantivos del recuadro, haciendo las modificaciones necesarias.

taxistas - los maestros - los ciudadanos - los lectores - los obreros
los oyentes - los compradores - los viajeros - los trabajadores - personas

1. La gente que escucha la radio se enteró de la noticia enseguida.
   Los oyentes se enteraron de la noticia enseguida.

2. La gente que vuela con "Air aire" tiene muchos puntos.

3. La gente de la ciudad está en contra del proyecto del Ayuntamiento.

4. La gente que lee sus novelas le acompañó en el homenaje.

5. La gente que acude a esa tienda tiene buenos descuentos.

6. La gente que trabaja en la construcción se manifestó.

7. La gente que trabaja en esta empresa tiene vacaciones en el mes de agosto.

8. La gente que enseña a los niños tiene problemas de garganta.

9. Hay huelga por parte de la gente que conduce taxis.

10. Es una residencia para gente que tiene muchos años.

5. Señale la opción correcta.

1. (La gente) / Las personas (se acostumbra) / se acostumbrarán rápidamente a la comodidad.
2. Pase / Pasen por aquí las personas que tenga / tengan el carné caducado.
3. Era impresionante la cantidad de gente / de personas que acudió / acudieron al evento.
4. Parece que la gente / las personas ya no tuvieron / tienen respeto a la naturaleza.
5. España tiene cuarenta y dos millones de personas / de habitantes.
6. Antes en España había / habían muchas personas sin carné de conducir.
7. Aumenta el número de personas / gentes sin documentación.
8. La gente / Las personas no se imagina lo que es la vida en el Polo.
9. Se ignora todavía el número de personas / de gentes agraciada / agraciadas con el premio Gordo.

6. Complete el texto con los verbos del recuadro en forma impersonal en el tiempo apropiado.

decir - comentar - llamar - ~~saludar~~ - preguntar - responder

Ya sabes cómo es esto de las entrevistas de trabajo. Al principio te (1)!_____ *saludan* _____! muy amables, pero rápidamente te (2)!_____! por cuestiones muy persona-les y, naturalmente, no (3)!_____! si tú les devuelves las preguntas. Eso sí, te (4)!_____! que tu perfil no se adapta exactamente a sus necesidades y al final te (5)!_____! que ya te (6)!_____!.

7. Complete las siguientes frases con la forma impersonal de los verbos del recuadro.

comer - poder - ~~escribir~~ (5) - pronunciar (3)

1. El español es una lengua muy fonética porque !_____ *se escribe* _____! más o meno! como !_____!.
2. La "be" y la "uve" !_____! igual, pero !_____! de manera diferente.
3. La "hache" no !_____!. Es muda.
4. En algunas zonas, !_____! las "eses".
5. ¿Su apellido !_____! con "be" o con "uve"?
6. ¿Cómo !_____! tu nombre?
7. ¿Cómo !_____! *arroba* en español?
8. ¿!_____! decir "Buenos días" a las dos de la tarde?

8. Complete con los verbos del recuadro en forma impersonal en el tiempo apropiado.

buscar - ver - comprar - vender - hablar (2) - ~~permitir~~ - arreglar - prohibir

1. No !_____ *se permite* _____! la venta ambulante.
2. Ya !_____! del turismo espacial como si se tratara de cualquier cosa.
3. !_____! fumar en todo el recinto.
4. !_____! a la legua que no tiene pedigrí.
5. En el Rastro de Madrid !_____! y !_____! de todo.
6. En esa empresa !_____! chino.
7. En el centro comercial !_____! móviles.
8. !_____! repartidores para pizzería en Villalba.

26 Expresar la indeterminación

146	**Comoquiera que**		Describe un modo en el futuro.
182	**Cualquier día**		Se refiere a un momento indeterminado del futuro.
184	**Cualquiera que**		Describe una persona indeterminada.
190	**Cuandoquiera que**	Subjuntivo	Describe un momento indeterminado.
281	**Dondequiera que**		Describe un lugar indeterminado.
626	**Quienquiera que / Quienesquiera que**		Describe una persona indeterminada.

1. Busque en la sopa de letras y escriba los exponentes del cuadro anterior.

```
C U A L Q U I E R D I A H D O P
O P H N U I O J A N A R L O Ñ L
M C A M I S P L A L P O A N C D
O E S C O R L C I F N G F D F I
Q A G I T A C U A L Q U I E R A
U A C U A R U A A P R I Q O R R
I E V A R I S N P O R T I U L L
E F E R E R I D E S T L U I N A
R G A S E O S O R O M I T E R S
A T E L E F O Q M A R G A R T U
S I C A L I U U M A N I F A L O
B E N E F Q U I E N Q U I E R A
E N T U E I C E H E M A T I S A
E D I T O S T R P O L U F S I F
C O N T R A O A M I Ñ N I C I V
```

1. *Cualquier día*
2.
3.
4.
5.
6.

2. Una los elementos de cada recuadro y escriba diez combinaciones.

SEA VAYA VEA | COMO DONDE CUANDO LO QUE | SEA VAYA VEA

1. *Sea como sea.*
2.
3.
4.
5.
6.
7.
8.
9.
10.

3. Relacione.

1. Te seguiré	a. sea quien sea.
2. No abras la puerta	b. se ponga lo que se ponga.
3. Siempre me hacen descuento	c. vengas cuando vengas.
4. Todo le engorda	d. llame quien llame.
5. Voy a decir la verdad	e. compre lo que compre.
6. Conseguiré ese dinero	f. cueste lo que cueste.
7. No me pase ninguna llamada	g. caiga quien caiga.
8. Nunca llega a fin de mes	h. gane lo que gane.
9. Todo le queda bien	i. vayas donde vayas.
10. Avísame	j. coma lo que coma.

4. Complete las siguientes frases con un pronombre indefinido.

1. No quiero escucharte ¡_____cualesquiera_____¡ que sean tus razones.
2. Siempre lleva encima su teléfono móvil, ¡_____¡ que vaya.
3. ¡_____¡ que te vea, pensará que estás loca.
4. "¡_____¡ que esté, mi carro es mío".
5. Manifiéstate ¡_____¡ que seas.
6. En mi casa, todo el mundo es bienvenido, ¡_____¡ que sea.
7. Está muy nerviosa y ¡_____¡ día de estos hará una locura.
8. Envíame una postal ¡_____¡ que vayas.
9. ¡_____¡ que sea, lo importante es reaccionar a tiempo.

5. Complete las frases con un verbo del recuadro en la forma apropiada.

> estar - ser - ver - tener - encontrar - saber - ir - venir - pedir - viajar

1. Dondequiera que ¡_____estés_____¡ no te olvides de mí.
2. Cualquiera que lo ¡_____¡ lo contará a la policía.
3. La felicidad no puede comprarla cualquiera que ¡_____¡ dinero.
4. Cómprame cualquier cosa que ¡_____¡ interesante.
5. Cualesquiera que ¡_____¡ sus motivos, son importantes.
6. He perdido mi agenda. Quienquiera que la ¡_____¡, póngase en contacto conmigo.
7. Estará asegurado dondequiera que ¡_____¡.
8. Ven a verme cualquier día que te ¡_____¡ bien.
9. Es capaz de regalarle el abrigo a cualquiera que se lo ¡_____¡.
10. Te seguiré dondequiera que ¡_____¡.

27 Expresar indiferencia

199	**Dar igual**	Expresa indiferencia ante una elección.
612	**¡Qué más da!**	Expresa indiferencia cuando nos informan de algo que no era lo que esperábamos.
677	**¿Sí?**	Expresa sorpresa e indiferencia ante una información.
743	**Total**	Justifica la razón de la indiferencia.
783	**¿Y a mí qué?**	Expresa indiferencia de forma impertinente.
788	**¿Y qué?**	Expresa indiferencia y muestra interés sobre la causa que origina la información.

1. Observe las siguientes frases, subraye el verbo y señale si va en infinitivo o Subjuntivo.

	Infinitivo	Subjuntivo
1. Me da igual que <u>vengas</u> hoy o mañana, pero ven.		✓
2. Me da igual comer carne o pescado, me gusta todo.		
3. Me da igual viajar de día que de noche.		
4. Me da igual que gane el Real Madrid o el Inter de Milán.		
5. Les da igual que la fiesta sea aquí o en su casa.		
6. Nos da igual que sea niño o niña.		
7. ¿Te da igual que te devuelva el dinero el mes que viene?		
8. A mi novio le da igual que lleve el pelo corto o largo.		
9. ¿Os da igual que cambiemos las fechas de la reunión?		
10. A mí me da igual que mi coche esté limpio o sucio.		

2. Complete el cuadro.

Me			
Te		+ [_____]	El pronombre personal y el sujeto de la acción son el mismo.
[____]	**da igual**		
[____]		+ [____] + [_____]	El pronombre personal y el sujeto de la acción son diferentes.
[____]			
[____]			

3. Complete las siguientes frases utilizando infinitivo o *que* + Subjuntivo según convenga.

1. Me da igual !_____ *ir* _____! (ir) a Málaga o a Granada. Las dos ciudades me encantan.
2. Me da igual !_____! (reunirse, nosotros) en mi despacho o en el tuyo, pero este miércoles no puede ser.
3. ¿Te da igual !_____! (vestirse, yo) de cualquier forma?
4. Le da igual !_____! (leer) en español o en portugués. Es bilingüe.
5. Me da igual !_____! (fumar, tú), pero utiliza los ceniceros, por favor.
6. Siempre te da igual lo !_____! (pensar, yo), ¿verdad?
7. A mis clientes les da igual !_____! (recibir) los envíos por tren o por carretera.
8. Claro que no nos da igual !_____! (salir) hoy o mañana.
9. ¿A usted le daría lo mismo que sus hijos !_____! (comportarse) así?
10. Como es una piscina interior, da igual !_____! (llover) o que no.

4. Complete las siguientes reacciones utilizando una de las expresiones del recuadro.

> ¡qué más da! - ¿sí? - ¿y a mí qué? - ¿y qué?

¿Sabes? Juan y Pepe van a casarse.

1. !_____ *¿Sí?* _____! ¿De verdad?
2. !_____! ¿Es que tienes ganas de ir de boda?
3. !_____! El caso es que a mí Juan ya no me quiere.
4. !_____! Por mí como si se operan.

5. Complete con un verbo del recuadro en la forma correcta.

> callarse - venir - quitar - ponerse - llevarse - tronar - salir - bajar - hacer - pedir

1. Me da igual que vayas o que !_____ *vengas.* _____!
2. Me da igual que entres o que !_____!
3. Me da igual que subas o que !_____!
4. Me da igual lo que traigas o lo que !_____!
5. Me da igual que me des o que me !_____!
6. Me da igual que llueva o que !_____!
7. Me da igual que haga frío o que !_____! calor.
8. Me da igual que te pongas como !_____!
9. Me da igual que me supliques o que me lo !_____! de rodillas.
10. Me da igual que me lo digas o que !_____!

6. Una las frases y forme una sola.

1. A mí me da igual.
   Vamos a ir a un lugar.
   Elige dónde vamos.

   A mí me da igual dónde vayamos, así que elige dónde quieres ir.

2. Me da igual.
   Vamos a comprar un regalo.
   Compramos lo que quieras.

3. Me da igual el lugar.
   Tenemos unos días de vacaciones.
   Busca un sitio interesante.

4. Me da igual el tipo de comida.
   Vamos a comer a un restaurante.
   Vamos a ese de la esquina.

5. Me da igual el director.
   Queremos alquilar una película.
   Busca una divertida.

6. Me da igual dónde.
   Buscamos un apartamento.
   Decide tú el lugar.

7. Me da igual el tono.
   Vamos a escribir una carta de reclamación.
   Escríbela tú.

8. Me da igual la marca.
   Necesito un secador de pelo.
   Deme el que usted quiera.

28 Expresar involuntariedad

638 | **Se me/le/le/nos/os/les** | Presenta un acontecimiento como involuntario.

1. Observe estas frases y marque el sujeto gramatical.

1. Se me han roto <u>los pantalones</u>, voy a cambiármelos.
2. Charo está muy triste porque se le ha escapado el gato y no lo encuentra.
3. A Carmen y a Carlos se les han olvidado las llaves dentro de casa.
4. ¿Se le ha caído a usted la cartera?
5. A nosotros se nos olvidó el dinero y, por eso, no pudimos pagar la cuenta.
6. A mí se me quemó la comida y tuve que invitar a todos a comer fuera.
7. ¡Eh! Que se te están cayendo los papeles. Ten cuidado.
8. ¡Ya son las once! Se me ha pasado el tiempo volando.
9. Se les estropeó el coche a mitad del camino, y no pudieron llegar a tiempo.
10. ¡Qué raro que se le haya olvidado la cita!

2. Complete el cuadro.

Se	me	Verbo en tercera persona del singular	Cuando el objeto es !_____!.
	te		
	le		
	nos	Verbo en tercera persona del plural	Cuando el objeto es !_____!.
	os		
	les		

3. Complete las frases con la forma correcta del verbo.

1. ¿Qué les pasa a tus zapatos nuevos, se te !_____*han roto*_____! (romper)?
2. ¡Qué pena! A María se le !_____! (morir) el perro.
3. ¡Puag, qué asco! Se te !_____! (volver) a quemar los espaguetis.
4. ¡Huy, perdón! Se me !_____! (volver) a olvidar que no coméis carne.
5. A mi madre se le !_____! (caer) el jarrón al suelo y se ha roto.
6. A mis hermanos se les !_____! (perder) las llaves del coche.
7. A mí siempre se me !_____! (olvidar) el cumpleaños de mi suegra.
8. Se nos !_____! (escapar) esta oportunidad.
9. A Vicente se le !_____! (abrir) las ventanas por la noche y tiene pulmonía. Está en el hospital.
10. A ti se te !_____! (cruzarse) los cables. ¡Qué tonterías estás diciendo!

4. Observe las frases y relaciónelas con la situación.

1.
a. Yo he roto el baúl de la abuela.
b. Se ha roto el baúl de la abuela.
c. Se me ha roto el baúl de la abuela.

I. No sé qué ha pasado.
II. Lo siento, lo estaba limpiando y se me cayó al suelo.
III. Era muy viejo y no valía para nada.

2.
a. Hice añicos la puerta.
b. Se hizo añicos la puerta.
c. Se me hizo añicos la puerta.

I. Fue sin querer. Estaba moviendo un mueble y le di un golpe.
II. No tenía las llaves y tenía que entrar.
III. Con la fuerza del viento.

3.
a. Olvidó todo lo que nos pasó.
b. Se olvidó de todo lo que nos pasó.
c. Se le olvidó todo lo que nos pasó.

I. Es que no quería tener un recuerdo tan malo.
II. Siempre es igual de despistado.
III. Fue tan fuerte la amnesia que le duró unos meses.

4.
a. Ha roto los pantalones.
b. Se han roto los pantalones.
c. Se me han roto los pantalones.

I. De tanto usarlos y lavarlos ya estaban muy gastados.
II. Me he enganchado con algo.
III. Es que la moda ahora es llevarlos rotos.

5.
a. He abierto la ventana.
b. Se ha abierto la ventana.
c. Se me ha abierto la ventana.

I. Por la fuerza del viento que había.
II. Es que la dejé mal cerrada. Por eso he pasado tanto frío.
III. Para que se airee la habitación.

5. Una las frases de cada caja y escriba una.

1. Lo siento.
No era mi intención.
He olvidado que habíamos quedado.

Siento que se me haya olvidado que habíamos quedado, no era mi intención.

2. Les da pena.
Es porque no saben utilizarla.
Han roto la televisión.

3. Es un horror.
No se dio cuenta de que estaba suelto.
El perro se ha escapado.

4. Es una barbaridad.
No sabían gestionarla.
Han arruinado la empresa.

5. Están arrepentidos.
Las regaban todos los días demasiado.
Han secado las plantas.

29 Expresar la cantidad

110	Bastante/s	Expresa una cantidad grande sin especificarla.
255	Demasiado/a/os/as	Expresa una cantidad excesiva.
477	Mucho/a/os/as	Expresa cantidades altas de forma imprecisa.
478	Muy	Matiza cualidades, no expresa cantidades.
545	Poco/a/os/as	Expresa cantidades bajas de forma imprecisa.
726	Tanto/a/os/as	Se refiere a cantidades altas mencionadas antes.
755	Un poco	Indica cantidades bajas.

1. Relacione.

1. En Madrid hay muchos
2. Sevilla tiene mucha
3. En los alrededores de Barcelona hay muchas
4. En San Sebastián hay mucho

a. empresas textiles.
b. fama como ciudad monumental.
c. museos importantes, como el Prado o el Reina Sofía.
d. turismo.

2. Transforme las frases anteriores como en el ejemplo.

1. *En Madrid hay no pocos museos importantes, como el Prado o el Reina Sofía.*
2.
3.
4.

3. Complete con *mucho/a/os/as* o con *muy*.

1. En esta tienda hay ⎿_____mucha_____⏌ gente.
2. Estos relojes son ⎿_____⏌ caros.
3. En mi ciudad hay ⎿_____⏌ museos ⎿_____⏌ famosos.
4. Tengo ⎿_____⏌ hambre.
5. ¿No crees que hay ⎿_____⏌ ruido? Baja el volumen de la radio, por favor.
6. Es ⎿_____⏌ importante estudiar idiomas.
7. Estoy ⎿_____⏌ cansado porque tengo ⎿_____⏌ trabajo.
8. Se han matriculado de español ⎿_____⏌ estudiantes.
9. Yo tengo ⎿_____⏌ más años que tú, soy muy viejo.
10. Esta persona parece ⎿_____⏌ enigmática, ¿no?
11. Estoy ⎿_____⏌ contento. He aprobado todo.
12. Este año no ha llovido nada. Hay ⎿_____⏌ sequía.

4. Marque la opción adecuada.

1. - ¿Es verdad que en tu colección de sellos tienes (muchos) / tantos de Guatemala?
   • En realidad no son muchos / tantos.
2. - Mamá, tengo mucha / tanta hambre. Quiero un helado.
   • No creo que tengas mucha / tanta hambre. Si quieres, te hago un bocadillo.
3. - No tenemos mucho / tanto dinero ahorrado como crees. No gastes demasiado.
   • Bueno, no compraré muchas / tantas cosas, vale.
4. - Tengo muchas / tantas ganas de verte, Valentín.
   • Yo también.
5. - Agustina trabaja muchas / tantas horas que no le queda tiempo para hacer nada.
   • Sí, y además tiene muchas / tantas responsabilidades.
6. - Es muy rico. Tiene muchos / tantos coches deportivos, muchos / tantos que no le caben
   en su garaje.
   • ¿De verdad que tiene muchos / tantos?
7. - Dicen que ha tenido muchas / tantas novias.
   • Seguro que no muchas / tantas.
8. Tengo mucho / tanto sueño que me voy a dormir ya.

5. Complete con *bastante* o con *bastantes*.

1. En clase hay ⌐___*bastantes*___⌐ personas que no te conocen. Voy a presentártelas.
2. Hay ⌐_____⌐ gente que no está de acuerdo con tu opinión.
3. A mí esta comida preparada me gusta ⌐_____⌐. Me la recomendó Ana,
   y está ⌐_____⌐ buena.
4. No tengo ⌐_____⌐ dinero para comprarme la casa que he visto.
5. Sí, está mayor. Es que, aunque no lo parezca, tiene ⌐_____⌐ más años
   que yo. Creo que en agosto hizo ochenta.
6. No, no me pongas más comida, hay ⌐_____⌐.
7. - ¿Han participado muchos corredores en la prueba?
   • ⌐_____⌐, para ser tan poco conocida.
8. La policía no sabe por dónde empezar a investigar, porque la víctima tenía ⌐_____⌐
   enemigos.
9. Bueno, ya es ⌐_____⌐, no quiero más.
10. Según los periodistas, hay ⌐_____⌐ más perjudicados por las obras de lo
    que dicen.
11. Me duele el estómago. He comido ⌐_____⌐.
12. Me ha dicho ⌐_____⌐ gente que aprender chino es muy difícil.

6. Relacione.

1. Es escaso. ---------
2. Es excesivo.
3. Es suficiente.
4. Es una gran cantidad.

a. Bastante
b. Demasiado
c. Mucho
d. Poco

7. Marque la opción correcta.

1. Por favor, déjame **poco** / **un poco** de sal.
2. No me traigas más folios a casa. Tengo **bastantes** / **demasiados**.
3. Necesito **demasiado** / **mucho** tiempo para hacer esto. Voy a empezar ahora mismo.
4. Hoy no puedo atenderte, Tomás, tengo **poco** / **un poco** tiempo libre. Mejor ven maña-na y desayunamos juntos.
5. Le echó **bastante** / **demasiada** sal a la sopa y quedó muy salada.
6. Ha venido **poca** / **mucha** gente al concierto y las autoridades no saben qué hacer con los que no caben.
7. Ha sobrado **poco** / **un poco** de tarta. ¿Quieres llevártela?
8. Ana dice que hay **pocos** / **muchos** trabajadores descontentos y que por eso se van a reunir los sindicatos.
9. Yo tengo **bastante** / **demasiada** sed. ¿Vamos a tomar algo?
10. Esto ya es **bastante** / **demasiado**. Hasta aquí hemos llegado. Voy a hablar con el respon-sable de todo esto.

8. Complete con una de las expresiones de cantidad en la forma adecuada.

> bastante - demasiado - mucho - poco - un poco

1. Aquí hay ¡___*demasiada*___¡ gente para que puedan caber en el salón de actos. Tenemos que hacer algo.
2. Déjame ¡_____¡ de azúcar, que quiero hacer un pastel y no tengo.
3. El conferenciante era tan bueno que vino ¡_____¡ gente a oírle.
4. Me llevé ¡_____¡ dinero y por eso no pude comprar lo que me pediste.
5. Yo creo que ya hay ¡_____¡ vecinos, podemos empezar la reunión.
6. ¿Crees que tienes ¡_____¡ dinero para pagar a la agencia?
7. Está muy cansado porque tiene ¡_____¡ trabajo estos días en la oficina.
8. Necesita ¡_____¡ de cariño, nada más. Por eso maúlla.
9. No te preocupes por Fuencisla, tiene ¡_____¡ paciencia. Sabrá cómo aguantarle.
10. Tiene ¡_____¡ orgullo como para reconocer los errores que ha cometido.

▸ Para saber más, vaya a las fichas 6, pág. 16, 60, pág. 124 y 53, pág. 310.

30 Expresar la posesión

205	**De** + *alguien*	Expresa la posesión o la pertenencia.
232	**¿De quién/es** + *ser?*	Pregunta por la propiedad de algo.
592	**Propio**	Hace énfasis en la identidad o en la posesión.
664	**Ser** + *pertenencia*	Expresa la propiedad.
437	**Lo mío / Lo tuyo**	Se refiere a lo característico o propio de cada persona.
444	**Los míos / Los tuyos**	Se refiere a la familia de alguien.
465	**Mi / Mis**	
471	**Mío/a/os/as**	
514	**Nuestro/a/os/as**	
712	**Su /sus**	
717	**Suyo/a/os/as**	Adjetivos y pronombres posesivos.
748	**Tu / Tus**	
750	**Tuyo/a/os/as**	
779	**Vuestro/a/os/as**	

1. Relacione.

1. En mi país, en esta época del año llueve mucho.
2. A nuestro perro le gusta mucho jugar.
3. A su abuela le duelen mucho las rodillas por la artrosis.
4. A mi hija le asustan los perros.
5. ¿Tu mujer no sabe hacer una paella?
6. Dicen que en su pueblo hay un palacio.
7. Juan es un amigo mío.
8. Creo que esto es vuestro, ¿no?

a. A la mía no, le encantan.
b. A la nuestra también.
c. Al mío no, es que ya es viejito.
d. En el mío no, ahora es verano.
e. En el suyo no, en el mío es donde está el palacio.
f. No, ni la tuya.
g. No, no, no es nuestro, es suyo.
h. Y mío también, hemos ido al colegio juntos.

2. Relacione.

☑ 1. Los posesivos *mi, tu* y *su* y sus formas plurales
☐ 2. Los posesivos *mío, tuyo* y *suyo* y sus formas femeninas y plurales
☐ 3. Los posesivos *el mío, el tuyo, el suyo* y sus formas femeninas y plurales
☐ 4. Los posesivos *nuestro, vuestro, su* y sus formas femeninas y plurales
☐ 5. Los posesivos *el nuestro, el vuestro, el suyo* y sus formas femeninas y plurales

a. van delante de sustantivos.　b. van detrás de sustantivos.
c. van sin sustantivos.　d. pueden ir delante o detrás de sustantivos.

3. Marque la opción correcta.

1. (Mi)/ Mío / El mío profesor se llama Antonio.
2. Ése es el coche de César, mi / mío / el mío es más pequeño.
3. Rafa es un amigo mi / mío / el mío de la universidad.
4. Hoy he visto a una de tus / tuyas / las tuyas primas, la que vive en mi barrio.
5. Mi jefe es primo tu / tuyo / el tuyo.
6. Este libro es tu / tuyos / el tuyo, llévatelo, por favor.
7. A mi hija le he comprado su / suya / la suya primera bicicleta.
8. No, éste no es el abrigo de Elena, su / suyo / el suyo es aquél verde.
9. Éste es nuestro / el nuestro, vuestro / el vuestro es el otro.
10. Tienes razón, en nuestro / el nuestro país hace más calor que aquí.

4. Fíjese en las frases anteriores y señale la respuesta correcta.

1. Los pronombres posesivos concuerdan en género...
   ☐ a. con el sexo de la persona poseedora.
   ☒ b. con el género del objeto poseído.

2. Los pronombres posesivos concuerdan en singular o en plural...
   ☐ a. con el número de personas que poseen.
   ☐ b. con la cantidad de objetos poseídos.

5. Complete las frases con el posesivo adecuado.

1. No, no, éste no es |_____*mi*_____| libro. |_____| lo tengo aquí, en mi cartera.
2. Antonio, hoy he visto a |_____| padre. Está muy bien, ¿no?
3. |_____| coche está muy viejo. Lo compramos hace ya más de diez años. En cambio |_____| es muy nuevo. ¿Cuándo lo habéis comprado?
4. Unos amigos nos dejan |_____| casa de la playa este fin de semana.
5. |_____| primo Jorge es un poco más joven que yo.
6. Señores García, por favor, ¿cuáles son |_____| maletas? El botones las va a subir ya a |_____| habitación.
7. Están muy preocupados por |_____| hijo. Parece ser que tiene problemas con |_____| profesores y con |_____| compañeros de clase. Eso me dice |_____| hijo, que es uno de |_____| compañeros.
8. Elena, creo que esto es |_____|. Toma.
9. Bernardo y yo nos hemos dividido el trabajo. Él ya ha terminado |_____| parte, pero yo |_____| no.
10. No sabemos si celebrar este año la Navidad en |_____| casa o en casa de |_____| padres.

6. Formule la pregunta para completar los diálogos.

1. - ¿_____Es suyo_____! el coche rojo? Está mal aparcado.
   - • Perdón, es mío. Ahora mismo voy.
2. - ¿_____! la corbata gris?
   - • Es mía, gracias, pensé que la había perdido.
3. - ¿_____! estos pares de zapatos que hay aquí tirados?
   - • Son nuestros, mamá.
4. - ¿Y este niño? ¿_____!? ¿Dónde están sus padres?
   - • Es nuestro, somos nosotros, profesora.
5. - ¿_____! esta pluma azul?
   - • Es de mi hermano, la estaba buscando.

7. Complete las frases con *propio/a/os/as* cuando sea necesario.

1. Los agricultores, enfadados por el bajo precio de los tomates, regalaron los suyos !_____Ø_____! para protestar.
2. Mis hijos ya son mayores. Ellos pueden recoger sus !_____! platos.
3. Yo !_____! voy a alquilar mi casa a unos amigos.
4. En el mito de Edipo él mismo se arrancó sus !_____! ojos. ¡Qué horror!
5. Fue el !_____! presidente, y no su secretario, quien leyó el comunicado.
6. Todo esto es muy !_____! de Iñaki, ¿no te parece?

8. Complete con *lo mío, lo tuyo, lo suyo, los míos, los tuyos, los suyos.*

1. Ayúdame a escribir esta carta, por favor. !_____Lo mío_____! no son las letras.
2. ¿De verdad estás enfadado porque ha invitado a todos mis primos a la boda y a !_____! no?
3. Espero que estéis todos bien de salud. !_____!, bien, afortunadamente.
4. ¡Qué bien tocas el piano! Se ve que !_____! es la música.
5. Mi marido ha intentado arreglar el enchufe y lo ha dejado peor de lo que estaba. Es que !_____! no es la electricidad.
6. Es muy simpático. !_____! son las relaciones públicas.
7. !_____! vienen de Badajoz, ¿verdad, señor González?
8. !_____! son los deportes. Cada día me gustan más y se me dan mejor. Voy todos los días al gimnasio.
9. Está de Rodríguez. Como !_____! se han ido a la casa que tienen en la sierra, está solo en la ciudad.
10. ¿Otra vez te has chocado con el coche? Es que !_____! no es conducir. Tienes que tener más cuidado.

▶ Para saber más, vaya a la ficha 5, pág. 14.

31 Expresar la comparación

13	**A cual más / A cual menos**	Compara dos o más elementos sin destacar ninguno.
134	**Como**	Indica igualdad entre dos cosas, personas o animales.
724	**Tan... como**	
727	**Tanto como**	Hacen una comparación de igualdad.
455	**Más... que**	Presenta una comparación de superioridad.
464	**Menos... que**	Presenta una comparación de inferioridad.
475	**Mismo/a/os/as**	Señala que algo o alguien es idéntico a otra cosa o persona.
597	**Que**	Introduce el segundo término de la comparación de superioridad o de inferioridad.

1. Transforme las frases utilizando *el/la/lo/los/las mismo/a/os/as, igual que* o *igual de*, según el ejemplo.

1. Elena tiene tantos años como Matilde.
   Elena y Matilde tienen los mismos años.

2. El flamenco me gusta tanto como la salsa.

3. Los pisos en Barcelona cuestan tanto como en Madrid.

4. Esta casa es tan pequeña como la de mi abuela.

5. Bernardo tiene tantas preocupaciones como yo.

6. Soraya gana tanto dinero como tú, pero vive peor.

7. Este cuadro es tan bonito como el otro. No sé cuál elegir.

8. Este restaurante es un éxito. Ayer vino tanta gente como el día de la inauguración.

9. El alumno ha aprendido bien de su maestro. Se explica tan claramente como él.

10. Este deportista se ejercita tanto como su compañero, pero no tiene los mismos resultados.

2. Relacione.

1. Se utiliza *tanto*
2. Se utiliza *tanto/a/os/as*
3. Se utiliza *tan*

a. con adjetivos.
b. con adverbios.
c. detrás de verbos y sin sustantivos ni adjetivos.
d. con sustantivos.

3. Reflexione y complete la regla.

Para expresar comparaciones de igualdad, cuando se comparan cantidades de algo se utiliza !_____! *como*. Cuando se comparan cualidades, se utiliza !_____! *como*. Y cuando se compara la intensidad de una acción se utiliza !_____! *como*.

4. Marque la opción correcta.

1. Mi pueblo tiene tan / tanto / (tantos) habitantes como el tuyo, pero es menos conocido.
2. Guillermo es tan / tanto / tantos alto como Antonio, se parecen mucho.
3. Elena trabaja tan / tanto / tantas horas como su jefe, pero gana menos.
4. Éstos me gustan tan / tanto / tantos como aquéllos. ¿Cuáles elegimos?
5. Desde pequeño le interesan tan / tanto / tantos los experimentos químicos que ha decidido estudiar Químicas. No ha tenido dudas.
6. Canta tan / tanto / tantos agudo como una soprano profesional.
7. Es tan / tanto / tantos amable y cortés como el que más.
8. No tiene tan / tanto / tantos amigos como yo, por eso le voy a presentar a más gente.
9. Habla tan / tanto / tantos rápido como una locomotora, no se le entiende nada.
10. No sabes lo chistoso que es. Con él te ríes tan / tanto / tantos como con un payaso.

5. Haga comparaciones de superioridad o de inferioridad, como en el ejemplo.

1. Belén es muy inteligente. Paloma es más inteligente.
   Belén *es menos inteligente que Paloma.*
2. Los pasteles de chocolate me gustan mucho. Los pasteles de vainilla mucho más.
   Los pasteles de vainilla !_____!
3. Alfredo trabaja diez horas al día. Lorenzo trabaja ocho horas al día.
   Lorenzo !_____!
4. La última película de Almodóvar tiene algunos premios. La última película de Amenábar tiene muchos premios.
   La última película de Almodóvar !_____!
5. Calderón de la Barca es un escritor poco conocido. Cervantes es muy conocido.
   Cervantes !_____!
6. El museo de Arte Abstracto de Cuenca es moderno. El Museo de Arte Contemporáneo Reina Sofía de Madrid es muy moderno.
   El museo de Cuenca !_____!
7. *El Guernica* es un cuadro de Picasso muy famoso. *Las señoritas de Avignon* es famoso.
   Las señoritas de Avignon !_____!

6. Complete las frases con *que* o *como*.

1. Éste es más grande !_____*que*_____! el otro, ¿no?
2. Mira, tengo tanto sueño !_____! tú, pero tenemos que terminar esto.
3. Lisa es más trabajadora !_____! Cristina.
4. Tiene muchos menos años !_____! su prima, es más joven.
5. A mí éste me gusta menos !_____! el otro. ¿Y a ti?
6. ¡Qué bonito! Es tan hermoso !_____! el que tenemos en casa.
7. Tiene tanto atractivo !_____! el anterior, pero es más educado.
8. A mí me gusta más escribir cartas !_____! mandar correos electrónicos.

7. Observe las fichas de estos dos países y compárelos.

El Salvador

Población: 5,6 millones de habitantes.
Composición de la población: mestizos 90%, indígenas 9%, blancos 1%.
Superficie: 21.040 km².
Densidad: 269 habitantes por km².
Religiones: católicos 75%, otras 25%.

Guatemala

Población: 5,6 millones de habitantes.
Composición de la población: mestizos 90%, indígenas 7%, negros caribeños 2%, blancos 1%.
Superficie: 112.090 km².
Densidad: 49 habitantes por km².
Religiones: católicos 97%, otras 3%.

1. **Habitantes.** !_*El Salvador tiene tantos habitantes como Guatemala.*_!
2. **Mestizos.** !_____!
3. **Indígenas.** !_____!
4. **Blancos.** !_____!
5. **Extensión.** !_____!
6. **Densidad de población.** !_____!
7. **Religión.** !_____!

8. Transforme las frases utilizando *a cual más* o *a cual menos*, como en el ejemplo.

1. Estos coches son muy rápidos.
   !_*Estos coches son a cual más rápidos.*_!
2. Es muy tímido, habla muy poco. Es tan callado como su hermano.
   !_____!
3. La película que vi ayer es tan interesante como la de hoy.
   !_____!
4. Este programa de la televisión no es nada divertido, pero el otro tampoco.
   !_____!
5. Mira, ninguno de los dos vale para nada. Eduardo es tan poco eficaz como Matías.
   !_____!

▶ **Para saber más, vaya a las fichas 12, pág. 28, 13, pág. 30 y 76, pág. 156.**

(32) Expresar comparaciones absolutas

453	**Más de**	Expresa una cantidad superior aproximada.
455	**Más... que**	Establece una comparación de superioridad.
462	**Menos de**	Expresa una cantidad inferior aproximada.
464	**Menos... que**	Establece una comparación de inferioridad.

1. Transforme las frases con *más de, más... que, menos de* y *menos... que*.

1. Pablo es más alto que sus primos Iñaki, Javier, Jorge y Carlos.
   Pablo es el más alto de sus primos.

2. Todas las amigas son muy rubias. Irene es más rubia que las demás.

3. Sus hermanos hablan cuatro idiomas. Él sólo habla tres.

4. Todos viven lejos del centro. Él no vive tan lejos.

5. Los comerciales de este concesionario venden muchos coches. Alfonso vende más coches.

6. Segovia, Toledo y Aranjuez son ciudades muy turísticas. Toledo es la más turística.

7. Torres Naharro, Villarroel y Lope de Rueda son dramaturgos poco conocidos. Villarroel es menos famoso.

8. Los hoteles Ritz, Palace y Villamagna son hoteles muy lujosos de Madrid. El Palace es más conocido.

2. Observe las descripciones de estas tres personas y establezca comparaciones absolutas.

Jorge
Edad: 22 años
Altura: 1,78 m.
Peso: 78 kg.
Amigos: 5
Nota media en los cursos: 9

Alejandro
Edad: 20 años
Altura: 1,82 m.
Peso: 76 kg.
Amigos: 6
Nota media en los cursos: 7

César
Edad: 18 años
Altura: 1,80 m.
Peso: 80 kg.
Amigos: 9
Nota media en los cursos: 8

1. **Edad.** *Jorge es el que tiene más años de los tres. César es el que tiene menos años de los tres.*
2. **Altura.**
3. **Peso.**
4. **Amigos.**
5. **Nota media.**

3. Complete con *que* o con *de*.

1. José es más trabajador ⌊_____*que*_____⌋ su hermano mayor.
2. Asunción es la más inteligente ⌊_____⌋ los tres hermanos.
3. Daniel es el más joven ⌊_____⌋ los primos.
4. Vicente tiene menos recursos ⌊_____⌋ yo.
5. Montse lee más ⌊_____⌋ tres periódicos al día.
6. No pongas menos ⌊_____⌋ 100 gramos de espaguetis por persona.
7. Como Julián es más comilón ⌊_____⌋ yo, dale a él más tarta.
8. Escribe a máquina más ⌊_____⌋ cincuenta palabras por minuto.
9. Ya he resuelto más ⌊_____⌋ la mitad de los ejercicios.
10. Oye, yo ya he hecho más paquetes ⌊_____⌋ tú. Voy a descansar.

4. Haga frases como en el ejemplo.

1. Gana al mes unos 1.800 euros. Gasta unos 1.850 euros al mes.
   ⌊_*Gasta más de lo que gana.*_____⌋
2. Tiene un contrato de ocho horas al día. Trabaja diez horas al día.
   ⌊_____⌋
3. Sabe poco del tema. Habla mucho de ese tema.
   ⌊_____⌋
4. Dice que tiene muchos libros. Tiene menos libros.
   ⌊_____⌋
5. Duerme diez horas al día. Necesita dormir ocho horas al día.
   ⌊_____⌋

5. Reaccione como en el ejemplo.

1. - ¿Te ha gustado la película que te recomendé?
   • Esperaba más. ⌊_*Me ha gustado menos de lo que esperaba.*_____⌋

2. - ¿Te ha costado muy caro?
   • Llevaba más dinero. ⌊_____⌋

3. - ¿Vive muy lejos de aquí?
   • Yo pensaba que más. ⌊_____⌋

4. - ¿Está estudiando mucho para la oposición?
   • Necesita más horas. ⌊_____⌋

5. - ¿Te ha parecido interesante la conferencia?
   • Esperaba más. ⌊_____⌋

33 Organizar el discurso y argumentar

49	**Además**	Añaden un elemento nuevo que no se considera decisivo en el relato.
321	**Encima**	
60	**Ahora bien**	Presentan un segundo argumento que contrasta con el anterior.
539	**Pero**	
87	**Antes bien**	Corrigen una información errónea.
700	**Sino**	
102	**Asimismo**	Introducen una información nueva sobre una persona o cosa ya presentadas.
719	**También**	
303	**En cambio**	Expresan una oposición total a una información expresada anteriormente.
469	**Mientras que**	
699	**Sin embargo**	
332	**Es decir**	Aclaran algo que se acaba de decir.
360	**Esto es**	
517	**O sea**	
333	**Es más**	Añaden una información que viene a confirmar lo dicho anteriormente.
451	**Más aún**	
587	**Por último**	Presenta el último elemento de una lista.

1. Complete el crucigrama.

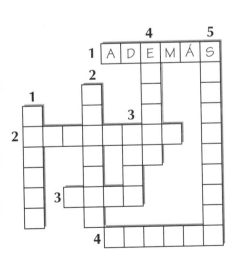

Horizontales:

1. Se usa para añadir algo que no es muy importante.
2. Da más información sobre algo o alguien presentados antes y se puede escribir en una o en dos palabras.
3. Hace contrastar dos informaciones.
4. *Por* ...., es el final de la lista.

Verticales:

1. *En* .... se opone a lo dicho antes.
2. Añade más información y se usa mucho.
3. Se usa para corregir.
4. Añade otro elemento y, además, significa "arriba".
5. Son dos palabras y significa lo mismo que 1 vertical.

2. Transforme las frases reescribiendo cada una dos veces con *sin embargo*, *mientras que* y *en cambio*, como en el modelo.

1. Este político es muy conservador. El otro, en cambio, es muy progresista.
   a. *Este político es muy conservador, mientras que el otro es muy progresista.*
   b. *Este político es muy conservador. Sin embargo, el otro es muy progresista.*

2. En España se cena muy tarde, mientras que en otros países europeos se cena temprano
   a.
   b.

3. La situación económica es buena. Sin embargo, la situación social no es tan buena.
   a.
   b.

4. El gobierno opina que hace una buena gestión económica. La oposición, en cambio, no opina lo mismo.
   a.
   b.

5. Estoy seguro de que podremos terminar a tiempo el trabajo, mientras que Miguel opina que es muy difícil.
   a.
   b.

6. Los dos hermanos eran muy trabajadores. Alberto, además, era padre de familia. Sin embargo, Alfonso era soltero.
   a.
   b.

7. Yo te recomiendo este coche. Consume poco y tiene pocos gastos de mantenimiento. El deportivo, en cambio, gasta mucho y no es tan bueno como parece.
   a.
   b.

3. Lea este texto y sustituya el conector en negrita por uno de los del recuadro.

pero - también - es más - en cambio - encima - es decir - sino que

La comisión aconseja que los ciudadanos aprendan varios idiomas. **Además** (1) ____Encima____, pide que la enseñanza de un segundo y tercer idioma esté en la escuela. **Más aún**, (2) _____, exige a los gobiernos que aumenten el presupuesto en la enseñanza de idiomas. **Asimismo** (3) _____ promete conceder subvenciones a las instituciones que apoyen esta idea. **Esto es** (4) _____, dar a los centros educativos recursos para poder llevar a cabo las reformas. **Ahora bien** (5) _____, estos centros tiene que ser públicos.

Los gobiernos no han reaccionado ante esta propuesta. **Sin embargo** (6) _____, las organizaciones educativas ya han declarado que les parece muy interesante y no sólo la contemplan con interés, **antes bien** (7) _____ le van a prestar todo su apoyo.

4. **Elija la opción adecuada.**

1. No sólo hay que aprender gramática, **pero** / **sin embargo** / (**sino que**) también hay que practicarla.
2. Es normal cometer errores. **Ahora bien** / **Asimismo** / **Es decir**, es imposible aprender una lengua sin equivocarse.
3. Aprender el vocabulario es necesario. **Ahora bien** / **Sino** / **También**, no es lo único que hay que memorizar.
4. No es suficiente con hablar bien un idioma. **Antes bien** / **Además** / **Sino que** hay que conocer su cultura.
5. Aprender a hablar una lengua es aprender a comunicarse con nativos y, **además** / **pero** / **sino que**, conocer su gramática.

5. **Complete las frases con *sino que* o con *pero*.**

1. No vamos a ir solos, ¡_____ *sino que* _____¡ vamos a ir con unos amigos.
2. Vamos a ir solos, ¡_____¡ allí vamos a encontrarnos con unos amigos.
3. No tiene mucho dinero, ¡_____¡ gasta mucho.
4. No tiene mucho dinero, ¡_____¡ es bastante pobre.
5. No sólo tengo que hacerlo, ¡_____¡ quiero hacerlo.
6. No tengo que hacerlo, ¡_____¡ voy a hacerlo.
7. No habla japonés, ¡_____¡ al menos conoce los ideogramas.
8. No es un metal, ¡_____¡ se le parece mucho.
9. No tiene estudios, ¡_____¡ lee mucho, es autodidacta.
10. Al salir del cine no pasó por casa, ¡_____¡ fue directamente al aeropuerto.

6. **Complete las frases utilizando *sino* o *sino que*.**

1. No es blanco, ¡_____ *sino* _____¡ gris.
2. No dijo que vendría, ¡_____¡ lo intentaría.
3. No trabajo en un banco, ¡_____¡ en una agencia inmobiliaria.
4. No vive en Amsterdam, ¡_____¡ en Rotterdam.
5. No estaba cansado ¡_____¡ enfermo.
6. No trabaja en Aranjuez, ¡_____¡ vive allí.
7. No fueron al restaurante, ¡_____¡ nos esperaron directamente en el teatro.
8. No son 2.000, ¡_____¡ 12.000 euros lo que cuesta.
9. No tienen un chalet, ¡_____¡ una pequeña cabaña.
10. No digo que sea imposible, ¡_____¡ tiene muchos inconvenientes.

7. **Complete el esquema con *sino* y *sino que*.**

Se utiliza ¡_____¡ sin verbos y ¡_____¡ con verbos.

8. Relacione los elementos de las tres cajas uniéndolos por medio de *sino, si* *que* o *pero.*

1. Esa compañía no vuela a Santiago,
2. No tenemos periódicos,
3. No vengo a ver a Rosario,
4. No tiene recibidor,
5. No han dicho que lloverá seguro,
6. No vive aquí,
7. No es un coche,
8. *Don Álvaro o la fuerza del sino* no es una ópera,
9. No es guapo,
10. No quiero que andes con rodeos,

SINO

SINO QUE

PERO

a. vayas directamente al grano.
b. una novela del Duque de Rivas
c. un camión lo que tú necesitas.
d. viene a vernos a menudo.
e. se entra directamente al salón.
f. tenemos unas revistas que pueden interesarle.
g. a Valparaíso.
h. a su hermana Pilar.
i. habría riesgo de precipitaciones
j. tiene mucho atractivo.

9. Complete este texto con un conector del recuadro.

pero - también - es más - en cambio - encima - sin embargo - sino que - sino - además

Una de las tradiciones españolas más polémicas es la fiesta de los toros, no sólo por el maltrato a los animales, (1) _____sino_____ también por lo violento de la misma. (2) _____, hay que decir que es una fiesta que cada vez tiene menos adeptos. Se calcula que sólo un 40% de los españoles son aficionados a dicha fiesta y, (3) _____, son cada vez más numerosos los que la atacan. (4) _____ no hay que olvidar que forma parte de las tradiciones de un país. (5) _____, el español está impregnado de expresiones que provienen del mundo taurino y, no sólo es un tradición más, (6) _____ es probablemente el aspecto cultural más conocido. Los defensores del toreo afirman que es un arte y que, (7) _____, hay otras actividades más violentas, como el boxeo. (8) _____, nadie puede poner en cuestión que se trata de un maltrato a los animales y que, (9) _____, es completamente gratuito. La polémica está servida. Y usted, ¿qué opina?

▶ Para saber más, vaya a las fichas 73, pág. 150, **34**, pág. 263 y **35**, pág. 265.

34 Presentar una información

68	**Al parecer**	Presentan una información como incierta.
579	**Por lo visto**	
160	**Con respecto a**	Presenta un tema que se ha mencionado antes.
308	**En cuanto a**	Presenta una información sobre algo ya conocido por los hablantes.
384	**Hablando de**	Introduce una información que se había olvidado dar antes.
569	**Por cierto**	Se refiere a algo que se ha mencionado antes de pasada y que nos interesa tratar para profundizar más.
577	**Por lo que respecta a**	Presenta un tema que está relacionado o implícito en lo que se está diciendo.
586	**Por si no**	Señala la justificación de decir algo para que la otra persona lo sepa.
593	**Pues**	Señala algo relacionado con lo dicho antes.
642	**Según** + *algo*	Remite a una fuente de información.
643	**Según** + *alguien*	Señala que una información la ha dicho alguien.

Complete con la preposición adecuada.

1. ┆_____*Por*_____┆ lo visto nos van a subir el sueldo un 10%.
2. ┆_____┆ las últimas encuestas, el presidente está perdiendo votos por su mala gestión de la catástrofe.
3. ┆_____┆ respecto ┆_____┆ la pregunta que me hacías ayer, ésta es mi respuesta. Te la doy por escrito.
4. ┆_____┆ el director del banco, estamos en números rojos.
5. Esta mañana te ha llamado tu madre. ┆_____┆ cierto, ¿qué tal está?
6. Lo nuestro se acabó. ┆_____┆ lo que respecta ┆_____┆ tus cosas, puedes venir a buscarlas cuando quieras.
7. No volveremos a hacer una propuesta más. ┆_____┆ cuanto ┆_____┆ la competencia, no hay nada que temer.
8. Oye, hablando ┆_____┆ las vacaciones, ¿cómo nos organizamos?

2. Complete con la palabra que falta.

1. Por ┆___*cierto*___┆, ¿sabes algo de Abelardo?
2. El jefe de ceremonias ha dicho que con ┆_____┆ a los preparativos no nos tenemos que preocupar de nada.
3. Es una pena, al ┆_____┆ van a demoler el antiguo teatro.
4. Oye, ┆_____┆ de la familia, ¿qué tal tu abuela?
5. Por lo ┆_____┆ ha suspendido el examen porque no ha contestado ninguna pregunta.
6. Sólo te voy a decir dos cosas: en ┆_____┆ a tu propuesta, ni hablar. En ┆_____┆ a devolverme el préstamo, cuando quieras.

3. Marque la opción correcta.

1. - ¿Sabes por qué nos han convocado a una reunión hoy?
   - **Por cierto** / (**Por lo visto**) hay que discutir unos presupuestos urgentes.
2. - Vamos a pasar una temporada con mis padres en la playa.
   - Ah, muy bien. Y **hablando de / por cierto** la playa, ¿sabes qué tiempo va a hacer?
3. - Yo no sé qué va a pasar con todo esto.
   - Pues **con respecto a / según** Pepe, todo va a salir muy bien.
4. - ¿Habéis decidido algo sobre lo que os comenté ayer?
   - Pues, algo sí. **Con respecto a / Por si no** ir juntos, nos parece bien, pero lo de pagar todo, no, pagamos entre todos.
5. - **Por lo visto / Por si no** te has enterado, vamos a cambiarnos de departamento.
   - Sí, ya me habían dicho algo. **Por lo que respecta / Según** a la secretaria, se queda co nosotros, ¿no?

4. Complete las frases con una expresión que indique presentar la información.

1. - ¿Por qué no viene a trabajar?
   - ¡_____*Por lo visto*_____! está de baja.
2. - ¿Sabes algo de las elecciones?
   - ¡_____! el periódico ha ganado la candidatura del gobierno.
3. - ¿Sabes qué van a hacer en este solar?
   - No lo sé seguro, pero ¡_____! van a construir un centro comercial.
4. Ayer estuve con Eduardo y con Margarita que, ¡_____!, ¿sabes que s van a vivir a Montevideo?
5. - Bueno, ¿y al final qué ha pasado?
   - ¡_____! Nati, no va a haber huelga.
6. En esta junta de vecinos os tengo que comentar algunas cosas antes de que se me olvi den. ¡_____! al ascensor, ya tenemos un presupuesto.
7. Has tratado unos temas muy interesantes, en especial ¡_____! las rela ciones entre nuestra compañía y la competencia.
8. No estoy de acuerdo contigo en la propuesta de reducir informáticos, y ¡_____! los costes de la empresa, creo que estás equivocado.
9. - No me parece nada bien que Juan Carlos haga el trabajo solo.
   - ¡_____! a mí sí. Está muy capacitado para hacerlo.
10. - Parece que este fin de semana va a hacer bueno.
    - Sí, eso parece, y, ¡_____! fin de semana, ¿vas a venir con nosotros de excursión?
11. Te lo digo ¡_____! lo sabes ya, vamos a dar una fiesta de despedida a Patricia. ¿Quieres participar?

35 Contrastar informaciones

60	**Ahora bien**	Presentan una información que contrasta con otra anterior.
449	**Mas**	
539	**Pero**	
87	**Antes bien**	Corrigen una información anterior.
700	**Sino**	
101	**Así y todo**	Presentan una nueva información que contrasta con una idea anterior.
106	**Aun así**	
338	**Eso sí**	
303	**En cambio**	Presentan una oposición total a una información expresada anteriormente.
469	**Mientras que**	
699	**Sin embargo**	Expresa una oposición parcial a una información presentada antes.
459	**Mejor dicho**	Corrigen una información recién dada o corrigen la forma de expresarla.
610	**¡Qué digo!**	
333	**Es más**	Añaden una información que confirma lo dicho anteriormente.
451	**Más aún**	

1. Relacione.

1. Tengo mucha hambre,
2. Nunca he dicho eso,
3. No tengo mucho dinero,
4. Jamás fueron amigos,
5. Nunca lo he visto antes,
6. No quiero ver una película,

a. pero sé muchas cosas de él.
b. pero voy a hacer ese viaje que me propones.
c. pero no voy a almorzar todavía, voy a esperarte.
d. sino enemigos.
e. sino todo lo contrario.
f. sino que prefiero leer un libro.

2. Forme las frases utilizando *pero* o *sino que*, como en el ejemplo.

1. Estar muy cansado / Ir a una fiesta / Ser un compromiso
   Anoche *estaba muy cansado, pero fui a una fiesta porque era un compromiso.*
2. No ir al mercado / Comprar en el Centro Comercial / Haber rebajas
   El próximo fin de semana
3. Llevarse muy bien / Separarse / Tener diferentes intereses
   José y María Jesús
4. Salir a las 15:45 / Despegar a las 18:20 / Tener una avería
   El avión
5. Nunca vivir en Veracruz / Estar diez años en Oaxaca / La delegación estar allí
6. No hacer el viaje solo / Ir con toda la familia / Tener unos días de vacaciones

3. Relacione.

1. Sé que tiene más de 40 años.
2. Le van a subir el sueldo.
3. Tienen problemas entre ellos.
4. Ha aprobado el curso.
5. Les van a conceder el crédito.
6. Se van a mudar de barrio.

a. Es más, ha sacado muy buenas notas.
b. Es más, me han dicho que van a separarse.
c. Es más, me lo ha dicho el director del banco.
d. Es más, sé que nació en enero.
e. Es más, ya se lo han subido.
f. Es más, ya han vendido el piso.

4. Sustituya la expresión en negrita por *ahora bien, antes bien* o *más aún*.

1. Aceptamos sus condiciones del contrato, **pero** firmaremos si ustedes están de acuerdo con las nuestras. |_____*Ahora bien*_____|

2. Se marcharon todos el día veinte. **Es más**, todavía no han vuelto. |_____|

3. No quiero que pases apuros económicos, **sino que**, si necesitas algo, me lo digas |_____|

4. Verónica y yo tenemos muchas ganas de verte. **Es más**, pensamos ir a tu casa el lunes. |_____|

5. Está bien, puedes ir a esa fiesta esta noche, **pero** no vuelvas tarde y que alguien te acompañe a casa. |_____|

6. Me dijo que no rechazaba la propuesta, **sino que** le gustaba, **pero** que lo pensaría. |_____| |_____|

7. Puedes salir estos días antes por el curso, **pero** los informes tienen que estar el jueves. |_____|

8. Era una persona muy rígida. No se contentaba con dar instrucciones, **sino** que, además, vigilaba constantemente para que se cumplieran en todo momento. |_____|

5. Marque la opción correcta.

1. Mis padres se quedaron en casa. Mientras que / (Sin embargo), mis tíos se fueron a la playa.
2. Los españoles parecen muy secos al hablar. Mientras que / Sin embargo, los hispanoamericanos parecen más dulces.
3. Trabajo todo el día y, cuando llego a casa, tengo que recoger todo, mientras que / sin embargo tú no haces más que ver la tele y leer revistas.
4. Todos los del Departamento de Ventas hablamos varios idiomas. Mientras que / Sin embargo, los del Departamento de Compras sólo hablan español.
5. Yo hablo inglés y francés. Mientras que / Sin embargo, no escribo muy bien en estas lenguas, tengo que perfeccionarlas.
6. A nosotros nos van fatal las ventas, mientras que / sin embargo a la competencia le va muy bien. ¿Qué está pasando?

6. Relacione.

1. Se han comprometido.
2. Me han dado una beca de estudios.
3. Hemos pedido un aumento de sueldo.
4. Ha puesto muchas excusas para no venir mañana.
5. Se ha enfadado con nosotros.

a. Mejor dicho, contigo, y no te habla.
b. Es decir, que no va a venir.
c. Es decir, que se van a casar.
d. Mejor dicho lo he pedido yo.
e. Mejor dicho, me han obligado a ir a estudiar fuera.

7. Marque la opción correcta.

1. Elena quiere que vayamos todos a cenar a casa, **mejor dicho** / pero, a nuestra casa, porque desde hace un mes compartimos piso.
2. Era muy soberbio y engreído. **Aun así / Mientras que**, no le costó mucho esfuerzo aceptar ese trabajo que le ofrecían.
3. Es una persona muy seria y muy recta. **Eso sí / Sino**, si le pides un favor, lo hace encantado. Es muy buena persona.
4. Está dispuesta a dar todas las explicaciones que hagan falta. **Ahora bien / Más aún**, las quiere poner por escrito y fotocopiarlas para darle una copia a todo el mundo.
5. Estaba cansadísimo, agotado. **Así y todo / Es más** hizo un último esfuerzo para terminar el trabajo que le habían encargado.
6. Estoy dispuesto a ir ahora mismo a hablar con ellos y aclarar la situación. **¡Qué digo! / Sin embargo**, ahora mismo voy.
7. Han preferido no decirle nada de lo ocurrido para que no se sienta mal. **Es más / Pero**, han decidido ocultárselo para siempre.
8. La oposición estaba en contra de aprobar la ley. **Mejor dicho / Sin embargo**, votaron a favor en el último minuto.
9. Los dos hermanos son muy diferentes. Uno es tranquilo, sensible, racional, **aun así / mientras que** el otro es muy nervioso, activo e irracional.
10. No eran tan felices como todos pensábamos, **antes bien / sin embargo**, eran un par de desgraciados.
11. No tiene ninguna formación académica, **ahora bien / antes bien**, tiene muchos conocimientos teóricos.
12. Nunca dije que tal cosa no se pudiera hacer, **en cambio / sino que** era muy difícil, pero no imposible.
13. Quería saber la verdad de los hechos **mas / mientras que** no preguntó nada por pura timidez.
14. Se miraron a los ojos, **mejor dicho / pero** no se dijeron nada. No hacían falta palabras.
15. Te pasas el día enfadado. Tu compañero, **ahora bien / en cambio**, es todo alegría. No sé cómo podéis compartir despacho.

▸ **Para saber más, vaya a las fichas 47, pág. 98, 72, pág. 148, 75 pág. 154 y 11, pág. 204.**

36 Valorar positivamente o negativamente una información

159	**Con razón**	Informa de algo hecho por otro valorándolo positivamente.
609	**¡Qué bien!**	Expresa satisfacción o alegría.
613	**Qué pena / raro / suerte**	Expresa una reacción de sorpresa, mostrando un sentimiento.
665	**Ser +** *valoración*	Valora un hecho o un dato de forma objetiva.
666	**Ser algo**	Da una valoración global a lo que se acaba de decir o explicar.

1. Relacione.

1. Dicen que nos van a subir el sueldo.
2. Van a hablar de las nuevas medidas ecológicas.
3. Hemos decidido hacer todos los días algo de deporte.
4. Proponen ir de viaje al Caribe.
5. Te he traído un regalito hecho por mí.
6. Ha tenido un accidente de tráfico.

a. Es muy apetecible.
b. Es interesante.
c. Es maravilloso.
d. Es muy sano.
e. Es horrible.
f. Es muy cariñoso de tu parte.

2. Forme ahora las frases del ejercicio anterior.

1. *Es maravilloso que nos suban el sueldo.*
2. _____
3. _____
4. _____
5. _____
6. _____

3. Relacione.

1. Unos amigos normalmente te visitan todas las semanas.
2. Unos amigos te dicen que van a ir a verte a casa la próxima semana.
3. Unos amigos han ido a tu casa a verte y estás charlando con ellos.
4. Unos amigos te visitaron hace tiempo y ahora se lo comentas.

a. Fue fenomenal que vinierais a casa y que pudiéramos charlar.
b. Es fenomenal que vengáis a casa. Voy a preparar vuestra comida favorita.
c. Es fenomenal que hayáis podido venir.
d. Es fenomenal que vengáis a casa con tanta frecuencia. Así podemos charlar de nuestras cosas.

4. Subraye los verbos de las frases de la derecha del ejercicio anterior, reflexione y complete.

1. Cuando se valoran informaciones habituales se utiliza el verbo *ser* en !--------------! y la frase que expresa el motivo de la valoración en !--------------------------!.

2. Cuando se valoran informaciones futuras se utiliza el verbo *ser* en !-------------------! y la frase que expresa el motivo de la valoración en !-----------------!.

3. Cuando se valoran informaciones que han ocurrido recientemente se utiliza el verbo *ser* en !---------------------! y la frase que expresa el motivo de la valoración en !-------------------!.

4. Cuando se valoran informaciones pasadas se utiliza el verbo *ser* en !------------------! y la frase que expresa el motivo de la valoración en !-----------------!.

5. Reaccione ante estas informaciones utilizando las expresiones que se proponen.

1. Me voy a ir a vivir a Filipinas. Me han ascendido a Director de la oficina de Manila.

   Es fantástico: *Es fantástico que te hayan ascendido.* -----------------!

2. Es nuestro aniversario y queremos invitarte a cenar con nosotros.

   Me alegro: !---------------------------------------!

3. Con la situación mundial han subido mucho la gasolina y los carburantes.

   Es un horror: !-------------------------------------!

4. Ayer estuvimos en casa de tus padres. Están muy bien.

   Me alegro: !---------------------------------------!

5. Los grupos enfrentados llegaron a un acuerdo de paz y destruirán todas las armas.

   Es muy positivo: !----------------------------------!

6. Relacione.

1. Es muy trabajador.
2. Le encanta la música clásica.
3. Le han regalado un coche deportivo.
4. Ha aprobado con muy buenas notas.
5. Se van a ir de viaje a Cuba.
6. Acaba de terminar un máster.
7. Habla cuatro idiomas perfectamente.
8. Es muy simpático, me gusta mucho.

a. Con razón estás tan enamorada de él.
b. Con razón le gusta viajar tanto, para practicarlos.
c. Con razón le regalan siempre discos.
d. Con razón le han dado más responsabilidades.
e. Con razón están buscando información del país en Internet.
f. Con razón está tan contento.
g. Con razón le han contratado ya.
h. Con razón, es un estudiante muy aplicado.

▸ Para saber más, vaya a las fichas **5**, pág. 188, **48**, pág. 298 y **49**, pág. 301.

37 Pedir algo

197	**Dar** + *algo*	Se utiliza para pedir cosas que no se pueden o no se piensan devolver.
249	**Dejar** + *algo*	Expresan una petición de algo a otra persona.
		Se utiliza para pedir cosas que se van a devolver.
551	**Poner** + *algo*	Se utiliza en un bar o en un restaurante.
622	**Querer**	Se utiliza en tiendas.
34	**A poder ser**	
686	**Si es posible**	Señalan algo relacionado con lo dicho antes.
689	**Si puede ser**	

1. Clasifique los siguientes elementos.

	¿Me das...?	¿Me dejas...?
1. Una aspirina.	✓	
2. Un poco de sal.		
3. El diccionario.		
4. 20 euros.		
5. Un vaso de agua.		
6. Un beso.		
7. La grapadora.		
8. Fuego.		
9. Un pañuelo.		
10. Tu coche.		

2. Elija la opción correcta.

1. ¿Me deja / Me pone un café con leche, por favor?
2. ¿Me deja / Me pone una cucharilla, por favor?
3. ¿Me dejas / Me das un poco de azúcar, por favor?
4. ¿Me deja / Me pone una ensalada mixta, por favor?
5. ¿Me deja / Me da fuego, por favor?
6. ¿Me pone / Me da *La Gaceta Ilustrada*, por favor?
7. ¿Me pone / Me deja dos kilos de naranjas, por favor?
8. ¿Me dejas / Me pones tu libro de gramática, por favor?
9. ¿Me dejas / Me das un vaso de agua, por favor?
10. ¿Me dejas / Me das un abrazo, por favor?

3. Complete las frases con uno de los elementos del recuadro.

> Me pone - Me das - Me dejas - Quería

1. ¿_____*Me pone*_____! un café con leche, por favor?
2. _____! una camisa de manga larga.
3. ¿_____! un caramelo, por favor?
4. ¿_____! tu grapadora pequeña?
5. ¿_____! la cuenta, por favor?
6. _____! una docena de huevos, por favor.
7. ¿_____! 100 euros, por favor?
8. ¿_____! un beso? Soy tu tío Antonio.
9. _____! dos zumos de naranja, por favor.
10. ¿_____! tu abrigo azul? Será sólo para la fiesta.

4. Complete el siguiente diálogo con uno de los elementos del recuadro.

> cuánto es - quería - podría - tiene - si puede ser - tienen - póngame - por favor

Camarero:	Buenos días ¿Qué desea?
Cliente:	(1)_____*Quería*_____! comer algo rápido. ¿(2)_____! bocadillos?
Camarero:	Sí, señor, de jamón, de queso, de chorizo...
Cliente:	(3)_____! uno de jamón con tomate, (4)_____!
Camarero:	Muy bien ¿De beber qué le pongo?
Cliente:	Agua con gas, (5)_____!. ¿(6)_____! usted hora?
Camarero:	Las dos y cuarto.
Cliente:	¡Qué tarde es! ¿(7)_____! envolverme el bocadillo?
	¿(8)_____!?

5. Relacione los elementos de ambas columnas.

1. ¿Me pone 200 gr. de jamón?
2. Ven lo antes posible,
3. Deme dos kilos de peras,
4. Repita el ejercicio,
5. Envíeme la factura
6. Póngame un filete con patatas,
7. Deme una botella de agua,
8. Clasifique los verbos
9. Póngame un café,
10. Cuéntame la verdad,

a. por Internet, si puede ser.
b. a poder ser, poco hecho.
c. en orden alfabético, a ser posible.
d. no muy fría, si puede ser.
e. en vaso, si puede ser.
f. de forma escueta, a ser posible.
g. maduras, a ser posible.
h. a poder ser, sin faltas.
i. mañana, si puede ser.
j. A poder ser, cortado muy fino.

38 Hablar del precio de algo

12	**A**	Indica que un precio es cambiante.
299	**En**	Indica una estimación de lo que puede costar algo.
564	**Por**	Indica el precio que se ha pagado en una compra.
193	**¿Cuánto?**	Pregunta por una cantidad.

1. Relacione.

1. ¿A cuánto está el dólar?
2. ¿Por cuánto lo has comprado?
3. ¿Cuánto crees que costará?
4. ¿A cuánto están las patatas?
5. ¿Cuánto cuesta un periódico en España?

a. Yo creo que unos mil euros.
b. Un euro.
c. A ochenta céntimos de euro.
d. Por la mitad de su precio oficial.
e. A un euro veinte el kilo.

2. Elija la opción correcta.

1. El real brasileño está subiendo. El cambio hoy estaba **a** / en / por dos reales cincuenta e euro. He cambiado esta mañana en el banco.

2. Esta mañana he estado en el mercado de artesanía, y he comprado este jarrón a / en / por sólo unas monedas.

3. El banco me ha tasado el piso a / en / por 180.000 euros. No me parece mucho.

4. Estuvo regateando con el vendedor, se confundió, y lo compró a / en / por el doble de su valor real.

5. A ti te parece muy bueno, pero yo creo que estás poniendo un precio muy alto, y que realmente lo valorarán a / en / por la mitad.

6. El sector electrónico está bajando los precios. Este ordenador está a / en / por la mitad de precio de lo que yo pagué.

7. Ha subido la gasolina. Está a / en / por uno cinco el litro.

8. Te cambio este cromo a / en / por dos de los míos.

3. Relacione.

1. Costar, valer.
2. Estar.
3. Tasar, valorar.
4. Comprar.

a. A.
b. En.
c. Por.
d. Ø

4. Complete las frases con la preposición adecuada, sólo en caso necesario.

1. Estos zapatos cuestan ¡_____∅_____! treinta euros. ¿Por qué no los compras?
2. Han subido mucho los tomates. Ahora están ¡_____! dos euros.
3. ¡Qué raro! El banco tasó el piso ¡_____! 240.000 euros, y lo vendió ¡_____! 200.000 euros.
4. Le confirmaron en el concesionario de coches que costaba ¡_____! el doble de lo que tenía presupuestado.
5. Le dijo que lo vendería ¡_____! 1.000 euros, pero no le dieron ni la mitad.
6. Lo adquirió ¡_____! 600 euros. Fue una buena compra.
7. ¿De verdad que el kilo de merluza está ¡_____! veinte euros?
8. No, no es muy caro. Sólo cuesta ¡_____! un par de euros.

5. Complete las preguntas de los diálogos.

1. - ¡_____A cuánto_____! está el kilo de cordero?
   • No sé, pero carísimo.
2. - ¡_____! cuesta este reloj?
   • Este modelo cuesta treinta euros, pero tiene otros más baratos.
3. ¡_____! te han tasado el piso finalmente?
   • En una miseria. No lo voy a vender.
4. - Por favor, estos calcetines, ¡_____! cuestan?
   • Dos euros el par.
5. - Y al final, ¡_____! lo compraste?
   • Por muy poco. Es que me gusta mucho regatear.
6. - Ha subido mucho la gasolina. ¡_____! está?
   • Cuesta lo mismo que hace un mes.
7. - ¡_____! crees que lo podría vender?
   • Estimo que en unos 24.000 euros.
8. - Vamos a llegar a un acuerdo. ¡_____! lo vendes?
   • 5.000 pesos, es mi última oferta.

6. Relacione los elementos de ambas columnas.

1. ¿Van a tomar postre?
2. Hoy tenemos tomates.
3. Este modelo es de importación.
4. Aquí tiene su café.
5. Su reloj, arreglado y como nuevo.
6. 100 gramos de jamón y 150 de queso.
7. ¡Qué pendientes tan bonitos!
8. Los zapatos de señora están rebajados.

a. ¿Qué precio tiene?
b. ¿Cuánto es todo?
c. ¿Qué le debo por la reparación?
d. ¿A cuánto está el kilo?
e. Gracias. ¿Me cobra, por favor?
f. ¿Ah sí? ¿Y en cuánto se quedan?
g. No, gracias, ¿nos trae la cuenta, por favor?
h. Son de oro. Cuestan 300 euros.

39 Expresar agradecimiento

374	Gracias	Expresa un agradecimiento.
375	Gracias a	Señala la persona o circunstancia a la que se le expresa un agradecimiento.
377	Gracias por	Señala la causa del agradecimiento.

1. Ordene los elementos para formar una frase.

1. por / muchísimas / todas / atenciones / sus / gracias
   ¡Muchísimas gracias por todas sus atenciones.

2. gracias / muchas

3. muy / es / gracias / usted / amable / muchas

4. esfuerzos / por / muchas / gracias / sus / ayudarme / en

5. aquí / estar / mil / hoy / por / gracias

6. haber / gracias / muchas / venido / mi / a / boda / por

7. por / Irene / llamarme / gracias

8. ser / eres / como / por / gracias

9. gracias / verdad / de

10. gracias / a / por / acudir / mundo / todo / a / el / esta / cita

2. Marque la opción adecuada.

1. ¡Gracias (por) / a todo!
2. ¡Muchas gracias por / a todos!
3. ¡Muchas gracias por / a el regalo!
4. ¡Gracias por / a usted!
5. ¡Gracias por / a José Luis!
6. ¡Muchísimas gracias por / a la invitación!
7. ¡Gracias por / a escucharme!
8. ¡Gracias por / a Dios!
9. ¡Gracias por / a su tiempo!
10. ¡Gracias por / a el favor!

3. Transforme las frases empleando *gracias a*, como en el ejemplo.

1. Todo se resolvió por la intervención de los bomberos.
   Todo se resolvió gracias a la intervención de los bomberos.

2. Encontré mi bolso con la ayuda de los camareros.

3. Conseguí el trabajo por mediación de la agencia de empleo.

4. Duermo de maravilla con la almohada que me recomendaste.

5. Mi piel está hidratada con aloe vera.

6. Se detuvo al criminal con la colaboración de la policía.

7. Se llegó a un acuerdo a través de la embajada.

8. El caso se resolvió mediante un abogado.

9. Quité la mancha con el producto que anuncian en la tele.

4. Relacione ambas columnas.

1. Los invitados.	a. ¡Gracias por llamar!
2. El anfitrión.	b. ¡Gracias por todo!
3. A quien te ha hecho favores.	c. ¡Gracias por su interés!
4. Al final de una llamada.	d. ¡Gracias por su atención!
5. Al posible comprador.	e. ¡Gracias por invitarnos!
6. El conferenciante.	f. ¡Gracias por venir!

5. Complete las frases con uno de estos verbos en infinitivo simple o compuesto.

enviar - escribir - estar - venir - ser

1. Muchas gracias por *haber venido*. Sé que habéis hecho un esfuerzo muy grande.
2. Gracias por _____ hoy aquí. Ya sé que estás muy ocupado.
3. Gracias por _____ un ramo de flores a mi casa. Sabes que me encantan.
4. Muchas gracias por _____ esas cartas tan bonitas durante tu ausencia.
5. Gracias por _____ una persona tan comprensiva.

40 Llamar la atención

275	**Disculpa / Disculpe**	Llaman la atención de alguien para pedirle o preguntarle algo.
524	**Oye / Oiga**	
538	**Perdón / Perdona / Perdone**	
334	**Es que**	Presenta una causa como pretexto o justificación.

1. Complete con las formas de Imperativo.

1. Disculpar

| Tú | *Disculpa* | Vosotros/as | |
| Usted | | Ustedes | |

2. Oír

| Tú | | Vosotros/as | |
| Usted | | Ustedes | |

3. Perdonar

| Tú | | Vosotros/as | |
| Usted | | Ustedes | |

2. Elija la opción correcta.

1. Disculpa / (Disculpe), ¿tiene fuego?
2. Oye / Oiga, ¿es suyo esto?
3. Disculpe / Disculpen, ¿quién de ustedes es el último?
4. Perdona / Perdone, pero no tienes razón.
5. Perdona / Perdone, ¿sabe dónde está la parada del autobús?
6. Oye / Oiga, ¿me trae la cuenta, por favor?
7. Oye / Oiga, ¿tienes a mano el teléfono de Margarita?
8. Disculpa / Disculpen las molestias. No era mi intención molestarte.
9. Oye / Oiga, ¿me dice qué le debo?
10. Disculpad / Disculpen que os interrumpa.

3. Relacione.

Perdona / **Perdone**

1. el retraso.
2. por lo que te dije ayer.
3. que le interrumpa.
4. por mi aspecto.
5. que le haga la pregunta.
6. que te cuelgue.
7. la indiscreción.
8. que insista.
9. mi ignorancia.
10. el desorden.

Es que

a. no le oigo bien.
b. no he leído mucho sobre el tema.
c. estaba un poco nerviosa.
d. soy muy curiosa.
e. acabo de llegar y no sé cómo ha empezado.
f. me acabo de levantar.
g. tengo otra llamada.
h. es urgente.
i. anoche hubo una fiesta.
j. había muchísimo tráfico.

4. Relacione los elementos de ambas columnas.

1. En un bar.
2. En la calle.
3. En una cola.
4. A una señora que no conozco.
5. En clase.
6. En casa.
7. En una panadería.
8. En un restaurante.
9. A un amigo.
10. En el metro.

a. Oye, ¿qué vas a hacer de cena?
b. Oye, ¿tienes un bolígrafo de sobra?
c. Disculpe, ¿hay mesas libres?
d. Disculpe, ¿es usted el último?
e. Oye, ¿y tu hermano qué dijo?
f. Oiga, ¿me pone una barra de pan?
g. Perdone, ¿va a salir?
h. Oiga, ¿es suyo esto?
i. Disculpe, ¿la calle Sol, por favor?
j. Oiga, ¿me cobra, por favor?

5. Lea las siguientes frases y conteste las preguntas.

- Oye, Jaime, ¿sabes a qué hora viene Ana?
- Ésta es mi parada de metro. Perdone, ¿me permite pasar?
- Oye, que ese es mi café, no el tuyo.
- Disculpad que os interrumpa, pero es que tengo algo urgente que deciros.
- Perdone, por favor, ¿la calle Preciados?
- ¡Qué tarde es! Disculpa, ¿puedo utilizar tu teléfono un segundo? Es que tengo que hacer una llamada urgente.

1. ¿Qué expresión utilizamos cuando pensamos que se puede molestar a otra persona?
   Disculpe, perdone.

2. ¿Qué expresión es más formal?

3. ¿Qué expresión se utiliza para pedir algo en contextos cotidianos?

4. ¿Qué expresión se utiliza simplemente para llamar la atención?

41 Indicar el inicio de una acción (Perífrasis incoativas)

202	**Darle a uno por**		Expresa el inicio de una acción que se considera caprichosa o sin sentido.
284	**Echarse a**		Expresa el inicio de algo realizado con ímpetu.
348	**Estar al**		Indican que algo va a ocurrir enseguida.
350	**Estar a punto de**		
354	**Estar para**	Infinitivo	Expresa que se está preparado o se tiene el ánimo para hacer algo.
355	**Estar por**		Señala la intención de hacer algo o la posibilidad de que algo ocurra.
412	**Ir a**		Expresa la decisión de hacer algo.
536	**Pensar**		Señala la intención de hacer algo.
553	**Ponerse a**		Indica el comienzo repentino de algo.
622	**Querer**		Expresa el deseo de hacer algo.

1. Relacione las frases con las situaciones.

1. Este verano pienso pasar unos días con mis padres en el pueblo.
2. Este verano me voy de vacaciones a Cuba del 1 al 15 de agosto.
3. Este verano quiero ir a un lugar tranquilo a descansar.

a. Pero claro, depende también de Margarita. A ver qué le apetece hacer.
b. Tienen una casa muy bonita en la montaña.
c. Esta misma tarde voy a la agencia de viajes a comprar los billetes.

2. Reflexione sobre las frases anteriores y responda a las preguntas.

1. a. ¿Cuál de las tres frases expresa más fuerza en la decisión?
   Ir a

   b. ¿Cuál parece indicar que la decisión está tomada?

   c. ¿Cuál menos?

2. a. ¿Cuál es más concreta, más precisa?

   b. ¿Cuál menos?

3. a. ¿En cuál es más probable que la acción futura se realice?

   b. ¿En cuál menos?

3. Complete las frases con *querer*, *pensar* o *ir a* en la forma adecuada.

1. Ya tenemos ahorrado el suficiente dinero. ¡_____*Vamos a*_____! comprarnos un coche nuevo. Mañana vamos al concesionario.
2. Si me suben el sueldo, ¡_____! comprarme un coche mejor que el que tengo, que ya tiene muchos años.
3. Mi coche está muy viejo. ¡_____! comprarme un coche, pero no sé cuál.
4. - ¿Qué vas a hacer este fin de semana?
   • Mañana ¡_____! ir al cine o al teatro. ¿Tienes otra idea?
5. ¿Sabes? Este fin de semana ¡_____! descansar: dormir mucho y hacer poco.
6. Yo lo tengo clarísimo, este fin de semana ¡_____! (nosotros) descansar y, si llaman por teléfono, no ¡_____! contestar.
7. Venga, ponte el abrigo, que nos ¡_____! ir a cenar por ahí.
8. ¿Sabes? ¡_____! cenar por ahí. ¿Te apetece?
9. Me apetece cenar algo diferente. ¿¡_____! ir a un restaurante chino?

4. Complete las perífrasis con la preposición adecuada.

1. Últimamente a Eduardo le ha dado ¡_____*por*_____! coleccionar sellos.
2. El niño, como no le dábamos lo que pedía, se puso ¡_____! llorar.
3. Estábamos ¡_____! salir cuando nos llamaron y nos tuvimos que quedar.
4. Se enfadó tanto que estuvo ¡_____! dejar el proyecto e irse a otra empresa.
5. Con este calor, a mi marido le ha dado ¡_____! dormir en la terraza.
6. En cuanto me vio, se puso ¡_____! dar voces como una loca.
7. La sentencia del tribunal está ¡_____! caer: uno o dos días como máximo.
8. ¡Ponte ¡_____! estudiar inmediatamente!
9. Mañana sin falta voy ¡_____! llamarle.

5. Complete con la forma correcta de *estar por* o *estar para*.

1. Eso de que no vas a pagar la cuota ¡_____*está por*_____! ver.
2. ¡¡_____! que te encierren!
3. La cuestión de la financiación todavía ¡_____! revisar cuando llamé ayer.
4. ¡Qué bebé tan bonito! ¡¡_____! comérselo!
5. ¡_____! dejarlo todo y empezar de nuevo. No sé qué hacer.
6. ¡Hola, Bea! Precisamente ¡_____! llamarte.
7. Pues sí, Rocío ¡_____! casarse cuando tuvo el accidente.
8. Cuando llamaste ¡_____! salir.
9. ¡_____! acostarme. ¡Vaya día!
10. Ahora la tarta ya ¡_____! sacarla del horno.

6. Elija la opción adecuada.

1. He comprado un libro de botánica a mi prima Silvia. Es que ahora (le ha dado por) se ha puesto a leer cosas sobre la naturaleza.
2. Estuvo todo el rato intentando controlarse, pero al final se echó a / estuvo por llorar. No se pudo contener.
3. Mira, me gusta todo de él. Estoy por / Estoy para ir a verle y decirle que le quiero.
4. Después de cenar estuvo a punto de / se puso a cantar unas canciones preciosas. Lo pasamos muy bien, la verdad.
5. Cuando vio al perro echó a / estuvo a punto de correr y no hubo forma de pararle.
6. Esta paella está riquísima. Está para / Está por chuparse los dedos.
7. No, no voy a / estoy para ir con Jorge. He decidido que me voy solo y punto.
8. ¡Que estás por / te ha dado por trabajar en un restaurante! Pero si tú no sabes nada de gastronomía.
9. Me preocupa Alberto. Se ha puesto a / Se ha echado a trabajar en una empresa que no tiene mucho futuro.
10. Se le escapó el perro y se echó a / le dio por gritar.

7. Reescriba las frases utilizando una perífrasis.

1. Mañana comienza el congreso de acupuntura.
   El congreso de acupuntura está a punto de comenzar.
2. Esperanza comenzó a llorar de repente.

3. El asado estará listo para servirse en cinco minutos.

4. Todo parece indicar que va a empezar a llover.

5. El nuevo modelo va a salir de un momento a otro.

6. El perro empezó a ladrar sin razón aparente.

7. La cuenta no es correcta. Voy a pedir el libro de reclamaciones.

8. Manolo ha comenzado a hacer deporte la semana pasada.

9. Dentro de cinco minutos va a llamar Paco.

10. La gata está preparada para parir.

▸ **Para saber más, vaya a las fichas 31, pág. 66, 55, pág. 114 y 56, pág. 116.**

42 Indicar el final de una acción
(Perífrasis terminativas)

40	**Acabar** + gerundio	Indican que finalmente ocurre una acción deseada o esperada.
735	**Terminar** + gerundio	
42	**Acabar de** + infinitivo	Indica que la acción ocurre o ha ocurrido ahora mismo.
43	**Acabar por** + infinitivo	Expresa que una acción es consecuencia del resultado de otra acción o de otra situación.
200	**Dar por** + participio	Expresa que algo se acepta como es, aunque no sea exactamente así.
251	**Dejar de** + infinitivo	Expresan la interrupción de una acción.
533	**Parar de** + infinitivo	
345	**Estar** + participio	Expresa el resultado de una acción.
413	**Ir** + participio	Indica que una acción en curso está finalizada.
427	**Llegar a** + infinitivo	Expresa un éxito, algo que se ha conseguido con esfuerzo.
498	**No llegar a** + infinitivo	Expresan las pocas posibilidades de que ocurra algo.
502	**No pasar de** + infinitivo	
615	**Quedar** + participio	Expresa una acción ya terminada.
620	**Quedarse** + gerundio	Expresa la consecuencia producida por una acción anterior. El sujeto es pasivo.
621	**Quedarse** + participio	Expresa la consecuencia producida por una acción anterior. El sujeto es activo.
661	**Ser** + participio	Expresa la pasiva.
730	**Tener** + participio	Explica el resultado de una acción.

1. Localice en la sopa de letras los verbos que se indican.

```
P J U A P I E L O O
A C A B A R N L I X
R T F B S I S E R R
A E N A A H L G I F
R N F E R A V A L D
M E Q U E D A R S E
P R O S E T E R I S
E X S E S T A R Z X
```

1. Arribar a un lugar. _Llegar_
2. Ir más allá de un lugar.
3. Es lo mismo que detenerse, hacer un *stop*.
4. Existir.
5. No moverse, estar quieto.
6. Para indicar un lugar, un estado.
7. Poseer, ser dueño de algo.
8. Terminar.

2. Complete los diálogos utilizando la perífrasis *acabar* + gerundio.

1. - Y al final, ¿fuiste de vacaciones a casa de tus padres?
   - No, qué va. ⌊_____*Acabé yendo*_____⌋ a la playa.
2. - ¿Sigues aprendiendo inglés?
   - Pues, en realidad, ⌊_____⌋ francés y me va muy bien.
3. - ¿Te compraste ese piso que tanto te gustó?
   - ¡Qué va! ⌊_____⌋ otro más pequeño. Era muy caro.
4. - Me han dicho que fuiste a estudiar español a Nicaragua.
   - Al final unos amigos me convencieron y ⌊_____⌋ en Costa Rica.
5. - ¿Por qué no te has comprado ese ordenador que te ofrecían?
   - Mi tío, que es informático, me habló de uno y ⌊_____⌋ un portátil.

3. Complete las frases utilizando la perífrasis *acabar por* + (no) infinitivo.

1. No quería visitar Barcelona, ⌊*pero acabé por visitarla.*_____⌋
2. No podía dejar de fumar, ⌊_____⌋
3. No pensaba ir al cine con Marta, ⌊_____⌋
4. No iba a comprar una cámara de vídeo, ⌊_____⌋
5. No quería comer saltamontes, ⌊_____⌋
6. No pensábamos salir esta noche, ⌊_____⌋
7. Tenía la intención de llamarte, ⌊_____⌋
8. Íbamos a alquilar un piso, ⌊_____⌋
9. Pensábamos cenar fuera, ⌊_____⌋
10. Quería ir al gimnasio, ⌊_____⌋

4. Transforme las frases como en el ejemplo.

1. Juan ha llegado hace cinco minutos.
   ⌊*Juan acaba de llegar.*_____⌋
2. El Sr. Martínez ha venido hace un momento.
   ⌊_____⌋
3. ¿Pilar? Lo siento, hace nada que se fue.
   ⌊_____⌋
4. Han cerrado la tienda la semana pasada.
   ⌊_____⌋
5. He visto a María José está mañana.
   ⌊_____⌋

5. Complete las frases con la preposición adecuada, en caso necesario.

1. ¡Qué paliza! Todo el fin de semana hemos estado limpiando la casa. Eso sí, está [____Ø____] ordenada y limpia como nunca.
2. Ahora está bien. En cuanto dejó [_____] comer grasas, se sintió mejor.
3. Aquel botones llegó [_____] dirigir el hotel.
4. Bueno, ya hemos hecho más de lo que nos correspondía. El resto le toca a otros. Doy [_____] terminado el trabajo. ¡Vámonos!
5. Como no tenía dinero ni dónde alojarse, Julián acabó [_____] durmiendo en un parque.
6. El jefe se ha enfadado con su secretario, pero no llegará [_____] despedirlo, ya lo verás. Es su brazo derecho.
7. Él no quería, pero su hija le insistió tanto que acabó [_____] aceptar y fueron a comer a esa pizzería.
8. Elena no va a venir, se ha quedado [_____] viendo una película en la televisión con su amigo Juan.
9. Está tan nervioso que no para [_____] dar golpes con los dedos en la mesa.
10. Estaba tan cansado que se quedó [_____] dormido en la ópera.
11. Está muy preocupado por esos dolores que tienes, pero está claro que no pasarán [_____] ser una contractura muscular.
12. Le hicimos tal lío que acabó [_____] pensando que le estábamos engañando.
13. No, no quiero comer nada, gracias. Acabo [_____] tomarme un buen plato de arroz y no quiero nada más.
14. Todas las invitaciones de boda iban [_____] escritas a mano.

6. Marque la opción adecuada.

1. Ana ha trabajado tantísimo en este libro que es / (está) realmente agotada.
2. Antes de irnos, nos aseguramos de que todo quedara / terminara recogido.
3. El equipaje está / va mejor doblado en una maleta que en una mochila.
4. Era tan buen estudiante que fue / terminó siendo elegido el representante del grupo.
5. Jorge ha acabado / ha llegado a afirmar que es la única persona que trabaja.
6. Está muy nublado, pero no dejará / pasará de caer un par de gotas.
7. Estaba tan emocionado que no acabó / llegó a llorar porque sentía vergüenza.
8. Estoy ordenando estos libros, y ya dejó / tengo preparadas estas tres estanterías.
9. Acaba / Termina de llamarte tu hermana ahora. Llámala.
10. Me pone tan nervioso esa chica que acabaré / iré por decirle una barbaridad.
11. Mira este cuadro. Ha sido / Ha estado pintado por un artista veneciano.
12. No quería ir al médico, pero estaba tan mal que acabó / se quedó yendo al hospital.
13. ¿No vas a dejar / terminar de hablar nunca? Yo también necesito el teléfono.
14. Se dieron las manos y, con ese acto, se acabó / dio por concluida la discusión.
15. Tenía tanto frío que no podía llegar / parar de tiritar.

7. Complete las frases con uno de los verbos del recuadro en infinitivo, gerundio o participio.

> adquirir - causar - desconfiar - descubrirse - dirigir - dormir - enviar - escribir - gustar - leer - llorar - participar - pintar - ver

1. Se quedó ⌐_____ dormido _____¬ viendo la televisión. ¡Cómo roncaba!
2. ¿A que no sabes a quién acabo de ⌐_____¬ en la calle? ¡A Norberto!
3. Cuando me fui a dormir, Asunción se quedó ⌐_____¬ en el salón un libro muy raro.
4. ¿Crees que la vacuna contra el SIDA terminará por ⌐_____¬ en este siglo?
5. Esta chica, como siga así, termina ⌐_____¬ esta empresa. Si no, ya lo verás
6. Ha salido un coleccionable muy interesante y yo ya he acabado ⌐_____¬ todos los números.
7. Ha tenido que dejar de ⌐_____¬ en competiciones deportivas profesionales porque se lo ha indicado el médico.
8. Hay tantos escándalos en la política que, a este paso, acabaré por ⌐_____¬ de todos los políticos.
9. Las inundaciones no acabaron ⌐_____¬ la catástrofe que se temía.
10. Mira este sobre. Está ⌐_____¬ a mano y no entiendo la letra.
11. No me gustaba nada la comida española, pero, a fuerza de probarla, acabó por ⌐_____¬ y ahora sólo como eso.
12. No se preocupe, Sr. Martínez, su paquete ya está ⌐_____¬. Le llegará por correo urgente mañana.
13. Uf, ¡qué noche! La pequeña no ha parado de ⌐_____¬ ni un momento. ¡Pobrecilla!
14. Ya verá, señora, cómo la casa está ⌐_____¬ este viernes y podrá así colocar los muebles durante el fin de semana.

8. Marque la opción correcta.

1. Mira esta carta. Es /(Está) firmada por Adelaida.
2. El ladrón de joyas ha sido / ha estado detenido por la policía.
3. Las hipótesis son / están siendo verificadas sistemáticamente por un grupo de científicos para comprobar su validez.
4. Es / Está comprobado que hay ciertos alimentos que son perjudiciales para la salud.
5. Rosa es / está cansada de tanto trabajar.
6. Los últimos versos de este libro fueron / estuvieron redactados por otro autor.
7. Vamos a comprobar que los documentos sean / estén firmados correctamente.
8. Mi padre es / está asustado ante la eminencia de una nueva operación.
9. Uy, Matías, eres / estás desconocido. ¡Cómo has cambiado!
10. El comunicado oficial ha sido / ha estado emitido por todas las televisiones.

▶ **Para saber más, vaya a las fichas 55, pág. 114, 56, pág. 116 y 57, pág. 118.**

43 Expresar cambios

176 745	**Convertirse en** **Transformarse en**	Sustantivo o adjetivo	Expresan un cambio radical.
392	**Hacerse**		Expresa un cambio planificado o producto de la evolución natural.
427	**Llegar a**	Infinitivo	Expresan un éxito como resultado del esfuerzo personal.
428	**Llegar a ser**		
552	**Ponerse**		Expresa un cambio rápido e instantáneo.
619	**Quedarse**	Adjetivo	Expresa un cambio como resultado de una situación anterior.
776	**Volverse**		Expresa un cambio rápido y definitivo.

1. Clasifique en el grupo que corresponda.

contento   egoísta   de mal humor
colorado   de piedra   tacaño
sordo   asombrado   bravo
loco   dormido   asustado
enfermo   del revés

Volverse	**Ponerse**	**Quedarse**
	contento	

2. Marque el tipo de cambio que indica cada verbo.

	Cambio rápido	Cambio resultado de situación o acción anterior	Cambio definitivo	Cambio temporal
VOLVERSE	✓		✓	
PONERSE				
QUEDARSE				

3. Complete el cuadro.

Volverse expresa un cambio !_____! y !_____!

Ponerse expresa un cambio !_____! y !_____!

Quedarse expresa un cambio !_____! y !_____!

4. Clasifique en el grupo que corresponda.

nervioso	huraño	voluntario
de piedra	presidente	cantante de moda
de buen humor	egoísta	actor
triste	agradecido	muy educado
budista	boquiabierto	colorado
director	una buena persona	lo más alto
vegetariano	tacaño	expresarse
ser feliz	socio	un basurero
ciego	viuda	ser alguien
agresivo	radical	hielo
soltero	acostumbrarse	un ejecutivo
irascible	sordo	un museo

Ponerse

!_____nervioso_____!

!_____!

!_____!

!_____!

Quedarse

!_____!

!_____!

!_____!

!_____!

!_____!

!_____!

Hacerse

!_____!

!_____!

!_____!

!_____!

Llegar a

!_____!

!_____!

!_____!

!_____!

!_____!

!_____!

Volverse

!_____!

!_____!

!_____!

!_____!

!_____!

!_____!

Transformarse en
Convertirse en

!_____!

!_____!

!_____!

!_____!

!_____!

5. Complete las frases con un verbo del recuadro.

> pesimista - tetrapléjico - colorado - un delincuente - de mal humor
> impresionado - un invernadero - irascible - viejo - un gran futbolista

1. Es muy tímido y siempre que habla en público se pone _colorado._
2. Tuvo un grave accidente y se quedó _____.
3. Ese chico juega muy bien. Llegará a ser _____.
4. En Madrid, transformaron la estación de Atocha en _____.
5. Desde aquella tragedia se volvió muy _____.
6. Mi padre se hizo _____ sin darse cuenta.
7. Debido a las malas influencias se convirtió en _____.
8. A mí la lluvia me pone _____.
9. Abelardo se quedó _____ cuando vio a su hija en aquellas condiciones.
10. Elena tiene mala suerte y se ha vuelto muy _____.

6. Elija la opción correcta.

1. A raíz de aquel incidente (se volvió) / se puso agresivo y nunca volvió a ser el mismo.
2. Reconozco que anoche me puse / volví agresivo, perdóname.
3. Después de vivir en Cuba un tiempo, se volvió / se puso muy radical en sus ideas.
4. El sindicato se volvió / se puso radical en la reunión: aumento de sueldos o huelga indefinida.
5. De repente, Marcos se puso / se volvió humilde y nos pidió perdón a todos.
6. Desde aquella discusión, Maite se ha vuelto / se ha puesto muy humilde.
7. Los ruidos me ponen / me vuelven nervioso, no lo puedo evitar.
8. Mi abuela, desde que cumplió ochenta años, se ha vuelto / se ha puesto muy nerviosa.
9. Mi cuñado, desde que ganó la lotería, se ha vuelto / se ha puesto muy arrogante.
10. En el restaurante, Maribel se puso / se volvió muy arrogante con los camareros.

7. Complete la frase con un elemento del recuadro en la forma apropiada.

> quedarse viuda - llegar a acostumbrarse - llegar a director - hacerse vegetariano -
> llegar a presidente - quedarse soltero - ponerse colorado - hacerse fuerte

1. Su marido murió. _Se quedó viuda._
2. Me dio dos besos. _____
3. Dejó de comer carne. _____
4. No te casaste. _____
5. Obtuvo la mayoría electoral. _____
6. Ascendió en el trabajo. _____
7. Se cambiaron de nuevo de ciudad. _____
8. Nos inscribimos en el gimnasio. _____

44 Expresar la opinión

177	Creer	
534	Parecerle	Expresan la opinión.
537	Pensar que	

1. Ordene los elementos y forme frases.

1. ¿situación / de / qué / piensas / tú? / la _¿Qué piensas tú de la situación?_
2. es / yo / creo / necesario / que
3. ¿va / llover / tú / a / crees / que?
4. ¿es / verdad / crees / así / de / que /?
5. muy / a / bueno / mí / parece / me
6. es / todo / pienso / relativo / que
7. pienso / dicho / ya / he / lo / te / que
8. caro / parece / me / no
9. ¿crees / qué / tú?
10. que / público / es / película / piensa
    el / buena / una

2. Elija la opción correcta.

1. Yo creo que no hay / haya ningún motivo para quejarse.
2. Me parece que Pedro dice / diga toda la verdad.
3. ¿A ti que te parece que Laura tenga / tiene que irse sola a los Andes?
4. No creo que va / vaya a llover.
5. ¿No crees que tengo / tenga razón?
6. Me parece que tenemos / tengamos que irnos.
7. No pienso que la política tiene / tenga que ver con la religión.
8. ¿Qué les parece a ustedes que se publican / publiquen estas calumnias?
9. ¿Te parece justa la decisión que han tomado / hayan tomando?
10. ¿Vosotros pensáis que yo soy / sea tonto o qué?

3. Complete el cuadro.

CREO	En frases afirmativas: verbo en
ME PARECE	En frases negativas: verbo en
PIENSO	En frases interrogativas: verbo en

4. Complete las siguientes frases con la forma apropiada del verbo entre paréntesis.

1. Yo creía firmemente que los niños !_____ _venían_____! (venir) esta semana.
2. No pensaba que el libro !_____! (ser) tan caro.
3. La verdad, no creía que vosotros !_____! (venir) a la reunión.
4. No creía que el juicio !_____! (ser) tan pronto.
5. Lo siento, no pensé que !_____! (estar) ocupado el asiento.
6. Nunca pensé que !_____! (ser) tan difícil aprobar esta oposición.
7. A mí no me pareció que Andrés !_____! (estar) enfermo.
8. Me ha parecido que !_____! (haber) alguien en la ventana.

5. Relacione los elementos de ambas columnas.

1. Se creyó toda la historia
2. No creo que sea verdad,
3. Me parece estupendo
4. Es muy inocente. Se cree todo
5. Yo creo que es imposible

a. que vengas con nosotros.
b. de pe a pa.
c. a pies juntillas.
d. de todas todas.
e. de ninguna manera.

6. Complete las respuestas como en el ejemplo.

1. - Yo creo que hay que cambiar todo el sistema electrónico.
   • Yo no creo que !_haya que cambiar todo el sistema electrónico._____!
2. - Es necesario bajar el precio de la gasolina.
   • Yo no creo que !_____!
3. - Creo que se merece otra oportunidad.
   • No creo que !_____!
4. - A mí me parece que Alfredo tiene razón.
   • A mí no me parece que !_____!
5. - Yo pienso que los insecticidas son perjudiciales para la salud.
   • Yo no pienso que !_____!
6. - A mí me parece que Antonio es un cobarde.
   • A mí no me parece que !_____!
7. - Me parece que vamos a llegar tarde.
   • No me parece que !_____!
8. - Creo que Belén sabe mucho de geografía.
   • Yo no creo que !_____!

▶ Para saber más, vaya a las fichas 39, pág. 82, 40, pág. 84 y 46, pág. 292.

45 Expresar gustos y preferencias

320	**Encantarle**	Expresa que algo gusta muchísimo.
378	**Gustarle**	Expresa gustos.

1. Complete el cuadro con la primera persona del singular.

	Presente Indicativo	Presente Subjuntivo	Pretérito Indefinido	Pretérito Imperfecto	Condicional
GUSTARLE	*Me gusta*				
ENCANTARLE					

2. Complete con la forma apropiada de verbo *gustar* y los pronombres necesarios.

1. A mi hermana ⌊_____*le gustan*_____⌋ las películas de miedo.
2. A mis padres ⌊_____⌋ los buenos hoteles.
3. A mi marido no ⌊_____⌋ el gazpacho.
4. A mis hijos ⌊_____⌋ nadar.
5. A mis compañeros no ⌊_____⌋ el baloncesto.
6. A mi hermano ⌊_____⌋ los aviones.

3. Observe y complete los diálogos.

1. - A mí no me gusta mucho el jazz.
   • ¿No? ⌊_____*A mí sí*_____⌋, me parece fantástico.

> - A mí me gusta mucho el deporte.
> • A mí también.
> • A mí no.

2. - Me encantan las películas de cine mudo.
   • Pues a Rebeca y a mí ⌊_____⌋. No vamos a ir a ver ninguna.
3. - ¿Nos os encanta este tipo de pintura?
   • Pues, la verdad, ⌊_____⌋. Preferimos otro estilo.
4. - A Asunción le gustan mucho las novelas históricas.
   • A mi madre ⌊_____⌋. Le encantan.
5. - Yo no sé a ustedes, pero a mí me gusta muchísimo el español.
   • ⌊_____⌋, claro que sí. Es un idioma fantástico.

> - A mí no me gusta nada el teatro.
> • A mí tampoco.
> • A mí sí, me encanta.

6. - No me gusta nada la comida sofisticada.
   • ⌊_____⌋, preferimos algo más tradicional.
7. - Nos encanta jugar al baloncesto. ¿Jugáis un partido?
   • Es que a nosotros ⌊_____⌋. Mejor paseamos.
8. - No me gusta esta ciudad.
   • ¿No? Pues ⌊_____⌋, me parece muy interesante.

4. Complete con las palabras adecuadas.

1. - A !___mí___! !_____! gusta muchísimo !_____! música clásica.
   - A !_____! !_____! Prefiero !_____! moderna.
2. - ¿!_____! usted no !_____! !_____! la playa?
   - Uy, sí, !_____! !_____! mucho.
3. - ¿A !_____! os !_____! los pasteles de chocolate?
   - !_____! Elena !_____!, pero a !_____! sí. Dame uno.
4. - A !_____! no !_____! gusta volar. Nos da miedo.
   - ¿Miedo? Pues !_____! mí !_____! encanta.
5. - Y a ti, ¿!_____! !_____! vivir en esta ciudad?
   - Pues, sí, !_____! !_____! muchísimo la vida nocturna.

5. Complete las frases añadiendo infinitivo o *que* + Subjuntivo, según convenga.

1. (yo, bailar) Me gusta !_*bailar.*_____!
2. (mis hijos, cantar) Me gusta !_____!
3. (mi marido, cocinar) Me encanta !_____!
4. (los estudiantes, hacer preguntas) Me gusta !_____!
5. (el jamón, estar bien curado) Me gusta !_____!
6. (yo, cenar tarde) Me encanta !_____!
7. (el mate, estar amargo) Me gusta mucho !_____!
8. (nosotros, salir a pasear) Me encanta !_____!
9. (tus padres, venir con nosotros) Me gusta !_____!
10. (yo, tomar el pelo a la gente) Me encanta !_____!

6. Complete las frases con la forma correcta del verbo entre paréntesis.

1. Me gustaría que !_____*tuvieras*_____! (tener, tú) más cuidado la próxima vez.
2. Antes me gustaba que !_____! (venir, tú) a buscarme al trabajo.
3. Me gustó mucho que !_____! (estar) Paula el día de mi boda.
4. ¡Me encantaría !_____! (tener, yo) otro hijo!
5. ¡Me encantaría que !_____! (tener, vosotros) otro hijo!
6. No nos gustaría que !_____! (volver, tú) a ese lugar.
7. De la película, me gustó que el sonido !____! (ser) directo.
8. A mis padres no les gustaba que !_____! (llevar, yo) el pelo largo.
9. Me encantaría que !_____! (regalarme, tú) flores de vez en cuando.
10. ¡Cómo me gustaría que !_____! (ser, tú) más responsable!

Para saber más, vaya a las fichas **5**, pág. 188 y **13**, pág. 211.

46 Expresar acuerdo y desacuerdo

118	**Bueno, bueno**	Interrumpe a alguien una vez aceptado su discurso.
145	**¡Cómo que!**	Expresa desacuerdo sobre lo que otro ha dicho.
159	**Con razón**	Informa de algo hecho por otro valorándolo positivamente.
164	**Conforme**	Expresan acuerdo ante una propuesta.
219	**De acuerdo**	
224	**De eso ni hablar**	Rechaza una propuesta, un plan o una petición.
263	**Desde luego**	Responde afirmativamente a una pregunta.
265	**Desde luego que no**	Indica una respuesta negativa a una pregunta.
353	**Estar de acuerdo**	Expresa acuerdo ante la opinión de otra persona.
487	**Ni hablar**	Responde negativamente a una solicitud o una propuesta.
529	**Para**	Expresa opinión.
569	**Por cierto**	Se refiere a algo que ha mencionado el interlocutor de pasada y nos interesa tratarlo en profundidad.
678	**Sí, quizás sí**	Expresa acuerdo, aunque con dudas.
733	**Tener razón**	Expresa acuerdo en una discusión o debate.
766	**Vale**	Acepta una propuesta informalmente.

1. Complete la conversación utilizando las siguientes expresiones.

para mí - perdone que le interrumpa - como estaba diciendo - conforme - en mi opinión - estoy de acuerdo con - hablando de - por cierto

Luis: ¿Dónde nos reunimos?

Alfredo: (1) _____ *En mi opinión* _____, lo mejor es hacer la reunión en la sede central, ya que vendrán representantes de todo el continente.

Luis: (2) _____ usted, pero (3) _____ tendríamos que consultar a las fábricas antes de tomar una decisión tan delicada.

Alfredo: (4) _____. ¿Se ha enviado ya la convocatoria a los proveedores?

Luis: Sí, ha salido esta mañana. (5) _____, es una decisión que afecta a más de trescientas personas y deberíamos conocer la opinión de todo el mundo implicado.

Alfredo: (6) _____, ¿qué piensa la dirección de todo esto?

Luis: El director no sabe nada, está de vacaciones en Jamaica.

Alfredo: (7) _____ Jamaica, ¿por qué no hacemos allí la reunión?

Luis: (8) _____ Queda acordado así.

2. Sustituya la expresión en negrita por otra equivalente.

1. - Ese vestido cuesta mucho. Vamos a ver más.
   • **Hablando de** dinero, ¿recuerdas lo que me debes?
   Por cierto, ¿recuerdas lo que me debes?

2. - ¿Nos vemos en la puerta del teatro?
   • **De acuerdo**, hasta entonces.

3. - ¿Quieres que invite a comer a mi madre el domingo?
   • **¡Ni hablar!** Ya la invitamos la semana pasada.

4. - Entonces, ¿nos dividimos lo que ha sobrado a partes iguales?
   • **Vale**.

5. - ¿Tú crees que deberíamos avisar a la policía?
   • **Sí, quizás sí**, pero sin contarles lo del cheque en blanco.

6. - ¿Sabes? Javier y Estella se han divorciado.
   • **Lógico**, esa boda no tenía ni pies ni cabeza.

7. - Eso de que el dinero da la felicidad es una tontería.
   • **¿Cómo que** es una tontería? Y Rockefeller, ¿qué?

8. ¿Todo el mundo está **conforme** con el escrito?

9. - ¿Puedo coger esta silla?
   • **Claro**.

3. Complete la conversación utilizando las siguientes expresiones.

> de acuerdo - vale - están a favor - cómo que - está de acuerdo - tiene razón

Luisa: Entonces, ¿todo el mundo (1) *está de acuerdo* en hacer el examen el viernes?

Javier: (2)_____, pero en ese caso no podremos salir de excursión el viernes por la mañana.

Pedro: Javier (3)_____. Yo creo que lo mejor es hacerlo el miércoles; total, es un examen muy fácil.

Luisa: (4)¿_____ es un examen muy fácil? Tenemos veinte temas de Biología y otros diez de Anatomía patológica. Yo propongo que lo votemos.

Pedro: (5)_____ Entonces, los que (6)_____ de hacer el examen el miércoles, que levanten la mano.

4. Sustituya la expresión en negrita por otra que signifique lo contrario.

1. - Papá, ¿me prestas el coche para esta noche?
   • **De acuerdo**. ⌐_____*Ni hablar*_____⌐
2. - Será mejor que tires todas esas porquerías a la basura.
   • **Vale**. ⌐_____⌐
3. - Entonces, ¿cancelamos la reunión?
   • **De ninguna manera**. ⌐_____⌐
4. - El problema de las drogas es en gran parte una cuestión de educación.
   • **No estoy de acuerdo**. ⌐_____⌐
5. - El transporte público debería ser gratuito para los ancianos.
   • **No estoy de acuerdo**. ⌐_____⌐
6. - La ley de matrimonio entre personas del mismo sexo es absurda.
   • **Tienes razón**. ⌐_____⌐
7. - ¿Quedamos a las siete en la boca del metro?
   • **No, no puedo a las siete**. ⌐_____⌐
8. ¿Estás de acuerdo en cancelar la reunión?
   • **Sí, quizás sí**. ⌐_____⌐

5. Conteste como en el ejemplo.

1. Las ballenas no son mamíferos. ⌐*¿Cómo que no son mamíferos?*_____
2. Me voy de esta casa para siempre. ⌐_____
3. Barcelona es la capital de España. ⌐_____
4. Este libro es muy aburrido. ⌐_____
5. Se ha cancelado la reunión. ⌐_____

6. Complete las siguientes frases con una de las expresiones del recuadro.

> Sí, quizás sí - Tiene razón - ¿Cómo que? - Con razón - Por cierto -
> Vale - De eso ni hablar - Hablando del - Desde luego

1. ⌐_____*Sí, quizás sí*_____⌐, pero no es menos cierto que eso es ilegal.
2. ⌐_____⌐ usted ha mencionado antes al señor Mérida. ¿Lo conoce personalmente?
3. ⌐_____⌐ que me voy de vacaciones en agosto. No faltaba más.
4. ⌐_____⌐. Quedamos así. Hasta luego.
5. ⌐_____⌐. Me niego rotundamente.
6. ⌐_____⌐ decía que nos lleváramos el paraguas. Mira qué nubes.
7. ⌐_____⌐: como usted dice, querer es poder.
8. ⌐_____⌐ rey de Roma, por la puerta asoma.
9. ¿⌐_____⌐ vas a irte a Nueva York en Navidad?

▸ **Para saber más, vaya a las fichas 39, pág. 82, 40, pág. 84 y ④④, pág. 2**

47 Expresar obligación y necesidad

243	**Deber**	Expresan la obligación o la necesidad de hacer algo.
732	**Tener que**	
381	**Haber de**	Da una instrucción de forma impersonal para hacer algo.
382	**Haber que**	Expresa la necesidad y la obligación de hacer algo de forma impersonal.
390	**Hacer falta**	Expresan la necesidad de tener o contar con algo o con alguien.
485	**Necesitar**	
670	**Ser necesario/preciso**	Expresa la necesidad de hacer algo.

● **Complete con *haber que* o *tener que* en el tiempo adecuado.**

1. Antes de preparar la ensalada ¡_____*hay que*_____¡ lavar bien la lechuga.
2. Me duele la muela, ¡_____¡ ir al dentista sin falta.
3. Para conducir en el extranjero ¡_____¡ tener el permiso internacional.
4. No ¡_____¡ fumar, Miguel, no es bueno para la salud.
5. Lo siento, no puedo quedarme porque ¡_____¡ recoger a los niños del colegio. Salen a las cuatro y media.
6. No ¡_____¡ ver la televisión a oscuras.
7. Sus pedidos no están listos todavía. ¡_____¡ esperar unos minutos.
8. Para ser diplomático ¡_____¡ tener mucha mano izquierda.
9. Los menores de dieciocho años no ¡_____¡ ver algunas películas.
10. ¡_____¡ denunciar esta situación, alguien ¡_____¡ hacerlo.

● **Complete con una perífrasis de obligación.**

1. Instrucciones para los inquilinos del inmueble.

   a. ¡_____*Hay que*_____¡ abrir la llave de paso del agua y el gas que está en la cocina.

   b. ¡_____¡ sacar la basura por la noche antes de las nueve.

   c. Para encender el calentador ¡_____¡ apretar el botón rojo.

   d. ¡_____¡ subir las persianas con precaución porque son viejas.

2. Nota para el compañero de piso.

   a. No te olvides de que ¡_____¡ dar de comer al gato.

   b. ¡_____¡ ir al banco antes de las dos.

   c. Te ha llamado Marta, ¡_____¡ llamarla sin falta por lo de las entradas del cine.

   d. No te acuestes muy tarde, mañana ¡_____¡ ir temprano al aeropuerto a recogerme.

3. Complete las siguiente frases con *deber* o *deber de* en la forma adecuada.

1. Qué raro que no haya llegado. !_____*Debe de*_____! haber pasado algo.
2. No se !_____! dejar los medicamentos al alcance de los niños.
3. !_____! ser las ocho y media, más o menos.
4. !_____! estar loca si sigues pensado que puedo confiar en ti.
5. No sé si !_____! llamarlo para felicitarlo.
6. !_____! trabajar por aquí cerca, porque la veo a menudo.
7. Para conducir se !_____! tener dieciocho años por lo menos.
8. Parece más pequeña, pero !_____! tener dieciocho años por lo menos.

4. Complete el siguiente cuadro.

Deber	Expresa !_____
Deber de	Expresa !_____

5. Complete las frases utilizando el verbo entre paréntesis en infinitivo o *que* + Subjuntivo.

1. Es necesario !_____*llevar*_____! (llevar) una vida sana.
2. Estás muy delgado. Es necesario !_____! (cuidarse).
3. No tengo dinero, necesito !_____! (pedir) un crédito.
4. No tengo dinero, necesito !_____! (prestarme, tú) algo.
5. Vuelves a llegar tarde. Es necesario !_____! (ser) puntual.
6. Para ir a América es necesario !_____! (tener) el pasaporte en regla.
7. Si se produce una infección, es necesario !_____! (tomar) antibiótico
8. Todas tus plantas están secas. Es necesario !_____! (regarlas).
9. Necesito !_____! (decirme, tú) la verdad.
10. ¿Necesitas !_____! (ayudarte, yo)?

6. Complete las frases con *hay que, no hay que, tener que* o *no tener que.*

1. En caso de incendio !_____*no hay que*_____! perder la calma.
2. Aunque tu situación es muy delicada, !_____! perder la calma.
3. !_____! encontrar una solución urgente al problema de la violencia
4. !_____! ser consecuente con lo que prometiste.
5. Para hacer fotografías !_____! seleccionar el tamaño del papel.
6. Muchas gracias por el regalo. !_____! haberte molestado.
7. !_____! ser muy listo para darse cuenta de lo que está pasando.
8. No ha sido culpa tuya, !_____! arrepentirte de nada.

Relacione.

1. Mañana **tengo que** levantarme temprano. Tengo mucho trabajo.

2. Mira, hijo, no puedes levantarte tan tarde. **Debes** levantarte antes y aprovechar la mañana.

3. Estoy cansadísimo. Trabajo demasiadas horas. **Debo** tomarme las cosas con más calma.

4. El médico me ha dicho que **tengo que** trabajar menos si quiero recuperarme de la lesión.

a. Se expresa una obligación o necesidad producida por la situación.

b. Se expresa una obligación o necesidad propuesta por alguien, no condicionada por la situación.

Elija la opción correcta.

1. Todavía no es nuestro turno. **Debemos / (Tenemos que)** esperar.
2. Tú eres muy impaciente y Belén es muy tranquila. Creo que **deberías / tendrías que** ser más paciente con ella.
3. El avión se averió y los pasajeros **debieron / tuvieron que** esperar.
4. Ya te han presentado las opciones. Por eso, me parece que ahora **debes / tienes que** decidirte por una y no hacerles esperar más.
5. Está muy apenada por lo que ha pasado. **Deberías / Tendrías que** llamarla y consolarla, ¿no te parece?
6. Comprendo que te guste mucho, pero no **deberías / tendrías que** gastar tanto dinero. Piensa en tu economía.
7. Para hacer bien este trabajo **debes / tienes que** concentrarte. Si no, no te saldrá bien.
8. Rápido, **debemos / tenemos que** darnos prisa. El tren va a salir.

Complete las frases con la expresión *hacer falta* en la forma adecuada y con los pronombres en caso conveniente.

1. En nuestro equipo ⌐____*hacen falta*____⌐ dos personas. ¿Algún voluntario?
2. Para aprender bien un idioma ⌐_____⌐ mucho esfuerzo e interés.
3. No ⌐_____⌐ que termines esto hoy, puedes hacerlo mañana.
4. Si no ⌐_____⌐ el coche, me lo llevo, tengo que ir al aeropuerto.
5. Gracias por el regalo. No ⌐_____⌐ que te molestaras.
6. En la reunión del otro día ⌐_____⌐ unos intérpretes.
7. ⌐_____⌐ un destornillador, ¿puedes comprar uno en la ferretería?

▶ **Para saber más, vaya a las fichas 55, pág. 114 y 14, pág. 213.**

48 Expresar sorpresa o extrañeza

239	**¿De veras?** **¿De verdad?**	Expresan sorpresa.
501	**¡No me digas!**	
504	**No puede ser**	Expresa sorpresa con un matiz de rechazo.
613	**¡Qué raro!** **¡Qué extraño!**	Expresan extrañeza.
672	**¡Será posible!**	Expresa sorpresa y rechazo.
676	**¿Sí?**	Expresa sorpresa e indiferencia.

1. Complete las frases con una de las expresiones del recuadro.

¡Será posible! - ¡Qué raro! - ¡No me digas! - ¡No puede ser!

1. Ves a tu novio besándose con tu mejor amiga. ¡Será posible!
2. Llegas a tu trabajo y no hay nadie.
3. Tu mejor amigo te comenta que se va a divorciar.
4. Tu banco te informa de que estás en números rojos.
5. Su vecino de arriba ha vuelto a dejarse el grifo abierto.
6. Gira la llave de contacto, pero el coche no arranca.
7. Escucha en la radio una nueva subida de impuestos.
8. Un coche se salta un semáforo en rojo.

2. Elija la opción más apropiada.

1. - María y Carmen se van a casar.
   • ¿Será posible? / ¿De verdad? Me alegro mucho, ¡qué bien!
2. - ¿Sabes? Yo ya tengo cincuenta y seis años.
   • ¡Qué raro! / ¡No me digas! Pues pareces mucho más joven.
3. - Alfonso ya tiene tres hijos.
   • ¡Será posible! / ¡No puede ser! Si es muy joven.
4. - Francisco acaba de tener un accidente.
   • ¡No puede ser! / ¿Sí? ¿Y le ha pasado algo grave?
5. - Marisa ha escrito ya muchos libros.
   • ¡No puede ser! / ¿De verdad? Estaba claro que sería escritora.
6. - Este verano me voy de vacaciones a Costa de Marfil.
   • ¡No puede ser! / ¡No me digas! ¡Qué suerte!
7. - Mi padre se llamaba José Alberto, como el tuyo.
   • ¿De verdad? / ¡No puede ser! ¿Los dos con el mismo nombre? ¡Qué casualidad!

3. Relacione.

1. No ha venido Iñaqui.
2. La comida no está lista.
3. Mañana no hay clase.
4. Se han ido sin despedirse.
5. Carlos y Miguel no se hablan.
6. Le han despedido.
7. Nos han subido el sueldo.
8. Se me ha estropeado el coche.
9. Van a reformar el estadio.
10. No tengo dinero para pagar.

a. Me parece muy extraño que quieran reformarlo. Si lo acaban de terminar.
b. No puede ser que no tengas treinta euros.
c. ¡Qué extraño que no hayan dicho nada! Si son muy educados.
d. ¡Qué raro que no haya clase!
e. Es muy raro que estén enfadados, si se llevan muy bien.
f. ¡Qué raro que nos hayan subido el sueldo! Con lo mal que va la empresa.
g. ¡Qué raro que le hayan despedido! Era un trabajador excelente.
h. Es muy raro que se te haya averiado. Es nuevo.
i. ¡Qué raro que no haya llegado todavía! Es muy puntual.
j. ¡No puede ser! Tengo mucha hambre.

4. Lea las frases del ejercicio anterior y complete el cuadro.

> Se utiliza el Presente de Subjuntivo para referirse a _____
> y se utiliza el Perfecto de Subjuntivo para referirse a _____

5. Complete el diálogo con una de las expresiones del recuadro y los verbos entre paréntesis.

> Me extraña - De verdad - No puede ser - Qué raro - No me digas

- No encuentro mi cartera.
- (1) ____No puede ser____ que la (2) _____ (perder) otra vez. Es la segunda vez en un mes.
- A lo mejor la he puesto en un cajón y no la encuentro.
- (3) _____ que tú (4) _____ (poner) las cosas en su sitio. Con lo desordenado que eres.
- ¿(5) _____ crees que soy tan desordenado? Pues voy a cambiar. Desde ahora seré más cuidadoso.
- (6) _____. ¿Sabes? Si lo consigues te invito a cenar al mejor restaurante de la ciudad.
- Uy, (7) _____ que tú (8) _____ (querer) invitarme a cenar en un restaurante caro, con lo tacaña que eres.

6. Relacione.

1. Has comprado un pequeño electrodoméstico y no funciona. Vas a cambiarlo, pero te dicen que no porque no tienes la garantía, la has perdido.
2. Hiciste una reserva en tu agencia de viajes de una habitación de un hotel lujoso, pero cuando llegaste, no había reserva, el hotel estaba completo y tuviste que dormir en una pensión.
3. Llevaste tu coche a arreglar y te prometieron que estaba hoy listo. Vas a recogerlo y descubres que todavía está sin reparar.

a. No puede ser que siga estropeado
b. No puede ser que haya perdido el dichoso papel.
c. No puede ser que yo pagara y ustedes no hicieran la reserva.

7. Subraye los verbos de las tres frases anteriores, reflexione y complete.

En expresiones de sorpresa y rechazo se utiliza el verbo en !_____!.
Se utiliza en !_____! cuando reaccionamos ante algo general, que ocurre normalmente. Se utiliza !_____! cuando reaccionamos ante algo que acaba de ocurrir. Se utiliza !_____! para reaccionar sobre algo pasado.

8. Complete las frases con el verbo en la forma adecuada.

1. ¿Te has olvidado otra vez el bolso en el metro? No puede ser que !_____*pierdas*_____! (perder) el bolso todas las semanas.
2. ¿De verdad que todavía no te han arreglado el coche? No puede ser qu !_____! (decirte) que hoy estaba arreglado y que no !_____! (estar). Deberías hacer una reclamación.
3. ¿Sabes? Agustín salió anoche solo. ¡Qué raro que no le !_____! (acompañar) su mujer!
4. No me lo puedo creer. No puede ser que tú !_____! (irte) dos mese a Perú, que !_____! (volver) ahora y que no !_____! (decirme) nada ni !_____! (traerme) nada. Esto no te lo perdono.
5. ¡Será posible que el vecino de arriba !_____! (vivir) como un pordic sero y en realidad !_____! (tener) millones en el banco! Lo ha descubierto ahora, tres años después de su muerte.
6. Estoy harto de esta empresa. No puede ser que yo me !_____! (pasar el día trabajando como un loco y Martín, mientras tanto, sin hacer nada y ahora l !_____! (ascender).

▶ Para saber más, vaya a las fichas **5**, pág. 188, **36**, pág. 268 y **49**, pág. 301.

49 Expresar alegría o tristeza

69	Alegrarse	Expresa satisfacción por algo que le sucede a otra persona.
70	Alegrarse de	Indica satisfacción por lo que hace uno mismo o lo que hace otra persona especificando qué produce alegría.
606	¡Qué + algo!	Expresa una exclamación sobre una persona o una cosa.
607	¡Qué + cualidad!	Expresa una exclamación sobre una cualidad.
609	¡Qué bien!	Expresa satisfacción o alegría.
613	¡Qué suerte!	Expresa satisfacción o alegría por lo que le pasa a otra persona.

Complete con *que* + parte del cuerpo el siguiente diálogo entre Caperucita Roja (C) y la Abuelita (A).

C. - ¡Abuelita! ¡____Qué brazos____! tan grandes tienes!
A. • Son para abrazarte mejor.

C. - ¡Abuelita! ¡_____! tan grandes tienes!
A. • Son para correr mejor.

C. - ¡Abuelita! ¡_____! tan grandes tienes!
A. • Son para oírte mejor.

C. - ¡Abuelita! ¡_____! tan grandes tienes!
A. • Son para verte mejor.

C. - ¡Abuelita! ¡_____! tan grandes tienes!
A. • ¡Son para comerte mejor!

2. Relacione.

1. Una película muy larga y lenta.
2. Una actriz de moda.
3. Un kilo de tomates a seis euros.
4. Un tren de alta velocidad.
5. La cocina, después de preparar una cena para doce personas.
6. Recorrer a pie una distancia de diez kilómetros.
7. París.
8. Un perro abandonado.
9. Una ecuación trigonométrica.
10. Una paella.

a. ¡Qué difícil!
b. ¡Qué bonito!
c. ¡Qué aburrida!
d. ¡Qué cansado!
e. ¡Qué sucia!
f. ¡Qué rápido!
g. ¡Qué caro!
h. ¡Qué pena!
i. ¡Qué guapa!
j. ¡Qué rica!

3. Transforme las frases.

1. Es una casa muy bonita.   ¡Qué casa más bonita!
2. Está muy enfermo.
3. Tiene los ojos muy azules.
4. Es un coche muy caro.
5. Escribe muy rápido al ordenador.
6. Habla muy bien español.
7. Trabaja muy bien.
8. Tiene unos libros muy interesantes.
9. Es una persona muy sociable.
10. Hace mucho frío.

4. Complete con una de las expresiones del recuadro.

¡qué barbaridad! - ¡qué suerte! - ¡qué bien! -
¡qué pena! - ¡qué horror! - ¡qué alegría! - ¡qué pesada! -
¡qué bruto! - ¡qué vergüenza! - ¡qué tonta!

1. - ¿Sabes? Marisa y yo nos casamos.
   - ¿Sí? ¡ _Qué bien!_ ¡Enhorabuena!
2. - Mi perro se murió la semana pasada.
   - ¡_____¡ Lo siento.
3. - Cada vez aumenta más el desempleo.
   - ¡_____¡
4. - ¿Has leído el periódico? Hay varios ministros implicados en el asunto de la corrupción.
   - Sí, ¡_____¡
5. - Hola, soy Mercedes. ¿Qué tal?
   - ¡_____¡ ¿Desde dónde me llamas?
6. - Sólo habló la directora durante toda la reunión.
   - Es verdad. ¡_____¡
7. - ¿De verdad no sabes quién escribió El Quijote? ¡_____¡
8. - No quiso venir conmigo a Santo Domingo.
   - ¡_____¡ Si es un país precioso.
9. - A Esther le ha tocado el primer premio de la lotería.
   - ¿Sí? ¡_____¡
10. - ¿Has visto cómo han cortado los árboles de la avenida?
    - Sí, ¡_____¡

5. Escriba las frases del ejercicio anterior.

1. *¡Qué bien que os caséis!*
2.
3.
4.
5.
6.
7.
8.
9.
10.

6. Complete los diálogos con *de* o con *de que*, en caso necesario.

1. - Mamá, Susi y yo vamos a tener un niño.
   - ¡Qué bien! Me alegro mucho *Ø*, es una muy buena noticia.
2. - Me trasladan a la delegación de Chile y me han nombrado director.
   - Me alegro mucho _____ te hayan nombrado director.
3. - ¡Muchas felicidades!
   - Gracias. Me alegro _____ te hayas acordado.
4. - Sra. García, le informo de que el vuelo está completo y va a viajar en "clase ejecutiva".
   - ¡Qué bien! Me alegro _____ viajar en primera.
5. - Todo se ha arreglado. Nos alegramos _____ la noticia.
   - Muchas gracias.

7. Complete las frases con el verbo entre paréntesis en la forma adecuada.

1. Ya sé que os casáis. Nos alegramos mucho de que, por fin, os *hayáis decidido* (decidir).
2. Parece ser que su coche nuevo no funcionaba muy bien y se lo van a cambiar. Me alegro de que le _____ (dar) uno nuevo.
3. Cuando me lo contó, me alegré de que ya le _____ (conceder) la beca que había pedido, pero ahora no estoy tan seguro.
4. De pequeños, mis abuelos se alegraban de que _____ (ir) a verles.
5. ¿Qué te pasa, ¿es que no te alegras de que la _____ (mandar, ella) a México?
6. Mi familia se alegraría de que _____ (seguir) estudiando.
7. Celia ha escrito. Me alegro de que lo _____ (hacer).
8. Se le olvidó la cita y María, en vez de enfadarse, se alegró de que no _____ (acudir) al encuentro. Quería hablar a solas con Guillermo.

▶ Para saber más, vaya a las fichas 20, pág. 44, **5**, pág. 188, **36**, pág. 268 y **48**, pág. 298.

50 Expresar rechazo o negación enfática

486	**Ni**	Añade otro elemento negativo.
489	**Ni que**	Compara algo con una situación extrema.
491	**Ni siquiera**	Expresa que no parece normal que no se haya producido algo.
608	**¡Qué + ir a!**	Rechaza algo enérgicamente.

1. Complete el siguiente diálogo con una expresión del cuadro anterior.

Dependiente: Buenos días, señora. ¿Puedo ayudarle en algo?

Cliente: Sí, por favor, estoy buscando un vestido de fiesta, pero no veo
(1) _____ *ni* _____ uno aceptable.

Dependiente: Pase por aquí, por favor ¿Qué le parece esta colección?

Cliente: ¡Qué barbaridad¡ ¡Qué precios! (2) _____ fueran de oro.
Además, (3) _____ incluyen los complementos.

Dependiente: Pero yo creo que le van muy bien a su tipo. ¿Quiere probarse alguno?

Cliente: (4)¡ _____ ir bien a mi tipo! Son vestidos para jovencitas.

Dependiente: Aquí tenemos una selección de "grandes firmas".

Cliente: (5) _____ loca me compraría algo semejante.

2. Transforme las frases utilizando *ni*.

1. Este coche no me gusta. No corre mucho, no tiene buenas prestaciones y no es bonito.
   Este coche no me gusta. Ni corre mucho, ni tiene buenas prestaciones, ni es bonito.

2. Arturo tiene problemas cuando viaja porque no habla inglés y no habla francés.
   _____

3. Es una persona "normal". No es muy guapo y no es muy feo.
   _____

4. No sabe conducir y no le hace falta. En la ciudad utiliza el transporte público.
   _____

5. ¡Qué confundido estás! No es médico y no es abogado, es ingeniero.
   _____

3. Relacione.

1. Va muy sucio.		a. fuéramos tontos.
2. Habla demasiado rápido.		b. hubiéramos discutido.
3. No explica nada interesante.	**NI QUE**	c. viviéramos en ciudades diferentes.
4. No viene nunca a verme.		d. no tuviera tiempo.
5. Ya casi no me habla.		e. fuera un pordiosero.

4. Complete las siguientes frases con los verbos entre paréntesis en el tiempo adecuado.

1. Esa cantante es muy exigente. ¡Ni que ┆_____ *fuera* _____┆ (ser) la reina de Inglaterra!
2. Mis hijos quieren ir de vacaciones al Caribe este verano. ¡Ni que ┆_____┆ (ser) millonarios!
3. Esta lavadora es carísima. ¡Ni que ┆_____┆ (tener) música!
4. Lleva demasiado equipaje. ¡Ni que ┆_____┆ (viajar) a la Luna!
5. Dice que gana lo suficiente para comprarlo. ¡Ni que ┆_____┆ (trabajar) de ministro!
6. No te rasques así. ¡Ni que ┆_____┆ (tener) piojos!
7. No hace falta ir tan abrigado. ¡Ni que ┆_____┆ (vivir) en el Polo!
8. Hablaron mucho de su novela. ¡Ni que ┆_____┆ (escribir) *El Quijote*!
9. En la fiesta había muchas medidas de seguridad. ¡Ni que ┆_____┆ (invitar) al primer ministro.
10. Anunciaron su descubrimiento a bombo y platillo. ¡Ni que ┆_____┆ (inventar) la pólvora!

5. Transforme las frases utilizando *ni siquiera.*

1. El conferenciante no ha sido muy ameno. Tampoco ha dicho nada nuevo.
   ┆ *El conferenciante no ha sido muy ameno; ni siquiera ha dicho nada nuevo.* _____┆

2. Desde que se fue, no nos ha escrito una carta. Tampoco ha llamado.
   ┆_____┆

3. Es muy soberbio. Tampoco escucha lo que pedimos.
   ┆_____┆

4. Tiene muy buen carácter. Tampoco se enfada cuando le engañan.
   ┆_____┆

5. Nadie sabe lo que pasó. Tampoco él, que es el protagonista.
   ┆_____┆

6. Complete con *que* o con *siquiera,* en caso necesario.

1. Es un grosero. Me empujó y ni ┆___ *siquiera* ___┆ me pidió perdón.
2. Lo saludé, pero ni ┆_____┆ me miró.
3. Estuvo muy simpático conmigo. ¡Ni ┆_____┆ no supiera que habla mal de mí!
4. No me explicó cómo tenía que hacer el trabajo. Ni ┆_____┆ dónde estaba el protocolo.
5. No sabía ni ┆_____┆ mi nombre.
6. Es raro que ni ┆_____┆ tuviera un par de pesos para darle al botones.
7. Se pasó el día durmiendo. ¡Ni ┆_____┆ no hubiera dormido en una semana!
8. No pudo ir a verte porque ni ┆_____┆ sabía la dirección, ni ┆_____┆ te la había preguntado.

51 Responder negativamente

133	**Claro que no**	Responden negativamente a una pregunta.
265	**Desde luego que no**	
487	**Ni hablar**	Expresa una respuesta negativa a una solicitud o propuesta.
488	**Ni idea**	Responde expresando desconocimiento.
490	**Ni se te ocurra**	Indica una respuesta negativa y enérgica a una petición de permiso para hacer algo.
493	**No**	Expresa una respuesta negativa.
614	**¡Qué va!**	Responde negativamente de forma coloquial y enérgica.

1. Relacione.

1. Disculpe, ¿Le importaría ayudarme con esta maleta?
2. Entonces, ¿no fuiste al cine con Eva?
3. ¿Sabes cuál es la capital de República Dominicana?
4. Mamá, ¿podemos ver la tele un ratito antes de acostarnos?
5. Seguro que este precio no tendrá recargo.
6. Ahora mismo voy a llamar a la policía.
7. No podemos salir todavía, ¿no?
8. ¿Quieres ir con nosotros al cine?

a. Ni se te ocurra, podemos tener problemas.
b. Ni hablar. Es tardísimo.
c. Desde luego que no, tengo prisa.
d. Qué va, no quería venir.
e. Ni idea. ¿Tegucigalpa?
f. En absoluto. Es lo que pone en la etiqueta.
g. No. Es que no puedo.
h. Claro que no. Hay que esperar.

2. En los siguientes diálogos, marque la respuesta correcta.

1. - Disculpe, ¿está ocupado este asiento? • No / Ni idea.
2. - ¿Qué día es hoy? • Ni idea / Ni hablar.
3. - ¿Por qué no vamos a la piscina? • Ni hablar / Qué va.
4. - ¿Y si invitamos a cenar a Marta? • Ni se te ocurra / Qué va.
5. - ¿Sabe dónde están los servicios? • Desde luego que no / Ni idea.
6. - ¿Le molesta si abro la ventanilla? • Desde luego que no / Ni hablar.
7. - Perdone, ¿es ésta la calle Mayor? • Qué va / Desde luego que no.
8. - ¿Me pongo las sandalias? • Ni se te ocurra / Qué va.
9. - ¿Trabajas los sábados? • Ni hablar / Desde luego que no.
10. -Tu hermana está casada, ¿verdad? • Qué va / Desde luego que no.

3. Complete los diálogos con una de las siguientes expresiones.

> Claro que no - Ni hablar - Ni idea - Ni se te ocurra - ¡Qué va!

1. - Por favor, ¿la calle Gaztambide?
   - *Ni idea*, lo siento, no soy de aquí.
2. - ¿Ponen algo interesante en la televisión esta noche?
   - _____, la misma basura de siempre.
3. - ¿Y si vamos a su casa y le pedimos perdón?
   - _____. Es un imbécil y no se lo merece.
4. - ¿Puedo poner un disco?
   - _____, los niños están ya acostados.
5. - ¿Vas a salir con ellos esta noche?
   - _____, no me han invitado.
6. - ¿Cuánto costará esto?
   - _____, no lo sé, pero no mucho, ¿no?
7. - Papá, me voy a llevar tu coche, ¿vale?
   - _____, lo necesito yo dentro de media hora.
8. - No es muy interesante, ¿no?
   - _____, es bastante aburrido.
9. - ¿Y si le hacemos una contraoferta?
   - _____, no podríamos pagarla.
10. - ¿Fuiste al final a la exposición de Raimundo?
    - _____, se me olvidó.

4. Complete las frases con *no* o con *ni*.

1. _No_, no puedes ir hoy al cine. _____ hablar, te quedas en casa.
2. _____ tengo _____ idea, _____ sé cuántos habitantes tiene Brasil, unos 170 millones.
3. _____ se te ocurra hablar hoy con él. Está enfadado y _____ hay quien le soporte.
4. Claro que _____ vamos a salir ahora. Todavía _____ hemos terminado esto.
5. _____ quiero volver a oír hablar de una propuesta como ésta. _____ hablar de salir todos juntos.
6. _____ idea de lo que ha pasado. _____ me preguntes a mí.

▶ Para saber más, vaya a la ficha 58, pág. 120.

52 Responder afirmativamente

117	**Bueno**	Responde afirmativamente a una petición sin mucho énfasis.
120	**Bueno, sí**	Expresa una respuesta afirmativa a una propuesta mostrando una cierta duda.
132	**Claro**	Responde afirmativamente a una pregunta.
144	**Cómo no**	Indican una respuesta afirmativa.
263	**Desde luego**	
362	**Evidentemente**	Indica una respuesta afirmativa a una pregunta, mostrando que e la única respuesta posible.
674	**Sí**	Responde afirmativamente.
678	**Sí, quizás sí**	Expresa acuerdo, aunque con dudas.
766	**Vale**	Acepta una propuesta informalmente.

1. Lea estos diálogos y subraye la respuesta incorrecta.

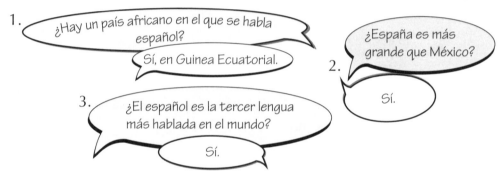

1.
¿Hay un país africano en el que se habla español?

Sí, en Guinea Ecuatorial.

2.
¿España es más grande que México?

Sí.

3.
¿El español es la tercer lengua más hablada en el mundo?

Sí.

2. Relacione.

1. ¿Podría salir un poco antes hoy? Tengo a la niña enferma y quiero llevarla al médico.
2. ¿Podrías ayudarme un momentito? Tengo que hacer una cosa y yo solo no puedo.
3. Yo creo que debemos actuar así, ¿no te parece?
4. ¿Nos vemos esta tarde en la biblioteca?

a. Sí, quizás sí, pero hay algo que no veo claro.
b. Vale, me parece muy bien.
c. Bueno, pero intenta acabar los presupuestos antes de irte.
d. Cómo no. ¿Qué hay que hacer?

3. Relacione.

Para responder afirmativamente a una...	Utilizamos...
1. petición de permiso mostrando cierto malestar.	a. Vale.
2. petición de ayuda o permiso siendo muy cortés.	b. Cómo no.
3. opinión mostrando cierta duda.	c. Bueno.
4. propuesta de forma coloquial.	d. Sí, quizás sí.

4. Complete los diálogos con una de las expresiones del ejercicio anterior.

1. - Yo creo que debemos decidir ya a qué lugar queremos ir.
   • ⌊_____*Sí, quizás sí*_____⌋, pero antes vamos a revisar los folletos un momento.

2. - Por favor, joven, ¿puede ayudarme a cruzar la calle?
   • ⌊_____⌋, señora. Deme la mano.

3. - Antonio, ¿puedes dejarme 120 euros, por favor?
   • ⌊_____⌋, pero devuélvemelos pronto, ¿eh?

4. - Venga, vamos a tomar un café.
   • ⌊_____⌋

5. - Anda, ven a casa a cenar. He preparado tu plato favorito.
   • ⌊_____⌋

6. - Jefe, ¿puedo pasar un momento?
   • ⌊_____⌋, pasa, pasa.

7. - ¿Tú no opinas lo mismo que yo?
   • ⌊_____⌋, pero no estoy muy seguro.

8. - Cuida al niño mientras voy a la compra.
   • ⌊_____⌋, pero no tardes mucho.

5. En los siguientes diálogos, marque la opción correcta.

1. - ¿Sabes que día es hoy?
   • Bueno sí / (Claro), hoy es...

2. - ¿Quieres un café?
   • A ver, ¿qué hora es? Bueno, sí / Claro. Pero no muy fuerte.

3. - ¿Vienes al cine esta noche?
   • Vale / Cómo no. Creo que hay una muy buena en los cines Renoir.

4. - ¿Podría traerme otra cucharilla, por favor?
   • Vale / Cómo no. Aquí tiene.

5. - Oiga, ¿tiene cambio?
   • Bueno / Sí. A ver, tome.

6. - ¿Le importa si me siento en su mesa?
   • Bueno / Vale, si no hay otro lugar.

7. - ¿Necesita ayuda?
   • Sí, quizás sí / Desde luego, ¿puede ayudarme?

8. - ¿Puede ayudarme con estas cajas, por favor?
   • Sí, quizás sí / Desde luego. ¿Dónde las pongo?

▶ Para saber más, vaya a la ficha 58, pág. 120.

53 Valorar cualidades

72	**Algo**	Describe una cosa o persona de forma negativa.
109	**Bastante**	Matiza positivamente una acción sin expresar excesivo énfasis.
255	**Demasiado**	Expresan una valoración negativa de algo porque supera los límites tolerables.
397	**Harto**	
339	**Especialmente**	Matizan una valoración como sorprendente o insólita.
629	**Realmente**	
715	**Sumamente**	
773	**Verdaderamente**	
421	**La mar de**	Indica que una cualidad es grande.
426	**Ligeramente**	Describe una cosa o una persona de forma un poco negativa.
452	**Más bien**	Expresa que el objeto valorado tiene una tendencia hacia esa cualidad.
476	**Mucho**	Matiza un verbo.
477	**Mucho/a/os/as**	Se refiere a cantidades altas de forma imprecisa. Se utiliza seguido de un sustantivo.
478	**Muy**	Se refiere a cantidades altas de forma imprecisa. Se utiliza seguido de un adjetivo.
482	**Nada**	Expresa la ausencia de la cualidad señalada.
544	**Poco**	Matiza un verbo disminuyendo su intensidad.
723	**Tan**	Matiza una valoración.
755	**Un poco**	Indica cantidades bajas.
759	**Un tanto**	Describe una cosa o persona con un matiz negativo.

1. Localice en esta sopa de letras doce adverbios de cantidad.

```
S U M A M E N T E V N T E
O P U I U M A N T E F R T
K L Y H C Y D D N R F Y L
A I E U H I A E O D N I O
J P O C O B U M X A M B U
H Y P U C O M A U D C A R
A H M U I T O S L E T S E
R G H L A P N I T R P T A
T D E M A S I A S A S A L
O T Y M U I N D A M R N M
A L G U T J L O D E I T E
M L I G E R A M E N T E N
J U S Y M A C H I T T O T
E S P E C I A L M E N T E
```

1. *Poco*
2.
3.
4.
5.
6.
7.
8.
9.
10.
11.
12.

2. Complete con *muy* o *mucho/a/os/as.*

1. Te quiero !___*mucho*___!.
2. Estos zapatos son !_____! bonitos, pero son !_____! caros. Vamos a buscar otros.
3. Tiene !_____! inconvenientes y !_____! pocas ventajas. No nos conviene.
4. Hay que tener !_____! dinero para viajar !_____! lejos. ¿No te parece?
5. ¡Que tengas !_____! suerte! La vas a necesitar porque el examen es !_____! difícil.
6. Me da !_____! alegría volverte a escuchar. ¿Llamas desde !_____! lejos?
7. Ana está !_____! cansada porque trabaja !_____! horas al día, necesita descansar.
8. Es !_____! peligroso cruzar esta calle, porque pasan !_____! coches y van !_____! deprisa.
9. Su propuesta es !_____! interesante y tiene !_____! partidarios.
10. Es !_____! complicado nadar en esa piscina porque siempre hay !_____! gente.

3. Complete el cuadro con *muy* o *mucho/a/os/as.*

```
VERBO + !_____!
!_____! + NOMBRE.
!_____! + ADJETIVO.
```

4. Relacione.

1. No es nada barato.
2. No es nada estúpido.
3. No es nada fácil.
4. No está nada lejos.
5. No es nada interesante.
6. No es nada alegre.
7. No está nada gorda.
8. No es nada guapo.
9. No está nada maduro.
10. No es nada justo.

a. Es muy triste.
b. Es muy feo.
c. Está muy delgada.
d. Es muy aburrido.
e. Está muy cerca.
f. Es muy listo.
g. Es muy caro.
h. Es muy difícil.
i. Es muy injusto.
j. Está muy verde.

5. Marque la opción adecuada.

1. Se ha comprado un traje de un color más o menos blanco, (más bien) / muy gris, gris páli do, ¿no?

2. No está mal, es sumamente / un poco escaso, pero suficiente.

3. Esta maleta es demasiado / nada pesada para mí, no puedo con ella. ¿Me ayudas, por favor

4. Evaristo es algo / harto hablador, no puedo aguantarlo más. Mira, ahí viene. Me voy.

5. Es un vestido ligeramente / sumamente moderno. No, no me gusta. Prefiero algo má clásico. Vamos a otra tienda.

6. Acabo de ver una exposición de un pintor chileno. Es algo / realmente sorprendente, una persona encantadora.

7. Mi abogada es una mujer la mar de / mas bien inteligente.

8. Está muy bueno este guiso, pero, quizás, está poco / un tanto salado. Ten cuidado cor la sal, que no le gusta a todo el mundo.

9. Gracias, ya es bastante / demasiado. No quiero más.

10. Tiene un carácter mucho / muy fuerte. Yo que tú, tendría mucho / muy cuidado con él.

6. Transforme las frases utilizando *la mar de*.

1. Es un aparato muy práctico.   *Es la mar de práctico.*

2. La conferencia fue muy interesante.

3. La presentación estuvo muy divertida.

4. He conocido a Antonio Banderas y es muy simpático.

5. La comida está muy buena.

6. Fuimos a una fiesta muy animada.

7. Juan hace unas empanadas muy ricas.

8. Ha ido a muchos países. Es muy viajera.

9. Está muy contenta porque ha hecho muy buen trabajo.

10. Tu hermana es muy agradable.

7. En estas serie se ha colado un intruso. Márquelo.

1. especialmente • (ligeramente) • realmente • sumamente

2. algo • la mar de • mucho • muy

3. algo • ligeramente • poco • un tanto

4. demasiado • excesivamente • harto • más bien

5. algo • la mar de • ligeramente • más bien

6. bastante • muy • un tanto • verdaderamente

8. Relacione.

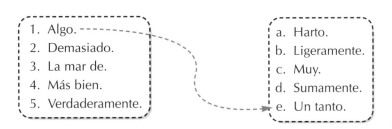

1. Algo.
2. Demasiado.
3. La mar de.
4. Más bien.
5. Verdaderamente.

a. Harto.
b. Ligeramente.
c. Muy.
d. Sumamente.
e. Un tanto.

9. En las siguientes frases, sustituya la expresión en negrita por otra de los recuadros.

1. Tu cuñada es **algo** pedante.
   Tu cuñada es un tanto pedante.

   | La mar de |
   | Muy |
   | Un tanto |

2. Es muy simpático y tiene **la mar de** amigos.

   | Bastantes |
   | Ligeramente |
   | Muchos |

3. Es **sumamente** orgullosa.

   | Demasiado |
   | Realmente |
   | Un tanto |

4. Este ejercicio es **muy** difícil.

   | Harto |
   | Ligeramente |
   | Un tanto |

5. Mi tía Lola es **tirando a** mayor, debe de tener sesenta años.

   | Muy |
   | Más bien |
   | Un poco |

6. El motor está **un poco** sucio, pero yo lo limpio en un santiamén.

   | Bastante |
   | Mucho |
   | Un tanto |

7. Es **demasiado** caro, no lo quiero, gracias.

   | Bastante |
   | Harto |
   | Muy |

8. Yo creo que está **muy** lejos para ir andando.

   | Demasiado |
   | Ligeramente |
   | Un tanto |

9. Tiene un humor **realmente** divertido.

   | Demasiado |
   | Muy |
   | Sumamente |

10. No es muy habilidoso, es **poco** mañoso, la verdad.

    | No muy |
    | Un poco |
    | Un tanto |

▸ Para saber más, vaya a las fichas 6, pág. 16 y 60, pág. 124.

54 Describir y hablar de las personas y de las cosas

341	**Estar** + *adjetivo*	Expresa un estado físico o anímico.
653	**Ser** + *adjetivo*	Describe algo o a alguien de forma objetiva.
656	**Ser** + *identidad*	Identifica algo o a alguien.
658	**Ser** + *material*	Describe el material del que está hecho algo.
660	**Ser** + *origen*	Expresa la procedencia, el origen o la nacionalidad de alguien o algo.
352	**Estar de**	Explica una situación profesional.
663	**Ser** + *profesión, ocupación*	Expresa la profesión u ocupación de alguien.

1. Complete el cuadro con la primera persona del singular.

	Presente Indicativo	Presente Subjuntivo	Pretérito Indefinido	Pretérito Imperfecto
SER	*Soy*			
ESTAR				

2. Coloque los siguientes elementos en una de las dos columnas.

Enrique - contento - inglés - de buen humor - ingeniero - sorprendido - simpático - alto - de plástico - enfermo - de Sevilla - constipado - cansado - agradable - estudiante

Ser	Estar
Enrique	

3. Relacione.

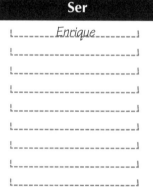

1. Antiguamente, la capital de España
2. La obra de teatro de ayer
3. ¿Dónde
4. Mi abuelo nunca
5. Ayer me acosté temprano porque
6. La inauguración del teatro
7. Ayer

FUE ESTUVO ERA ESTABA

a. magnífica.
b. muy cansado.
c. domingo, ¿no?
d. Toledo.
e. el mundial de fútbol de 1982?
f. muy bien, me gustó.
g. triste.

4. Señale la opción correcta.

1. ¡Alberto (es) / está muy aburrido. Nunca sé de qué hablar con él.
2. Soy / Estoy aburrido, no he salido de casa en todo el día.
3. ¡Qué guapo eres / estás! Esa camisa te sienta muy bien.
4. Todos tus hijos son / están muy guapos y simpáticos.
5. En tu país, ¿qué es / está más caro, el pescado o la carne?
6. ¡Qué caro es / está hoy el pollo!
7. Mis padres son / están jóvenes, tienen cuarenta años.
8. Mi padre, a sus ochenta y cinco años, es / está aún joven y lúcido.
9. ¿Eres / Estás ya lista para empezar?
10. Mi perro es / está muy listo, lo entiende todo.

5. Complete con la forma correcta de los verbos *ser* o *estar*.

1. El nuevo candidato !_____es_____! una persona muy seria y parece responsable, pero de momento !_____! nervioso por sus nuevas obligaciones.
2. Beatriz !_____! muy enfadada. !_____! muy nerviosa.
3. Rafael, aunque !_____! bastante mayor, !_____! muy joven.
4. No me gusta nada esta alfombra. !_____! de plástico o de cualquier otra fibra artificial, no !_____! natural y, encima, !_____! carísima.
5. Maruja y Fernando !_____! un matrimonio ejemplar. Siempre !_____! contentos y felices.
6. Es increíble. Alfonso !_____! triste por su enfermedad, y sus amigos no paran de hablar de otras personas que también !_____! enfermas.

6. Relacione los elementos de ambas columnas.

1. a. Es viejo. ---------------------→ I. Tiene muchísimos años.
    b. Está viejo. --------------------→ II. Se estropea constantemente.

2. a. Es triste.   I. Desde que murió su gatita.
    b. Está triste.   II. Pedir pero la necesidad me obliga.

3. a. Juan es gordo.   I. Desde la última vez que lo vi.
    b. Juan está gordo.   II. Y bajito.

4. a. Es cerrado.   I. No abren los domingos.
    b. Está cerrado.   II. Y terco, no admite otras opiniones.

5. a. Soy muy despistado.   I. Siempre me olvido de tu cumpleaños.
    b. Estoy muy despistado.   II. Y no sé dónde está la salida.

6. a. Es cansado.   I. Y se ha acostado un rato.
    b. Está cansado.   II. Trabajar de sol a sol.

7. a. Es interesado.   I . Siempre busca su propio beneficio.
    b. Está interesado.   II. En comprar la casa.

▸ Para saber más, vaya a las fichas 82, pág. 168 y 83, pág. 170.

55 Hablar de la existencia de algo y ubicar

344	**Estar** + *lugar*	Expresa el lugar donde se ubica algo o alguien.
379	**Haber**	Indica la existencia de algo.
657	**Ser** + *lugar*	Expresa el lugar en el que ocurre un acontecimiento.

1. Complete el cuadro con la tercera persona del singular.

	Presente Indicativo	Presente Subjuntivo	Pretérito Indefinido	Pretérito Imperfecto
SER	Es			
ESTAR				
HABER				

2. Complete con la forma apropiada de *estar* o *haber*.

1. - Perdone, ¿_____*hay*_____ un cine por aquí?
   - Sí, _____ dos. ¿Cuál busca?

2. - ¿En esta oficina _____ botiquín?
   - Claro, _____ uno por planta. _____ al lado de los baños de caballeros, al fondo del pasillo.

3. - ¿Qué _____ hoy de comer?
   - Creo que _____ paella. ¿Te gusta?

4. - ¿Dónde _____ el cine Paz?
   - No sé, la verdad. En la siguiente calle, al lado de la farmacia, _____ uno, pero no sé cómo se llama.

5. - ¿_____ algún informe sobre el caso Alcántara?
   - Sí, jefe, _____ en la carpeta de asuntos pendientes.

6. - ¡Hola! ¿_____ alguien aquí?
   - Sí, claro, _____ aquí, pasa, pasa.

7. - ¿Dónde _____ el pedido de envases?
   - Parece ser que todavía _____ en el puerto.

8. - _____ novedades y ofertas en Los Almacenes Reunidos.
   - ¡Qué bien! Y, ¿dónde _____?

9. - Y, ¿en tu país _____ lugares interesantes para visitar?
   - Claro, _____ muchas playas y ciudades bonitas. Por ejemplo, _____ Puerto Limón, una ciudad muy antigua... _____ muchas cosas que ver.

10. - No encuentro mi pasaporte, no sé dónde _____.
    - Mira en el cajón del dormitorio. Allí _____ muchas cosas. Quizá tu pasaporte también _____ allí.

3. Señale la opción correcta.

1. Ese día (había) / habían mucha gente en la calle.
2. Había / Habían catorce votos a favor y ocho en contra.
3. ¿No había / habían otras entradas para el teatro?
4. En el catálogo había / habían todo tipo de herramientas.
5. Sólo había / habían dos personas en el auditorio.

4. Señale la opción adecuada.

1. - ¿Sabes? Hoy (hay) / es / está un concierto muy bueno.
   • Sí, ya lo sé, pero no sé dónde hay / es / está.
2. - No sé dónde pueden haber / ser / estar esos papeles.
   • Mira si hay / son / están en la mesa. Allí hay / son / están muchas cosas.
3. - Me han dicho que la clase de hoy hay / es / está en el aula magna.
   • Sí, sí, hay / es / está allí. Hoy viene un conferenciante muy famoso.
4. - Miguel, ¿dónde hay / eres / estás?
   • Hay / Soy / Estoy aquí, mamá.
5. "Aproveche las oportunidades. Ya hay / son / están las rebajas del Corte Inglés".
   - ¿Vamos? Hay / Es / Está un Corte Inglés muy cerca de aquí.
   • Mejor otro día. Seguro que hoy hay / es / está lleno.
6. - Aquí hay / es / está mucha gente, vámonos a otro sitio.
   • Aquí hay / es / está la presentación del libro. Espera, allí hay / es / está el autor.
7. Se ha producido un trágico accidente de circulación. La catástrofe ha habido / ha sido / ha estado en la carretera 252, a la altura de Baracaldo. Hay / Son / Están varios coches accidentados y la policía ya hay / es / está en la zona.
8. - ¡Ya hay / somos / estamos aquí! Hemos llegado tarde porque había / era / estaba mucho tráfico. Había / Era / Estaba una manifestación en el centro.
   • Sí, creo que la manifestación hay / es / está justo en el centro, con lo que está toda la ciudad colapsada.

5. Complete las frases con el verbo (*haber*, *ser* o *estar*) en el tiempo correcto.

1. Ayer ¡_____*hubo*_____! una explosión en la Estación Central.
2. En la reunión ¡_____! muchas personas.
3. Aquí no ¡_____! nadie, vámonos.
4. Antes, ¡_____! aquí el centro de reunión de la ciudad.
5. La presentación comercial ¡_____! en esta sala tan grande a las cinco.
6. Por fin hoy ¡_____! el concierto de Ricky Martin.
7. Cuando la policía los detuvo, los tres ladrones ¡_____! en la cama durmiendo.
8. Mira, allí ¡_____! tus primos. Ve a saludarlos.

▸ Para saber más, vaya a las fichas 82, pág. 168 y 83, pág. 170.

Diccionario práctico de gramática		Libro de ejercicios del Diccionario práctico de gramática
Nº Ficha	Exponente	Nº de páginas
1	A + algo	132
2	A + alguien	38 - 132
3	A + alguien / algo	38 - 132
4	A + fase de desarrollo	132
5	¡A + infinitivo / sustantivo!	132 - 213
6	A + lugar	132
7	A + lugar no concreto	132
8	A + modo	132
9	A + número (de algo) + POR + unidad	132
10	A + número de medida de espacio	132
11	A + número de medida de tiempo	132
12	A + precio	132 - 272
13	A CUAL MÁS / A CUAL MENOS	132 - 254
14	A + EL / LA + tiempo	132
15	A + EL / LA... + siguiente	132 - 231
16	A ESO DE LA(S)	132 - 215
17	A FIN DE	132 - 162 - 193
18	A FUERZA DE	132 - 176
19	A LA(S)	132 - 215
20	A LA + adjetivo	132 - 196
21	A LO + nombre / adjetivo	132 - 196
22	A LO MEJOR	132 - 201
23	A LO SUMO	124 - 132
24	A LOS / A LAS + tiempo	132 - 231
25	A LOS + número + tiempo (de edad)	132 - 223
26	A MÁS TARDAR	128 - 132
27	A MEDIDA QUE	132 - 166 - 199
28	A MEDIO	132
29	A MENOS QUE	132 - 158 - 185
30	A MENUDO / A VECES	132 - 233
31	A NO SER QUE	185
32	A PARTIR DE	132 - 227
33	A PESAR DE	132 - 154 - 204
34	A PODER SER	132 - 185 - 270
35	A TRAVÉS DE	132
36	A VER SI	92 - 132 - 191 - 211
37	ABAJO	126
38	ACÁ	12 - 126
40	ACABAR + gerundio	116 - 281
42	ACABAR DE + infinitivo	114 - 281
43	ACABAR POR + infinitivo	281
44	ACONSEJAR	208
45	ACORDAR	42
46	ACORDARSE DE	42
47	ACTO SEGUIDO	128
48	ADELANTE	126
49	ADEMÁS	124 - 259
50	ADENTRO	126
51	ADONDE	46
53	¿ADÓNDE?	44
54	AFUERA	126

Diccionario práctico de gramática		Libro de ejercicios del Diccionario práctico de gramática
Nº Ficha	Exponente	Nº de páginas
57	AHÍ	12 - 126
58	AHÍ POR / ALLÁ POR + fecha	217
59	AHORA	126
60	AHORA BIEN	148 - 204 - 259 - 265
61	AHORA QUE	160 - 180
62	AL + infinitivo (tiempo)	199
63	AL + infinitivo (causa)	176
64	AL CABO DE	231
65	AL LADO DE	126
66	AL MENOS	124
67	AL MENOS + verbo	204
68	AL PARECER	263
69	ALEGRARSE	188 - 301
70	ALEGRARSE DE	188 - 301
71	ALGO	16
72	ALGO + adjetivo	124 - 310
73	ALGO MÁS DE	124
74	ALGUIEN	16
75	ALGÚN	16
76	ALGUNO/A/OS/AS	16
77	ALLÍ / ALLÁ	12 - 126
78	ALREDEDOR DE + cantidad	124
80	ALREDEDOR DE + tiempo	215 - 217
82	ANDAR + gerundio	116
83	ANDAR + participio	118
84	ANTAÑO	128 - 219
85	ANTE	38 - 126 - 142
86	ANTES	128 - 219
87	ANTES BIEN	148 - 204 - 259 - 265
88	ANTES DE + fecha	128 - 223
89	ANTES DE + hora / fecha	227
90	ANTES DE + acontecimiento	166
91	APENAS	120 - 233
92	APENAS + acontecimiento	166
93	AQUEL / AQUELLA / AQUELLOS / AQUELLAS	12
94	AQUELLO	12
95	AQUÍ	12 - 126
96	ARRIBA	126
97	ASÍ	130 - 196
98	ASÍ + deseo	92 - 191
99	ASÍ (ES) QUE	160 - 180
100	ASÍ QUE	102 - 166
101	ASÍ Y TODO	148 - 204 - 265
102	ASIMISMO	130 - 259
103	ATRÁS	126
104	AUN	130 - 204
105	AÚN	128 - 219
106	AUN ASÍ	148 - 204 - 265
107	AUNQUE	98 - 154 - 204
108	BAJO	38 - 126 - 142
109	BASTANTE	124
110	BASTANTE/ES	16 - 248
111	BASTANTE + adjetivo	124
113	BIEN	130
114	BIEN / MAL	130

Diccionario práctico de gramática	Libro de ejercicios del Diccionario práctico de gramática	Diccionario práctico de gramática	Libro de ejercicios del Diccionario práctico de gramática
Nº Ficha / Exponente	Nº de páginas	Nº Ficha / Exponente	Nº de páginas
15 BIEN MIRADO	150	173 CONTRA + *algo*	142
16 BUENO/A/OS/AS	30	174 CONTRA + *algo / alguien*	38 - 142
17 BUENO	308	175 CONTRARIAMENTE A LO	152 - 204
18 BUENO, BUENO	292	176 CONVERTIRSE EN	285
20 BUENO, SÍ	308	177 CREER	82 - 288
21 CADA	18	178 CREER QUE SÍ / NO	288
22 CADA CUAL	18	179 ¿(TÚ) CREES? / ¿(USTED) CREE?	288
23 CADA DÍA MÁS	128	180 ¿CUÁL? / ¿CUÁLES?	44
24 CADA UNO DE / CADA UNA DE	18	181 CUALQUIER	18
25 CADA VEZ QUE	166 - 199	182 CUALQUIER DÍA	241
26 CASI	124	183 CUALQUIERA	18
27 CASI + *cantidad*	124	184 CUALQUIERA QUE	241
28 CASI NUNCA	233	185 CUÁN	124
30 CERCA DE + *lugar*	126	186 CUANDO (conjunción)	102 - 199
32 CLARO	308	187 CUANDO (adverbio relativo)	46
33 CLARO QUE NO	211 - 306	188 ¿CUÁNDO?	44
34 COMO	156 - 254	189 ¡CUÁNDO IR A!	213
35 COMO + *causa*	94 - 152 - 176	190 CUANDOQUIERA QUE	241
36 COMO + *condición*	158 - 185	193 CUÁNTO	44 - 272
37 COMO + *modo*	104 - 130 - 164 - 196	194 CUANTO ANTES	128
138 COMO MUCHO	124	195 CUYO/A/OS/AS	46
139 COMO SI	156 - 196	197 ¿DAR + *algo*?	270
140 ¿CÓMO?	44	198 DAR + *sentimiento*	188
141 ¡CÓMO + *acción*!	44	199 DAR IGUAL	243
143 ¿CÓMO ES QUE?	176	200 DAR POR	118 - 281
144 CÓMO NO	308	202 DARLE A UNO POR	114 - 278
145 ¡CÓMO QUE!	292	203 DARSE CUENTA DE	82
146 COMOQUIERA QUE	130 - 241	204 DE + *algo*	136
147 CON + *alguien / algo* (compañía)	134	205 DE + *alguien*	38 - 136 - 251
148 CON + *alguien / algo* (sentimiento)	134 - 188	206 DE + *año / mes*	217
149 CON + *característica*	134	207 DE + *característica*	136
150 CON + *contenido*	134	208 DE + *causa*	136
151 CON + *infinitivo*	134 - 204	209 DE + *etapa de la vida*	136 - 223
152 CON + *ingrediente*	134	210 DE + *grupo*	136
153 CON + *instrumento*	134	211 DE + *infinitivo* (condición)	136 - 182
154 CON EL OBJETO DE	162 - 193	212 DE + *infinitivo* (característica)	136
155 CON FRECUENCIA	134 - 233	213 DE + *lugar*	136
156 CON LA DE... QUE	248	214 DE + *material*	136
157 CON LO... QUE	310	215 DE + *país o ciudad*	136
158 CON QUE	158 - 185	216 DE + *parte del día*	136 - 215
159 CON RAZÓN	134 - 268 - 292	217 DE + *unidad*	136
160 CON RESPECTO A	134 - 150 - 263	218 DE + *uso*	136
161 CON SÓLO	185	219 DE ACUERDO	136 - 211 - 292
162 CON TAL DE QUE	96 - 158 - 185	220 DE AQUÍ A	136 - 166 - 227
163 CON VISTAS A	193	221 DE AHÍ	136 - 180
164 CONFORME	211 - 292	222 DE CUANDO EN CUANDO	136 - 233
165 CONFORME + *acción*	166 - 199	223 DE DÍA / DE NOCHE	136
166 CONFORME + *modo*	104 - 130 - 196	224 DE ESO NI HABLAR	136 - 211 - 292
167 CONMIGO / CONTIGO / CONSIGO	38	225 DE ESTA MANERA / DE ESTE MODO	130 - 196
169 CONQUE	150 - 160 - 180	226 DE LO MÁS	124 - 136
170 CONSIDERANDO QUE	152	227 DE MODO QUE	160 - 180
171 CONSIGO	38	228 DE MOMENTO	128 - 136
172 CONTINUAR + *gerundio*	229	229 DE NUEVO	136

Diccionario práctico de gramática		Libro de ejercicios del Diccionario práctico de gramática
Nº Ficha	Exponente	Nº de páginas
230	DE PRONTO	128 - 136
231	DE PURO	176
232	¿DE QUIÉN / DE QUIÉNES + SER?	44 - 251
233	DE TANTO	136 - 176
234	DE TANTO/A/OS/AS	176
235	DE TODAS FORMAS / DE TODAS MANERAS	136
236	DE UN	124
237	DE UN MOMENTO A OTRO	136
238	DE UNA VEZ POR TODAS	128
239	¿DE VERAS? / ¿DE VERDAD?	298
240	DE VERDAD	136
241	DE VEZ EN CUANDO	233
242	DEBAJO DE	126
243	DEBER + infinitivo	114 - 213 - 295
244	DEBER DE + infinitivo	114 - 201
245	DEBIDO A	176
246	DECIR QUE	90
248	DEJAR + infinitivo	114 - 281
249	¿DEJAR + algo?	270
250	DEJAR + algo + participio	118
251	DEJAR DE + infinitivo	114 - 281
252	DEJARSE DE	213
253	DEL	6
254	DELANTE DE	126
255	DEMASIADO	124 - 248 - 310
256	DENTRO DE	126
257	DENTRO DE + tiempo	227
258	DESDE + fecha	225
259	DESDE + lugar	136
260	DESDE + lugar de origen	136
261	¿DESDE CUÁNDO?	136
262	DESDE HACE + tiempo	225
263	DESDE LUEGO	292 - 308
264	¡DESDE LUEGO!	308
265	DESDE LUEGO QUE NO	211 - 292 - 306
266	DESDE QUE	166 - 225
267	DESPUÉS	128 - 219 - 231
268	DESPUÉS DE + acontecimiento	166 - 231
269	DESPUÉS DE + fecha	223
270	DESPUÉS DE + hora / fecha	128
271	DETRÁS DE	126
274	DIME / DIGA / DÍGAME	276
275	DISCULPA/E	276
277	DONDE	46
278	DONDE + nombre propio	46
279	¿DÓNDE?	44
280	¿DÓNDE + verbo?	44
281	DONDEQUIERA QUE	241
282	DURANTE	142 - 229
283	E	146
284	ECHAR(SE) A + infinitivo	114 - 278

Diccionario práctico de gramática		Libro de ejercicios de Diccionario práctico de gramática
Nº Ficha	Exponente	Nº de págin.
285	EL / LA / LOS / LAS	
286	EL + día de la semana o del mes	6 - 21
287	EL / LA CUAL, LOS / LAS CUALES	4
288	EL / LA QUE, LOS / LAS QUE	46 - 10
289	EL HECHO DE QUE	17
291	ÉL / ELLA / ELLOS / ELLAS	32 - 34 - 3
293	EN + cantidad de tiempo	128 - 13
294	EN + ciencia	13
295	EN + fecha futura	138 - 22
296	EN + lugar	126 - 13
297	EN + lugar interior	126 - 13.
298	EN + modo	13.
299	EN + precio	138 - 27
300	EN + tiempo	138 - 219 - 223 - 22:
301	EN + vehículo	13.
302	EN AQUELLA ÉPOCA	128 - 138 - 21:
303	EN CAMBIO	138 - 148 - 204 - 259 - 26:
304	EN CASO DE QUE	96 - 138 - 158 - 18!
305	EN CONTRA DE	13!
306	EN CONTRA DE LO QUE	20.
307	EN CUANTO	102 - 138 - 16(
308	EN CUANTO A	138 - 26:
309	EN CUANTO QUE	138
310	EN ESTO	128 - 138
311	EN LA MEDIDA QUE	15.
312	EN LA VIDA / EN MI VIDA	138 - 233
313	EN LUGAR DE	138
314	EN PUNTO	128 - 21!
315	EN TU LUGAR / EN SU LUGAR	208
318	EN VEZ DE	138
319	EN VISTA DE	152 - 176
320	ENCANTARLE	172 - 188 - 29(
321	ENCIMA	259
322	ENCIMA DE	126
323	ENFRENTE	126
324	ENFRENTE DE	126
325	ENSEGUIDA	128
327	ENTONCES + consecuencia	150 - 18(
328	ENTONCES + tiempo pasado	128 - 219
329	ENTRE	38 - 126 - 142
330	ENTRETANTO	128 - 199
332	ES DECIR	150 - 259
333	ES MÁS	150 - 259 - 265
334	ES QUE	176 - 211 - 276
335	ESE/A/OS/AS	12
336	ESO	12
338	ESO SÍ	204 - 265
339	ESPECIALMENTE	130 - 310
340	ESPERAR	92 - 191
341	ESTAR + adjetivo	168 - 314

N° Ficha	Exponente	N° de páginas
Diccionario práctico de gramática		**Libro de ejercicios del Diccionario práctico de gramática**
42	ESTAR + *fecha*	168
43	ESTAR + *gerundio*	116 - 168
44	ESTAR + *lugar*	168 - 316
45	ESTAR + *participio*	118 - 168 - 281
46	ESTAR + *precio*	168
47	ESTAR + *temperatura*	168
48	ESTAR AL + *infinitivo*	278
49	ESTAR A FAVOR DE / ESTAR EN CONTRA DE	211 - 292
50	ESTAR A PUNTO DE	278
51	ESTAR CLARO QUE	86 - 88
52	ESTAR DE	314
53	ESTAR DE ACUERDO	84 - 211 - 292
54	ESTAR PARA + *infinitivo*	114 - 278
55	ESTAR POR + *infinitivo*	114 - 278
56	ESTAR SEGURO DE	288
57	ESTAR SIN + *infinitivo*	114
58	ESTE/A/OS/AS	12
59	ESTO	12
60	ESTO ES	150 - 259
61	ESTOS / ESTAS... AQUELLOS / AQUELLAS	12
62	EVIDENTEMENTE	308
63	EXCEPTO	38 - 142
64	EXCEPTO QUE	96 - 185
67	FRANCAMENTE	130
68	FRECUENTEMENTE	233
69	FRENTE A	126
70	FUERA DE	126
72	GENERALMENTE	236
73	GENTE	238
74	GRACIAS	274
75	GRACIAS A	274
76	GRACIAS A + *causa*	152 - 176
77	GRACIAS POR	274
78	GUSTARLE	92 - 172 - 188 - 290
79	HABER	316
80	HABER + *participio*	56 - 62 - 68 - 72 - 78 - 80
81	HABER DE + *infinitivo*	114 - 213 - 295
82	HABER QUE + *infinitivo*	114 - 213 - 295
84	HABLANDO DE	263
85	HACE	223 - 225
86	HACE... QUE	225 - 229
87	HACE (MUCHO) TIEMPO	229
90	HACER FALTA	295
92	HACERSE	285
93	HACERSE EL / HACERSE LA	285
94	HACIA + *lugar*	38 - 142
95	HACIA + *persona*	38 - 142 - 188
96	HACIA LA(S) + *hora*	215 - 217
97	HARTO	124 - 310
98	HASTA	38 - 144
99	HASTA + *lugar*	144

N° Ficha	Exponente	N° de páginas
Diccionario práctico de gramática		**Libro de ejercicios del Diccionario práctico de gramática**
400	HASTA + *tiempo*	144
401	HASTA AHORA	219
402	HASTA CUÁNDO	44
403	HASTA QUE	166
405	HOY	128
407	IGUAL	122 - 201
408	IGUALMENTE	130
409	INCLUSO	38 - 144
411	IR + *gerundio*	116 - 229
412	IR A + *infinitivo*	114 - 278
413	IR + *participio*	281
414	IR A VER / IR A HABLAR	278
415	JAMÁS	128 - 233
416	JUNTO A	126
417	JUNTO CON	126
418	JUSTO	130
419	LA MANERA EN QUE	164 - 196
420	LA MAÑANA	128
421	LA MAR DE	310
422	LA MAYOR PARTE DE	236
423	LA MAYORÍA DE	236
424	LA VERDAD	130
425	LEJOS (DE)	126
426	LIGERAMENTE	310
427	LLEGAR A + *infinitivo*	114 - 281 - 285
428	LLEGAR A SER	285
429	LLEVAR + *gerundio*	116 - 225 - 229
430	LLEVAR + *número* + *participio*	118
431	LLEVAR SIN + *infinitivo*	114 - 229
432	LO + *adjetivo*	10
433	LO + *adjetivo / adverbio* + QUE	10
434	LO CUAL	10
435	LO DE	10
436	LO DE QUE	10
437	LO MÍO / LO TUYO	251
438	LO QUE	10
439	LO QUE PASA ES QUE	152 - 176
442	LOS / LAS + *número*	6
443	LOS DEMÁS / LAS DEMÁS	18
444	LOS MÍOS / LOS TUYOS	251
445	LUEGO	219 - 231
446	LUEGO + *frase*	150 - 160 - 180
447	MAL QUE	154 - 204
448	MAÑANA	128
449	MAS	148 - 204 - 265
450	MÁS	124
451	MÁS AÚN	150 - 259 - 265
452	MÁS BIEN	310
453	MÁS DE	28 - 257
454	MÁS TARDE	128 - 231
455	MÁS (...) QUE	28 - 30 - 254 - 257
456	ME	32 - 34 - 36
457	MEDIANTE	144

Diccionario práctico de gramática		Libro de ejercicios del Diccionario práctico de gramática
Nº Ficha	Exponente	Nº de páginas
458	MEJOR	28 - 30
459	MEJOR DICHO	150 - 265
461	MENOS	124
462	MENOS DE	28 - 257
464	MENOS... QUE	28 - 254 - 257
465	MI / MIS	14 - 251
466	MÍ	38
467	MIENTRAS	102 - 166 - 199
468	MIENTRAS + condición	185
469	MIENTRAS QUE	148 - 204 - 259 - 265
470	MIENTRAS TANTO	128 - 199
471	MÍO/A/OS/AS	14 - 251
472	MIRA/E	276
474	MIRÁNDOLO BIEN	150
475	MISMO/A/OS/AS	18 - 254
476	MUCHO	124 - 310
477	MUCHO/A/OS/AS	16 - 18 - 248 - 310
478	MUY	18 - 124 - 248
479	MUY DE MAÑANA	128
481	NADA	16
482	NADA + adjetivo	124 - 310
483	NADA MÁS	166
484	NADIE	16
485	NECESITAR	295
486	NI	146 - 304
487	NI HABLAR	211 - 292 - 306
488	NI IDEA	304 - 306
489	NI QUE	156 - 196
490	NI SE TE OCURRA	211 - 306
491	NI SIQUIERA	304
492	NINGUNO/A/OS/AS	16
493	NO	120 - 306
494	NO... ANTES BIEN	204
495	NO BIEN	166
496	NO DEJES DE	208
498	NO LLEGAR A + infinitivo	281
500	NO... MÁS DE	124
501	¡NO ME DIGAS!	298
502	NO PASAR DE + infinitivo	281
503	NO PORQUE..., SINO	94
504	NO PUEDE SER	298
505	NO SABER	304 - 306
507	NO SEA QUE	158 - 185
508	NO..., SINO (QUE)	148 - 204
512	NOS	32 - 34 - 36
513	NOSOTROS/AS	32 - 34 - 36
514	NUESTRO/A/OS/AS	14 - 251
515	NUNCA	128 - 233
516	O	146
517	O SEA	150 - 259
518	O SEA, QUE	180

Diccionario práctico de gramática		Libro de ejercicios del Diccionario práctico de gramática
Nº Ficha	Exponente	Nº de páginas
520	OJALÁ	92 - 19
521	OS	32 - 34 - 3
523	OTRO/A/OS/AS	1
524	OYE / OIGA	27
525	PARA + fecha	140 - 22
526	PARA + finalidad	140 - 162 - 19
527	PARA + infinitivo	140
528	PARA + lugar	140
529	PARA + opinión	140 - 29
530	PARA + persona	38 - 140
531	PARA EL / PARA LA / PARA LO... QUE	46 - 10
532	¿PARA QUÉ?	162 - 19
533	PARAR DE + infinitivo	28
534	PARECERLE	82 - 172 - 28
535	PASADO MAÑANA	12
536	PENSAR + infinitivo	114 - 27
537	PENSAR QUE + verbo	82 - 28
538	PERDÓN/A/E	27
539	PERO	148 - 204 - 259 - 26
542	PESE A	20
543	PÉSIMO	3
544	POCO	124 - 31
545	POCO/A/OS/AS	16 - 24
547	POCO MENOS DE	12
548	PODER + infinitivo	11
549	PODER INCLUSO QUE	20
550	PODER SER QUE	20
551	¿PONER + algo?	27
552	PONERSE	42 - 172 - 188 - 28
553	PONERSE A + infinitivo	114 - 27
554	POR + algo / alguien	38 - 140 - 188
555	POR + causa	140 - 176
556	POR + fecha	140 - 217
557	POR + finalidad	140 - 19
558	POR + lugar	140
559	POR + lugar aproximado	140
560	POR + medio / instrumento	140
561	POR + parte del día	140 - 217
562	POR + persona (agente)	140
563	POR + persona (destinatario)	140
564	POR + precio	140 - 272
565	POR + unidad de tiempo	128 - 140
566	POR + tiempo superado	128 - 140
567	POR AHORA	128 - 140
568	POR CIENTO	20 - 124
569	POR CIERTO	263 - 292
570	POR CULPA DE	152 - 176
571	POR EL CONTRARIO	148 - 204
572	POR ESO	160 - 180
573	POR FAVOR	270 - 276

Diccionario práctico de gramática		Libro de ejercicios del Diccionario práctico de gramática
Ficha	Exponente	N° de páginas
575	POR LO GENERAL	236
576	POR LO MENOS	124
577	POR LO QUE RESPECTA A	263
578	POR (LO) TANTO	160 - 180
579	POR LO VISTO	263
580	POR MÁS QUE / POR MUCHO QUE	154 - 204
581	POR MUY... QUE	204
583	¿POR QUÉ?	44
584	¿POR QUÉ NO?	211
586	POR SI NO	263
587	POR ÚLTIMO	259
588	PORQUE	94 - 152 - 176
589	POSIBLEMENTE	122 - 201
591	PROBABLEMENTE	122 - 201
592	PROPIO	251
593	PUES	263
594	PUES + causa	176
595	PUESTO QUE	152 - 176
596	QUE (relativo)	46 - 100
597	QUE (comparativo)	28 - 30 - 156 - 254
598	QUE (completivo)	82 - 86 - 90
599	QUE + causa	152
600	QUE + deseo	92 - 191
601	QUE + finalidad	193
602	QUE + lo dicho antes	90 - 213
604	QUE SÍ / QUE NO	306 - 308
605	¿QUÉ?	44
606	¡QUÉ + algo!	44 - 301
607	¡QUÉ + cualidad!	44 - 301
608	¡QUÉ + IR A!	304
609	QUÉ BIEN	188 - 268 - 301
610	¡QUÉ DIGO!	265
612	¡QUÉ MÁS DA!	243
613	QUÉ PENA / QUÉ RARO / QUÉ SUERTE	188 - 268 - 298 - 301
614	¡QUÉ VA!	306
615	QUEDAR + participio	118 - 281
616	QUEDAR EN	211
617	QUEDAR POR / QUEDAR SIN + infinitivo	213
619	QUEDARSE + cambio	285
620	QUEDARSE + gerundio	116 - 281
621	QUEDARSE + participio	281
622	QUERER	92 - 270 - 278
623	¡QUIÉN!	92 - 191
624	¿QUIÉN? / ¿QUIÉNES?	44
625	QUIEN/ES	46
626	QUIENQUIERA / QUIENESQUIERA QUE	18 - 241

Diccionario práctico de gramática		Libro de ejercicios del Diccionario práctico de gramática
N° Ficha	Exponente	N° de páginas
627	QUIZÁ(S)	122 - 201
628	RARAMENTE	130 - 233
629	REALMENTE	130 - 310
630	RECOMENDAR	208
636	SALVO	38
637	SALVO QUE	185
638	SE	246
639	SE + verbo	40
640	SE + verbo + complemento	238
641	SEGUIR + gerundio	116 - 229
642	SEGÚN + algo	144 - 263
643	SEGÚN + alguien	38 - 144 - 263
644	SEGÚN + modo	46 - 104 - 144 - 164 - 196
645	SEGÚN + variación	144
646	SEGÚN + verbo	199
647	SEGURO QUE / SEGURAMENTE	201
649	SENTIR	188
650	SENTIR + información	88
651	SENTIR LO DE	188
653	SER + adjetivo	168 - 314
654	SER + fecha	168
655	SER + hora	168
656	SER + identidad	168 - 314
657	SER + lugar	168 - 316
658	SER + material	168 - 314
659	SER + número	168
660	SER + origen	168 - 314
661	SER + participio	168 - 281
662	SER + precio	268
663	SER + profesión u ocupación	168 - 314
664	SER + pertenencia	168 - 251
665	SER + valoración	168 - 268
666	SER ALGO	268
667	SER EL / SER LA	168
668	SER EVIDENTE / SER VERDAD / SER CIERTO	86 - 168
669	SER MEJOR	208
670	SER NECESARIO / SER PRECISO	295
671	SER UN / SER UNA + adjetivo	168
672	¡SERÁ POSIBLE!	298
673	SÍ (reflexivo)	38
674	SÍ (afirmativo)	120 - 308
675	SÍ + verbo	308
676	¿SÍ?	298
677	¿SÍ? + indiferencia	243
678	SÍ, QUIZÁS SÍ	211 - 292 - 308
681	SI + condición	96 - 158 - 182

Diccionario práctico de gramática N° Ficha	Exponente	Libro de ejercicios del Diccionario práctico de gramática N° de páginas
684	SI ACASO	
685	SI BIEN ES CIERTO QUE	211
686	SI ES POSIBLE	154 - 204
687	SI (ES QUE)	270
688	SI (YO) ESTUVIERA EN TU / SU LUGAR	176
689	SI PUEDE SER	208
690	SI SE MIRA BIEN	270
691	SI SE TIENE EN CUENTA QUE	150
692	SI YO FUERA TÚ / SI YO FUERA USTED	152 - 176
693	SIEMPRE	208
694	SIEMPRE QUE	128 - 233
695	SIEMPRE QUE + condición	102 - 166 - 199
696	SIGUIENTE	185
697	SIN	231
698	SIN + actividad	38 - 144
699	SIN EMBARGO	144 - 196
700	SINO	98 - 148 - 204 - 259 - 265
701	SIQUIERA	148 - 204 - 259
702	SO	124
703	SOBRE	144
704	SOBRE + cantidad	38 - 126
705	SOBRE + tema	144
706	SOBRE + tiempo	144
707	SOLER	144 - 215
709	SÓLO + cantidad	236
710	SÓLO CON	130
711	SÓLO SI	158 - 185
712	SU / SUS	185
713	SÚBITAMENTE	14 - 251
714	SUGERIR	130
715	SUMAMENTE	208
717	SUYO/A/OS/AS	130 - 310
718	TAL VEZ	14 - 251
719	TAMBIÉN (afirmación)	122 - 201
720	TAMBIÉN (acuerdo)	259
721	TAMPOCO (negación)	290
722	TAMPOCO (acuerdo)	259
723	TAN	290
724	TAN... COMO	28 - 310
725	TAN PRONTO COMO	28 - 156 - 254
726	TANTO/A/OS/AS	102 - 166
727	TANTO COMO	28 - 248
728	TANTO MÁS... CUANTO QUE	156 - 254
729	TE	28
730	TENER + participio	32 - 34 - 36
732	TENER QUE + infinitivo	118 - 281
733	TENER RAZÓN	114 - 213 - 295
734	TENIENDO EN CUENTA QUE	211 - 292
735	TERMINAR + gerundio	152
736	TI	281
737	TODAS LAS VECES QUE	38
		166 - 199

Diccionario práctico de gramática N° Ficha	Exponente	Libro de ejercicios de Diccionario práctico de gramática N° de págin
738	TODAVÍA	128 - 2
739	TODO/A/OS/AS	
740	TODO/A + sustantivo	
741	TODO EL MUNDO	23
742	TODO LO MÁS	12
743	TOTAL	24
744	TOTAL, QUE	18
745	TRANSFORMARSE EN	28
746	TRAS	38 - 144 - 23
747	TÚ	32 - 34 - 3
748	TU / TUS	14 - 25
750	TUYO/A/OS/AS	14 - 25
751	U	14
752	UN / UNA / UNOS / UNAS	8 - 2(
753	UN (BUEN DÍA)	21
754	UN DÍA DE ESTOS	21
755	UN POCO	124 - 24
756	UN POCO MÁS DE	12
757	UN POCO MENOS DE	12
759	UN TANTO	31(
761	UNA VEZ	21
763	UNOS / UNAS + cantidad	8
764	UNOS CUANTOS / UNAS CUANTAS	248
765	USTED / USTEDES	32 - 34
766	VALE	211 - 292 - 308
767	VARIAS VECES	233
768	VENGA	108
769	VENGA, VENGA	108
770	VENIR A + infinitivo	114
771	VENIR + gerundio	116 - 229
773	VERDADERAMENTE	310
774	VEZ AL / A LA, VECES AL / A LA	233
775	VOLVER A + infinitivo	114
776	VOLVERSE	285
778	VOSOTROS/AS	32 - 34 - 36
779	VUESTRO/A/OS/AS	14 - 251
780	Y	146
781	Y + hora	215
782	Y + número	20
783	¿Y A MÍ QUÉ?	243
786	Y ESO QUE	154 - 204
788	¿Y QUÉ?	243
789	¿Y SI?	243
791	YA + futuro	128
792	YA + pasado	128 - 219
793	YA + presente	128
795	YA NO	128
796	YA QUE	152 - 176
797	YA SEA... (YA SEA)	146
798	YO	32 - 34 - 36
799	YO QUE TÚ / YO QUE USTED	208